O SCURTĂ ISTORIE A ROMÂNILOR
povestită celor tineri
de
Neagu Djuvara

NEAGU M. DJUVARA s-a născut la București în 1916, într-o familie de origine aromână așezată în țările române la sfârșitul secolului al XVIII-lea și care a dat țării mai mulți oameni politici, diplomați și universitari. Licențiat în litere la Sorbona (istorie, 1937) și doctor în drept (Paris, 1940). Participă la campania din Basarabia și Transnistria ca elev-ofițer de rezervă (iunie–noiembrie 1941); rănit în apropiere de Odessa.

Intrat prin concurs la Ministerul de Externe în mai 1943, este trimis curier diplomatic la Stockholm în dimineața zilei de 23 august 1944, în legătură cu negocierile de pace cu Uniunea Sovietică. Numit secretar de legație la Stockholm de guvernul Sănătescu, va rămâne în Suedia până în septembrie 1947, când comuniștii preiau și Externele.

Implicat în procesele politice din toamna 1947, hotărăște să rămână în exil, militând până în 1961 în diverse organizații ale exilului românesc (secretar general al Comitetului de Asistență a Refugiaților Români, la Paris; ziaristică; Radio Europa Liberă; secretar general al Fundației Universitare Carol I).

În 1961, pleacă în Africa, în Republica Niger, unde va sta douăzeci și trei de ani în calitate de consilier diplomatic și juridic al Ministerului francez al Afacerilor Străine și, concomitent, profesor de drept internațional și de istorie economică, la universitatea din Niamey.

Între timp, reluase studii de filozofie la Sorbona. În mai 1972, capătă doctoratul de stat la Sorbona cu o teză de filozofie a istoriei; mai târziu, obține și o diplomă a Institutului Național de Limbi și Civilizații Orientale de la Paris (I.N.A.L.C.O.).

Din 1984, secretar general al Casei Românești de la Paris, până după revoluția din decembrie 1989, când se întoarce în țară. Din 1991, profesor-asociat la Universitatea din București și membru de onoare al Institutului de Istorie „A.D. Xenopol" din Iași.

Principale publicații: — *Le droit roumain en matière de nationalité*, Paris, 1940; *Démétrius Cantemir, philosophe de l'Histoire*, in *Revue des études roumaines*, Paris, 1973; *Civilisations et lois historiques, Essai d'étude comparée des civilisations,* Mouton, Paris–Haga, 1975 (carte premiată de Academia Franceză) (tradusă în românește sub titlul *Civilizații și tipare istorice. Un studiu comparat al civilizațiilor*, seria Teoria istoriei, Humanitas, 1999); *Les « grands boïards » ont-ils constitué dans les principautés roumaines une véritable oligarchie institutionnelle et héréditaire?* in *Südost-Forschungen*, Band XLVI, München, 1987; *Le pays roumain entre Orient et Occident. Les Principautés danubiennes dans la première moitié du XIXe siècle*, Publications Orientalistes de France, 1989; *Les Aroumains* (operă colectivă), Publications Langues'O, Paris, 1989; *Sur un passage controversé de Kékauménos. De l'origine des Valaques de Grèce*, in *Revue roumaine d'histoire*, t. XXX, 1–2, București, 1991; *O scurtă istorie a românilor povestită celor tineri*, seria Istorie, Humanitas, 1999; *Cum s-a născut poporul român?*, *Mircea cel Bătrân și luptele cu turcii*, seria Humanitas Junior, 2001.

O SCURTĂ ISTORIE A ROMÂNILOR

povestită celor tineri
de
Neagu Djuvara

Ediția a V-a revăzută

HUMANITAS
BUCUREȘTI

Cuvânt înainte

Această carte nu este o carte obișnuită de istorie; nu este un manual, și nici nu are pretenția de a ține locul manualelor de școală. Ea s-a născut din inițiativa doamnei Irina Nicolau, specialistă în etnologie și istorie orală, care, acum câțiva ani, exasperată de faptul că manualele școlare, de cele mai multe ori, continuau, în ciuda revoluției din decembrie 1989, să difuzeze aceeași istorie *intenționat deformată* în deceniile trecute, și cam în aceeași „limbă de lemn", m-a ademenit să rezum în casete audio pentru tineri, în modul cel mai simplu și curgător, tot trecutul țării noastre. Volumul de față e transcrierea acelor înregistrări, curățită de unele „poticneli" inerente unui discurs improvizat și completată, acolo unde mi s-a părut că lipsurile erau prea evidente, bineînțeles în limita spațiului acordat. Am lăsat deci *să curgă povestirea*, fără a o întrerupe cu note explicative și referințe bibliografice — într-un cuvânt, fără ceea ce savanții numesc „aparat critic" —, ca să fie pe înțelesul tuturor, și al iubitorilor de istorie, și al celor cărora le-a rămas oarecum indiferentă cunoașterea trecutului nostru.

E o povestire foarte rezumativă; n-am înșirat, de pildă, numele tuturor voievozilor care se ceartă pentru domnie în secolele al XV-lea și al XVI-lea, sau, mai apoi, ale domnitorilor fanarioți schimbați de stăpânul de la Constantinopol la doi-trei ani o dată (când nu erau, din porunca lui, tăiați sau sugrumați). Să nu se creadă însă că e vorba de o carte de *vulgarizare*. Nu-mi place cuvântul „vulgarizare", cuvânt cu iz peiorativ, care ar lăsa impresia că narațiunea ar fi nu numai simplă, ci și simplistă sau copilăroasă. Cititorul își va da repede seama că, sub aspectul unei povestiri ușoare, am îndrăznit să aduc în discuție problemele cele mai delicate, cele mai controversate din istoria noastră, considerând că și tânărul licean are o minte adultă, nu una fragilă, care ar trebui menajată, oferindu-i-se despre trecutul nostru o imagine edulcorată, trandafirie. Nimic nu servește mai bine țara decât cunoașterea (sau recunoașterea) adevărului, pe cât putem noi oamenii să-l deslușim — fiindcă *adevărul în totalitate* numai Dumnezeu îl cunoaște. De aceea să nu vă mire dacă zic din când în când: „unii autori sunt de părere că…" sau „eu cred că…" etc.

În căutarea adevărului nostru se spune de obicei că trebuie să fii *obiectiv*. Nici cuvântul acesta nu-mi place: dacă cercetați în dicționare, veți afla că „obiectiv" este „ceea ce se află în afara conștiinței", deci, logic, nu se poate aplica decât studiului obiectelor, lucrurilor, materiei inerte. Or, istoricul are de-a face întâi de toate cu oameni — indivizi sau colectivități, deci subiecte nu obiecte, iar pentru a înțelege aceste subiecte trebuie să fie și el subiectiv. El se va strădui din răsputeri să-și însușească rând pe rând mentalități și păreri diferite sau chiar contradictorii (individuale, naționale, religioase, doctrinare etc.). Imparțialitatea lui nu poate decurge decât dintr-o succesiune — cât mai cinstită cu putință — de parțialități. Dacă procedăm astfel, nu vom mai putea urmări în descrierea și explicarea trecutului un scop pretins „național", și în numele acestui fals patriotism să tăinuim unele fapte sau să măsluim altele, sub cuvânt că trebuie să răspundem unor falsificări ale vecinilor noștri unguri sau bulgari sau greci sau ruși sau ale altora. *Nu se răspunde unei minciuni cu altă minciună.* Singurul răspuns valabil este o totală cinste intelectuală. Numai astfel ne vom impune științei internaționale și ne vom putea lua locul ce ni se cuvine în Europa și în lume. Am păstrat titlul oarecum înșelător de „Istoria românilor", când astăzi se tinde din ce în ce mai mult a vorbi de „Istoria României", mai întâi fiindcă e tradițional; apoi fiindcă „România" e un termen care s-a aplicat țării locuite de români de abia după Unirea de la 1859 — putem oare să numim „România" teritoriul nostru din Evul Mediu?; în fine, fiindcă îmi permite să evoc fugitiv și alte ramuri ale romanității orientale aflate în afara spațiului României contemporane, cum sunt aromânii sau cum au fost vlahii de la începutul celui de al doilea țarat bulgar, al dinastiei Asăneștilor. Subiectul cărții depășește însă, și etnic și temporal, istoria *stricto sensu* „a românilor". Temporal, fiindcă vom urca în timp înainte ca să se fi închegat gruparea umană vorbind limba română, spre semințiile din amestecul cărora s-a născut această grupare, adică poporul român; proces de lungă durată, foarte greu de urmărit și de lămurit, din cauza sărăciei documentelor. Trebuie evocați, pe scurt, geto-dacii, apoi italicii și mediteraneenii romanizați aduși de colonizarea romană; poate și ceva rămășițe ale barbarilor germanici (goți, gepizi etc.), dar mai cu seamă marea migrație slavă, care a lăsat urme adânci în limbă, în moravuri, în instituții, și care trebuie considerată ca o a treia componentă majoră în etnogeneza poporului român. Eu mai văd și o a patra componentă însemnată, anume popoarele zise *turanice*, venite din Asia centrală în valuri succesive, cum au fost avarii, pecenegii, uzii, cumanii, majoritatea fiind de limbă *türk*, înrudită cu turca otomană. Pecenegii și cumanii de pildă stăpânesc spațiul nostru la răsărit și miazăzi de Carpați timp de trei sute cincizeci de ani, și tocmai pe locurile desemnate până atunci de vecinii noștri drept „Cumania" apare, la cumpăna veacului al XIII-lea cu veacul al XIV-lea, primul stat român organizat, Țara Românească. Voi încerca să arăt de ce cred că componenta turanică nu a fost luată destul în considerație până acum. În orice caz, numai după acest complex amestec și după nașterea limbii ce-i zicem „română" se poate vorbi de un popor român. Dar, până să vedem realizată această închegare, a trebuit să începem povestirea cu peste o mie de ani înainte.

În al doilea rând, pe plan etnic, mai trebuie vorbit despre grupurile care nu s-au amestecat cu românii (ca ungurii, sașii, rutenii), ba unele chiar devenind elemente dominante și privilegiate într-o întinsă zonă până în epoca contemporană. Li s-au adăugat mai târziu alte aporturi, dintre care unele au fost lesne asimilate de masa română — ca grecii și alți balcanici —, dar și altele care s-au asimilat mai greu fie că i-am ținut noi deoparte, fie că au ținut ei să-și păstreze individualitatea — ca țiganii, armenii, evreii. De toți aceștia trebuie pomenit, căci au împărțit cu românii același teritoriu, iar influențele unora asupra altora sunt nenumărate și greu de evaluat.

Voi sublinia, în sfârșit, impactul vecinilor noștri asupra constituirii statelor române sau a închegării națiunii române. Rând pe rând sau deodată, țaratul bulgar, imperiul bizantin, regatul ungar, apoi despotatele sârbești, regatul polon, turcii otomani, austriecii, la urmă și rușii au jucat un rol în destinul neamului nostru. Aceasta ne va duce, ca în cercuri concentrice, la o vedere din ce în ce mai largă — sud-estul european, Europa centrală și orientală, Europa întreagă —, căci trebuie amintită până și îndepărtata Franță, al cărei rol a fost primordial în adoptarea, în veacul al XIX-lea, a spiritului, moravurilor și instituțiilor occidentale, și care a marcat în mod copleșitor limba română contemporană. Fără această viziune largă, fără această includere a românilor în istoria Europei și a lumii, istoria lor *e de neînțeles.*

O ultimă remarcă: să nu-și închipuie nici un autor că istoria pe care o scrie e definitivă, e cea adevărată, cea pe care o vor admite și generațiile viitoare. Fiecare generație are o nouă viziune asupra trecutului și poate chiar descoperi în acel trecut lucruri nebănuite, susceptibile de a modifica iarăși acea viziune.

Conștient așadar de șubrezimea și precaritatea scrisului istoric, las acum aceste observații preliminare, ca să încep să vă povestesc istoria țării noastre *așa cum o văd eu în acest sfârșit de veac și de mileniu.*

București, octombrie 1999

I

Începuturile

Dacă aveți în față o hartă fizică a României, observați cum arată podișul Transilvaniei: s-ar zice că țara noastră este un fel de mare cerc în jurul Transilvaniei. Ei bine, acolo s-a născut neamul românesc.

Cine locuia pe podișul Transilvaniei acum vreo două mii cinci sute de ani? — fiindcă a încerca să vedem cine a fost acolo mai înainte e o întreprindere prea grea. Nu putem, în cadrul unei lucrări atât de succinte, să împingem studiul în preistorie. Într-adevăr, în spațiul în care locuim astăzi, arheologia ne revelă urme de străveche prezență umană, de mii și poate zeci de mii de ani. Cum n-avem însă, deocamdată, nici un mijloc de a identifica rasa sau rasele acelor străvechi locuitori, de a pătrunde cât de cât moravurile și credințele lor, și, încă mai puțin, limbile vorbite, descrierea acelor civilizații ce se pierd în negura vremurilor ne-ar fi de prea puțin folos pentru a înțelege cum au apărut, în acest spațiu, cei ce pot fi considerați cu mai multă probabilitate ca strămoșii noștri. Cert este doar, din numeroasele urme arheologice de pe tot teritoriul țării, că s-au succedat valuri-valuri de migrații și din sud, și din vest, și din est, și e cu neputință să deduci numai din forma locuințelor și a mormintelor, ori din stilul uneltelor sau al ceramicii ce fel de rase au fost și cum s-au amestecat sau cum s-au nimicit una pe alta. Să ne limităm așadar la evocarea acelor popoare cărora savanții din veacul al XIX-lea le-au zis „indo-europene", fiindcă au împânzit spre apus Europa întreagă, și au ajuns spre miazăzi și răsărit până în India.

Acum vreo patru-cinci mii de ani, pornind de pe teritoriul unde se află acum Bielorusia, Ucraina de vest și Polonia, s-au urnit cu încetul, însă într-un elan neînfrânat, seminții vorbind aceeași limbă, care au ajuns să stăpânească cu vremea întregul nostru continent. Nu erau de o singură rasă (adică, în termeni de antropologie, nu aparțineau cu toții aceluiași tip fizic). S-a crezut, în secolul trecut, că indo-europenii, la origine, semănau toți cu scandinavii de azi, că erau înalți, blonzi și cu craniul dolicocefal, adică, văzut de sus, oval ca un ou. Era o concepție greșită: indo-europeana a fost doar o limbă. Arheologia a adus dovada că în leagănul originar s-au aflat fel de fel de popoare care, trăind de mii de ani împreună sau în vecinătate, au ajuns să vorbească aceeași limbă. Și din semințiile acestea de limbă indo-europeană, care s-au revărsat în valuri succesive, și la intervale câteodată mari, asupra Europei, împingând sau nimicind alte etnii mai vechi sau contopindu-se cu ele, s-au născut aproape toate popoarele care trăiesc astăzi în Europa.

Zic *aproape toate*, fiindcă au rămas mici nuclee neschimbate dinaintea venirii indo-europenilor, iar după aceștia au mai venit câteva popoare de limbă diferită. Care sunt acestea din urmă? De pildă *finlandezii*, *estonienii*, *ungurii* și *turcii*. Iar dinainte de indo-europeni cine a mai rămas? După limbă, ar fi doar *bascii*, care formează și astăzi un grup etnic compact în nordul Spaniei și sud-vestul Franței. Unii antropologi susțin că și Sicilia ar fi majoritar populată cu seminții anterioare valului indo-european; sicilienii au adoptat însă limba dominatorilor romani, și n-a rămas nici o urmă a vreunei limbi anterioare idiomurilor indo-europene.

Geto-dacii

Să revenim la spațiul carpato-dunărean. Aici sursele arheologice și documentare ne revelă, venită probabil deja din al doilea sau chiar al treilea mileniu înaintea erei noastre, prezența unei ramuri indo-europene. Pe reprezentanții ei unii i-au numit *daci* (în special în Transilvania), alții i-au numit *geți* (în Muntenia, Dobrogea și până în Basarabia).

Iar la sud de ei se găseau tracii. Mulți istorici cred, pe baza unei singure propoziții a istoricului grec Herodot (secolul al V-lea î.Cr.), că și geto-dacii erau o ramură a tracilor. Astăzi se pare că nu e chiar așa. Ar fi fost rude apropiate ale tracilor, dar limbile (puținul cât a mai rămas din aceste limbi) nu se potrivesc sută la sută, nu avem la geto-daci aceleași nume de localități, nu avem aceleași nume de regi ca la traci și, mai cu seamă, la traci se cunosc numele a zeci de zeități, dacă nu chiar sute, pe când geto-dacii par a nu fi avut decât o singură zeitate principală: Zalmoxis. Un neam erau deci acești geto-daci, alt neam, mai la sud, erau tracii, unde sunt Bulgaria și Turcia de azi, și alții illyrii, mai la vest, unde e Albania, și unde a fost Iugoslavia.

În secolul I î.Cr., aceste triburi geto-dace se unesc sub un singur rege, pe care-l cheamă Burebista. E prima dată când strămoșii noștri apar în istorie uniți și având un rege care îndrăznește să se lupte cu Roma. Stăpânirea lui Burebista se întindea și peste multe alte triburi, de dincolo de Nistru și până în Pannonia — dar el moare asasinat, în același an cu Caesar (44 î.Cr.)!

Roma

Romanii sunt tot un popor indo-european, stabilit pe teritoriul Italiei de azi. Au pornit de la un oraș, Roma, al cărui ținut înconjurător se chema Latium (de unde cuvântul

latini), și în trei-patru sute de ani, din jurul orașului Roma,
încetul cu încetul construiesc o adevărată împărăție. Cuce-
resc mai întâi toată Italia, pe urmă Spania, pe urmă Gallia
(Franța de azi), de asemenea tot nordul Africii.

Vă sunt cunoscute luptele dintre romani și cartaginezi.
Cartaginezii erau de rasă semită, deci înrudiți cu arabii și cu
evreii, mari negustori, care se stabiliseră unde e astăzi Tu-
nisia. Luptele dintre romani și cartaginezi au durat zeci de
ani (Hannibal, genialul general cartaginez, a fost cât pe ce
să cucerească Italia toată), dar, în cele din urmă, romanii au
ieșit învingători și, necruțători, au ras de pe fața pământului
falnica cetate Cartagina.

Iată-i pe romani punând piciorul în Africa, iar în mo-
mentul care ne privește pe noi, adică momentul când se vor
arăta interesați și de teritoriul locuit de geto-daci, romanii
au ajuns cea mai mare putere din lume, cu excepția, poate,
în Extremul Orient, a imperiului chinez, care se formează
cam în același timp cu imperiul roman. Romanii sunt atunci
stăpâni — priviți harta Europei — pe tot înconjurul Medite-
ranei. Imperiul lor e ca o largă verigă, un colac în jurul Mării
Mediterane: Italia, Hispania, Gallia, tot nordul Africii; au
cucerit și Grecia și Asia Mică și Syria, și iată-i la Dunăre,
vecini cu dacii.

De ce au început romanii să-i atace pe daci? Trebuie spus
de la început că dacii erau agresivi. Văzând bogățiile împără-
ției romane, făceau mereu incursiuni pustiitoare peste Dunăre,
în regiuni stăpânite acum de romani, și care de veacuri se
aflau sub influența civilizatoare a Greciei. De altfel, și ro-
manii au fost influențați de cultura elenică; de aceea se vor-
bește adesea despre „civilizația greco-romană". Romanii au
fost întâi de toate ostași, iar marea cultură le-a venit de la
greci. Grecii aveau și la noi, în Dobrogea, „agenții" de co-
merț, adică porturi cu o mică colonie în jur. Ați auzit de
Tomis, vechiul nume al orașului Constanța, și de Histria,

mai la nord. Erau și alte colonii de-a lungul coastei Mării Negre, la sud, în Bulgaria de azi, și spre nord, până în Crimeea. Influența grecească ajunsese deci în oarecare măsură și la geto-daci.

Și iată acum că se ivesc dușmănia și războiul între daci și romani. Aceasta se petrece o primă dată înainte de Cristos, în vremea lui Burebista. Ostilitățile vor reîncepe la sfârșitul secolului I d.Cr., iar legiunile romane sunt chiar învinse la un moment dat, sub un împărat slab, Domitianus. Dar soarta se schimbă când ajunge împărat Traianus, unul dintre cei mai glorioși împărați ai Romei. În Dacia se afla iarăși un rege care reușise să-i unească pe daci, pe un teritoriu însă mai mic, care nu depășea Tisa la apus, nici Siretul la răsărit. Se numea Decebal — nume pe care și-l luase, și avea probabil o semnificație în limba dacă. (Decebal pronunțăm noi acum, dar în vremea aceea „c" se pronunța „k"; Dekebalos era scris pe grecește sau latinește.) Decebal nu a vrut să accepte influența romană — de fapt ar fi fost un „protectorat" — și a continuat uneltirile împotriva Romei.

Dacia, colonie romană

Traianus hotărăște să pornească război pentru a aduce Dacia sub ascultare romană. Priviți iarăși harta. Tot imperiul roman era ca un colac în jurul Mediteranei, dar parcă Dacia ar fi mai departe de centru, spre nord-est, în afara „colacului". Dacia și Britannia apar ca „ieșinduri", „hernii" ale cordonului imperiului din jurul Mediteranei. De aceea vor fi și primele părăsite când presiunea barbară va crește.

Traianus a dus un prim război, în 101–102 d.Cr., l-a învins pe Decebal și i-a impus un tratat prin care acest rege al dacilor se angaja să-și distrugă cetățile, să nu facă alianță cu dușmanii Romei, să accepte arhitecți și ingineri romani și o oarecare supraveghere etc. De fapt, să devină un client al Romei. Dar Decebal n-a respectat tratatul, a reclădit cetăți, a căutat alianțe, până departe, cu dușmanii Romei; atunci Traianus a hotărât o a doua campanie de cucerire a Daciei și înlăturarea lui Decebal.

Războiul are loc în 105–106 d.Cr. Traianus a pus pe un arhitect grec din Syria, Apollodor din Damasc, să clădească un pod peste Dunăre, la Drobeta, acolo unde e acum Turnu-Severin, pod care a fost privit ca o adevărată minune pentru acea vreme. Pătrunde în Dacia cu legiunile lui, iar alt corp de armată trece Dunărea din Scythia Minor (Dobrogea). Au loc lupte crâncene și, în cele din urmă, romanii cuceresc capitala Sarmizegetusa, iar Decebal se sinucide, pentru a nu cădea în mâinile învingătorului și a nu fi adus ca rob în cortegiul triumfal al lui Traianus la Roma.

Pentru a reconstitui acest război între romani și daci, avem la Roma un monument, rămas întreg până în zilele noastre printr-o adevărată minune, Columna Traiană, pe care se încolăcesc, de jos în sus, basoreliefuri povestind toată desfășurarea cuceririi Daciei, ca într-o „bandă desenată" în care putem nu numai urmări fazele războiului, ci și descoperi care erau portul și armele din ambele tabere, chiar și portul femeilor dace, și ce fel de vite se creșteau în țară etc. Columna Traiană e o adevărată comoară pentru istorici și etnologi.

Iată acum această mare țară, destul de populată, devenită colonie romană. Ce înseamnă colonie romană? Înseamnă că regatul lui Decebal va trece de-acum sub administrarea directă a Romei. Provincia „Dacia" nu cuprindea toate teritoriile ce vor fi mai târziu locuite de români; ea se limita la Oltenia de azi și cam două treimi din Transilvania. Scythia Minor era deja integrată în provincia romană Moesia (nord-estul Bulgariei de azi). La răsărit de Olt și de Carpați erau câteva întărituri și avanposturi, pentru a rezista atacurilor dacilor nesupuși și ale altor triburi. În provincia propriu-zisă, un întreg aparat administrativ se va instala, alături de legiunile menite să asigure pacea înăuntru și paza granițelor. Se vor construi orașe după tipul „urbelor" romane și o rețea de drumuri care să le lege. În fine, și mai cu seamă, romanii vor proceda la o intensă colonizare cu elemente din afara provinciei. Într-adevăr, după ce au făcut mii de prizonieri, după ce au omorât mii de luptători daci, după ce alte mii vor fi fugit peste munți (dar n-au putut lua cu ei pe *toată* lumea, au rămas femei, copii, bătrâni), învingătorii au purces la repopularea provinciei cu coloniști romani. Cine să fi fost acești coloniști?

Iată o explicație pe care mi-a sugerat-o un profesor francez de istorie antică, Jérôme Carcopino, care a descoperit un lucru la care nu se gândise nimeni până atunci. De ce a putut veni atâta lume în Dacia în puțini ani? Fiindcă acolo se găsea aur.

Decebal avea un tezaur colosal, pe care-l ascunsese sub un râu, dar unul dintre captivii luați de romani a dezvăluit taina. Iar romanii au găsit acolo aur în cantități uriașe. Apoi se știe că se putea extrage aur din Munții Apuseni.

Carcopino a avut o idee foarte simplă: „Ia să văd cum arăta moneda romană înainte de Traianus și ce devine ea în timpul domniei lui Traianus" — și constată că, de unde banul de aur înainte de Traianus era subțire ca o foiță de țigară, la sfârșitul domniei lui e gros. Înseamnă că a reevaluat moneda de aur a Romei pe baza exploatării aurului din Dacia. Se întâmplă, ca să comparăm cu istoria modernă, ceva asemănător descoperirii aurului din California, în veacul al XIX-lea, care a declanșat în Statele Unite un *gold rush*, cum spun americanii, o goană după aur. Așa se explică probabil cum au putut veni în Dacia, în puține generații, mii și mii și zeci de mii de coloniști din toată împărăția. Altfel nu s-ar explica cum, în puținul timp cât a durat această colonie romană, populația să fi fost complet romanizată.

Desigur, n-a avut loc, ca în America, o năvală dezordo-
nată, o masă de inițiative individuale. A fost o colonizare
organizată de împărăție. Cronicarul zice că împăratul a adus
în Dacia mulțime „din toată lumea romană" (*ex toto orbe
Romano*). Dar, fără îndoială, faptul că se găsea acolo aur
trebuie să fi favorizat recrutarea de coloniști.

Iată însă că arheologii români au pus la îndoială teza lui
Carcopino, fiindcă nu s-au găsit dovezi ca minele de aur din
Munții Apuseni să fi fost exploatate de pe vremea dacilor;
de abia după transformarea în colonie romană avem dovezi
privind existența unor scule de minerit, precum și dovezi
documentare privind aducerea de mineri din vechi provincii
romane. Vedeți prin acest exemplu ce greu e să stabilești
exactitatea unui fapt istoric !

De unde să fi venit coloniștii ? Din toate părțile împără-
ției și mai cu seamă din regiunile vecine cu Dacia, din Illyria
de pildă, care era colonie romană de sute de ani — prin ur-
mare illyrii erau deja romanizați. Au venit desigur coloniști
și din Italia. Și aici are loc iarăși un fenomen interesant : pe
măsură ce s-au întins posesiunile romane în urma unor ne-
încetate războaie, a crescut și numărul de sclavi, prizonieri
de război aduși în Italia. Care a fost consecința socială a
acestui mare număr de sclavi ? Țăranii din Italia sărăceau fiind-
că proprietarii de pământ, în loc să-l lucreze cu localnicii din
jur, lucrau pământul cu robi. Asta explică de ce atâția țărani
din Italia se angajau în legiuni sau plecau să populeze Illyria,
Gallia sau Dacia. Din punctul de vedere al limbii, s-a con-
statat de pildă că limba română se apropie cel mai mult de
unul dintre dialectele din sudul Italiei. Au venit probabil și
de acolo mulți să caute aur în Dacia.

Dacia colonizată de romani a putut în foarte puține gene-
rații să devină atât de prosperă, încât să i se spună *Dacia
felix* „Dacia roditoare, fertilă". Din păcate, belșugul n-a durat
prea mult. S-au clădit câteva orașe; acolo unde fusese Sar-

mizegetusa s-a dezvoltat orașul numit Ulpia Traiana, după numele împăratului; pe locul Clujului de azi a apărut un oraș numit Napoca. Dacia a devenit o colonie bine organizată, ca întregul imperiu, cu un grad înaintat de civilizație în orașe, cu băi publice, arene pentru jocuri etc. S-au construit drumuri — mai avem și astăzi porțiuni de drumuri făcute de romani, care trec prin Carpați, dovedind talentul lor de constructori.

Să vorbim în treacăt și despre ce s-a întâmplat cu podul acela de pe Dunăre, care era o minune a lumii antice. Chiar un succesor al lui Traianus a dat ordin să se dărâme podul. Romanii l-au clădit, romanii l-au dărâmat. De ce? Le-a fost teamă, când au început primele năvăliri barbare de mai mari proporții, ca podul acela să nu folosească năvălitorilor pentru a pătrunde și mai adânc în imperiu. S-a scos deci toată „șoseaua", puntea de pe pod, iar timp de veacuri nu s-au mai văzut decât pilonii în Dunăre (unul se mai vede și azi, pe malul românesc al fluviului).

Năvălirea barbarilor

Soarta provinciei *Dacia felix* se încheie o dată cu ceea ce numim *năvălirea barbarilor*. Cine au fost acești barbari? Dar, mai întâi, ce înseamnă *barbar*? Inițial, *barbarus* a însemnat „străin (față de greci sau romani)", apoi a căpătat conotația „necivilizat (în ochii grecilor, apoi ai romanilor)". Roma a fost o splendoare. E greu de închipuit acum ce a reprezentat Roma pentru contemporani. Puținul care a mai rămas din orașul antic stârnește admirația, iar pentru oamenii de acum două mii de ani Roma era curată minune, raiul pe pământ.

Să nu luați însă *ad litteram* expresia „năvălirea barbarilor". Germanii au un cuvânt mai potrivit pentru a desemna

acel moment istoric: ei spun *Völkerwanderung*, ceea ce în-
seamnă „migrația popoarelor", fiindcă o adevărată năvălire,
adică un puhoi de călăreți care să pustiască tot locul, să pra-
de orașele și satele și să ucidă populația, aceasta s-a întâm-
plat doar la două-trei sute de ani, de pildă o dată cu venirea
hunilor, a avarilor, a ungurilor la început — uneori și cu nă-
vala anumitor triburi germanice, ca vandalii (al căror nume
a intrat în limbile moderne cu înțelesul de sălbatici care dis-
trug numai din setea de a distruge). Dar goții (vizigoții și
ostrogoții), gepizii și alte neamuri germanice, venite din su-
dul Rusiei de azi, agresive și ele, desigur, au căutat mai în-
tâi o așezare în teritoriul imperiului — unii se prezentau chiar
ca posibili aliați pentru a apăra imperiul împotriva altor duș-
mani. Fiindcă, știți ce se întâmplă cu vremea într-o țară prea
bogată, prea fericită, cum a devenit imperiul roman la înce-
putul erei noastre: bărbații nu mai vor să facă serviciu mili-
tar; atunci acești germanici, mai mult sau mai puțin sălbatici,
se prezentau ca eventuali aliați, ca ostași suplimentari pen-
tru apărarea imperiului. Li s-a zis „federați", adică aliați ai
Romei, care-și păstrau organizația și căpeteniile lor.

Așa au venit și în Dacia. Dar în urma lor veneau alții, și
mai sălbatici, porniți pe jaf și distrugere, astfel încât romanii
s-au gândit că Dacia, dincolo de Dunăre, era prea departe
de centru, prea greu de apărat, și că era mai bine să retragă
legiunile la sud de Dunăre. În 271–272 d.Cr. împăratul Aure-
lianus (al douăzeci și șaptelea succesor al lui Traianus) a
hotărât evacuarea provinciei Dacia.

Legiunile romane se retrag din Dacia

O dată cu armata și administrația locală, probabil că o
parte din populația romană, în orice caz cea mai înstărită,
din orașe și din *villae*, adică din „fermele" marilor posesori

de pământ, speriați că nu mai erau de-acum protejați de armata romană, vor fi părăsit și ei colonia de la nord de Dunăre, pentru a se refugia pe malul drept al Dunării, unde împăratul Aurelianus a instituit — în regiunea unde vor fi mai târziu Serbia de est și Bulgaria de nord-vest — o nouă provincie numită tot Dacia, dar care a căpătat, cu vremea, în scrieri, numele de *Dacia aureliană.*

Unii istorici germani, apoi istoriografia oficială ungară au susținut teza că *toată populația* Daciei nord-dunărene a fost atunci evacuată, că această mare provincie s-a aflat *dintr-o dată golită de întreaga populație de limbă latină.* Dar această teorie n-a apărut decât acum vreo două sute de ani, adică o dată cu nașterea conștiințelor naționale și ivirea pretențiilor naționaliste în toată Europa! De atunci a apărut în istoriografia europeană și, bineînțeles, mai cu seamă în disputele savante româno–maghiare, ceea ce s-a numit „chestiunea continuității": au continuat oare să locuiască în fosta Dacie vorbitori de limbă latină? Sau, cum pretind cei mai mulți istorici unguri, la apariția năvălitorilor maghiari la sfârșitul secolului al IX-lea, ori în secolul al X-lea, Ardealul era cel mult populat ici-colo de mici grupuri slave.

Încă o remarcă, înainte de a expune punctul meu de vedere asupra „chestiunii continuității". Chestiunea *nu mai prezintă azi nici o importanță politică.* Chiar dacă ar putea istoricii maghiari — printr-o minune — să aducă dovada că ungurii au fost primii ocupanți ai Transilvaniei, prin faptul că populația maghiarofonă nu reprezintă azi decât 7% din populația totală, întâietatea istorică n-ar mai putea avea nici o consecință pe plan juridic și politic. Dreptul internațional contemporan nu mai ține seama de pretinse drepturi istorice. Nu se mai ține seama decât de situația demografică actuală. (Vedeți drama recentă din Kosovo!) Deci — încă o dată — trebuie înțeles că „chestiunea continuității" nu mai are nici o importanță practică. Dacă încerc să înșir aici,

pe scurt, argumentele noastre, e numai din pasiunea de a
încerca rezolvarea unei probleme spinoase.

Iată mai întâi argumentele pe care le înaintează partizanii
necontinuității, adică ai tezei căreia i s-a dat numele de „teo-
ria lui Roesler" — după numele autorului german de la sfâr-
șitul secolului al XIX-lea, Robert Roesler (care n-a inventat
teoria, dar i-a dat forma cea mai categorică):

— *evacuarea* populației dacoromane sub Aurelianus ar
fi fost totală; documente interne dovedind prezența unor
vorbitori de limbă latină în aria carpato-dunăreană ar lipsi
cu desăvârșire între secolul al IV-lea și începutul secolului
al XIII-lea, o tăcere de vreo nouă sute de ani — aproape
un mileniu, „mileniul întunecat"; latinofonii (li se va spune
de-acum vlahi sau valahi — voi explica mai departe de ce)
apar în documente abia începând din veacul al X-lea, *însă
la sud de Dunăre*, în Tesalia, Epir, Macedonia, apoi Bulga-
ria. La nord de Dunăre nu apar, în documente oficiale ale
regatului ungar, decât în jurul anului 1200 — se deduce deci
că ar fi imigranți din sud, ciobani nomazi veniți cu oile, și
a căror imigrare ar fi fost încurajată de regii maghiari în
Ardealul insuficient populat;

— atunci când au pătruns maghiarii în Transilvania —
adică în „ținutul de dincolo de pădure" (al Munților Apu-
seni), *trans* = peste și *silva/sylva* = pădure — țara era pus-
tie, și nici n-ar fi putut fi locuită, fiind acoperită în proporție
de 90% de păduri;

— dacă viitorii locuitori români de la nord de Dunăre
n-ar fi locuit câteva veacuri în preajma aromânilor și în
vecinătatea albanezilor, nu s-ar putea explica nici strânsa în-
rudire între limba dacoromână de la nord de Dunăre și dia-
lectele aromân și meglenoromân (regiunea Salonic) de la
sud, nici prezența în dacoromână a câtorva zeci de cuvinte
(pretins) împrumutate de la albanezi. În sprijinul acestei teze
au venit și teoriile a doi filologi români de la începutul vea-

cului al XX-lea, Ovid Densusianu și Alexandru Philippide, care au fost convinși — pe baza unor argumente, cred, eronate — că leagănul limbii române trebuie căutat la sud de Dunăre.

„Zece adevăruri despre continuitate"

Iată acum în ce fel se pot grupa argumentele noastre în favoarea continuității:

1. Cazuri de *evacuare totală* a unui ținut, fără să fi fost la origine vreo mare înfrângere, nu prea cunoaștem în istorie, iar goții (barbarii din pricina cărora Aurelianus ar fi *ordonat* părăsirea provinciei) nu s-au arătat a fi distrugători pe unde au trecut sau pe unde s-au așezat. În cazul Daciei, avem chiar dovezi că unii localnici îi călăuzeau pe goți prin trecători, pentru a ataca armata romană! Într-un document, un episcop afirmă că adesea localnicii preferau stăpânirea unor șefi barbari care se mulțumeau cu o dijmă din bucate, pe când fiscul administrației romane îi strivea fără milă.

2. Marele nostru arheolog Vasile Pârvan a descoperit două documente din veacul al IV-lea, în care un „rege" al goților de prin părțile noastre, la nord de Dunăre, își zice „jude" — or, acesta nu era un titlu onorific pe care să i-l fi putut conferi împăratul de la Constantinopol (cum ar fi *patriciu, despot* sau *cezar*), era doar numele pe care localnicii dacoromani îl dădeau căpeteniilor lor administrative peste o grupare de sate sau peste o vale, judecători și administratori (termen ce se va păstra până târziu, cum vom vedea). Înseamnă că acest rege barbar domnea la nord de Dunăre peste populații de limbă latină și a vrut să-și zică cum numeau supușii lui localnici pe șefii lor.

3. Afirmația că ar fi dispărut orice urmă de inscripții latine în Dacia, o dată cu retragerea legiunilor și administrației,

e eronată. Câteva s-au mai găsit, din secolele al IV-lea şi
al V-lea, ce e drept, rare — lucru explicabil prin părăsirea
aproape generală a oraşelor (urbelor): fenomen de *ruralizare*
totală. Puţinele documente scrise ce s-au mai găsit, din veacu-
rile ulterioare, nu vorbesc decât de dominatorii barbari, care
joacă un rol în războaie şi în politică, nu şi de ţăranii local-
nici (de care barbarii războinici au totuşi nevoie ca să le asi-
gure hrana) — aceasta fiind o constantă în istoria universală:
despre populaţiile imperiilor prăbuşite nu se mai vorbeşte,
ci numai despre noii stăpâni.

4. Tăcerea documentelor (argumentul *a silentio*) nu este
un argument valabil. Să lăsăm deoparte încrederea exclusivă,
aproape superstiţioasă, în documentul scris. Istoria nu se re-
constituie numai cu documente scrise. În aceeaşi perioadă
care ne priveşte, în „mileniul întunecat", nu se pomeneşte
nicăieri de latinofonii din Elveţia (Rhetia), care mai vor-
besc şi azi limba *romanşă*; iar, şi mai aproape de noi, despre
albanezi n-avem nici un document timp de o mie de ani (tă-
cere documentară şi mai lungă decât la noi); dar vecinii lor,
greci sau slavi, n-au putut susţine că albanezii au picat din
cer acolo unde-i mai găsim şi azi şi unde sunt semnalaţi din
Antichitate.

5. Apariţia târzie a românilor în documentele oficiale ma-
ghiare are o explicaţie simplă: de abia prin secolele al XII-lea–
al XIII-lea sunt destul de prezente structurile feudale ma-
ghiare şi autoritatea regală pentru a se impune; atunci comu-
nităţile săteşti, juzii, cnejii români, strânşi de fiscul ungar
sau chemaţi la vreo judecată, au nevoie de cancelaria regală,
sau de o autoritate locală, pentru recunoaşterea drepturilor
lor strămoşeşti. Notaţi cum o seamă de cuvinte din română,
cu conotaţie juridică, sunt de origine maghiară: a făgădui,
a tăgădui, a bănui, a chibzui, a îngădui, a mântui... îl numim
pe Cristos Mântuitorul, cu un cuvânt provenind dintr-un ra-
dical de origine maghiară! Dacă românii ar fi venit în Ardeal

abia în veacurile al XII-lea–al XIII-lea, cum să ne închipuim că ar fi asimilat asemenea noțiuni esențiale, fără mai multe veacuri de conviețuire cu ungurii, și să le fi răspândit apoi în tot spațiul locuit de români?

6. Simptomatic e faptul că, în primele documente, românii (valahii) sunt localizați în „păduri", adică în întinse ținuturi împădurite, fiindcă acolo, în dumbrăvi înconjurate de codri deși, se adăposteau mai lesne împotriva călărimii năvălitorilor! Astfel, puțin după 1200, regiunea Făgărașului e denumită într-o „chartă" regală de donație către coloniști germani (sașii) *silva Blacorum et Bissenorum* „pădurea valahilor și a pecenegilor". Dacă românii ar fi fost, cum se pretinde, *păstori* nomazi veniți din sud și colonizați de curând, s-ar fi retras ei cu oile în păduri? Arheologul Radu Popa — decedat prea timpuriu — ne-a atras atenția și asupra altor regiuni din Ardeal calificate întâi *silvae* (sau *sylvae*), înainte de a fi prefăcute în „comitate" administrative, adică guvernate de comiți (sau conți) maghiari.

Mai mult: această identificare între întindere păduroasă și „regiune ocupată de valahi" o găsim și la sud de Carpați, adică în Muntenia de azi! Știți ce înseamnă Vlașca? Înseamnă în limba slavă „țara valahă"... Dar Codrul Vlăsiei? (Din care numai o infimă bucată mai dăinuiește azi, la nord-vest de București, dar care acoperea, în Evul Mediu, o imensă întindere.) *Vlasi* e în slavă pluralul lui *vlah* (valah, român), deci înseamnă *Codrul românilor*. Până și numele județului Teleorman e tot dovadă a unei regiuni de pădure deasă, în care se adăposteau băștinașii, căci în limba *türk* (pecenegă sau cumană) *deli orman* înseamnă „pădure nebună"! Deci nu numai pădurile din Ardeal, ci și cele din șesul muntean erau, la începutul Evului Mediu, locuite în continuare de strămoșii românilor *dinainte de amestecul cu slavii*, căci, altfel, aceștia nu le-ar fi numit „vlăsii"!

Să ne înțelegem, când zicem păduri (*sylvae*), trebuie să ne închipuim imense întinderi împădurite, cât un județ sau două, în mijlocul cărora se aflau, ici-colo, ori locuri neacoperite în chip natural, ori dumbrăvi întinse croite de om, despădurite și desțelenite, și unde puteau trăi comunități întregi cultivând meiul, ceapa sau varza și crescând vite, porci și păsări. Acolo erau *relativ* mai feriți de năvala nomazilor călări. Dar avem surse care ne dezvăluie cum dibuiau totuși nomazii acele „oaze" locuite: prin observarea de departe a zborului în cerc al ereților sau vulturilor. Când îi vedeau rotind mereu deasupra unui loc, știau că pândesc acolo, la verticală, gunoaie sau mortăciuni — și se îndreptau către acel punct.

7. În privința cuvintelor pretins bulgărești sau macedonene din limba română — strămoșii noștri n-au avut nevoie să locuiască în Balcani pentru a le prelua: sunt cuvinte comune triburilor slave din tot sud-estul european, din care destul de multe trebuie să se fi așezat și la nord de Dunăre, pe mai tot cuprinsul țării noastre (sunt semnalate în documente nuclee slave în tot spațiul carpato-dunărean, până în veacul al XIII-lea). De altfel, fosta Dacie aureliană, unde s-ar fi retras strămoșii românilor, a fost cotropită de triburi slave apusene, care au dat limbile sârbă și croată, *pe când slavismele din română aparțin grupului slav de răsărit, care a dat bulgara și macedoneana* (strâns înrudită cu bulgara). Slavii, în spațiul nostru carpato-dunărean, au ocupat mai cu seamă văile rodnice, unde ne-au lăsat până azi urme prin nume de râuri (relativ grupate): Dâmbovița, Ialomița, Prahova, Neajlov, Milcov, Bistrița… De abia încetul cu încetul s-au amestecat ei cu vecinii lor vlahi băștinași și s-au lăsat românizați.

Lingviștii, pe baza legilor de evoluție a limbii, afirmă că fuziunea dintre latina târzie a vlahilor și limba slavă a nou-veniților nu a început decât abia prin veacul al IX-lea, când prefacerea latinei târzii în ceea ce am putea numi „prero-mâna" era de-acum închegată; de aceea, influența slavei asupra structurii gramaticale a limbii noastre (sintaxă) și asupra formei cuvintelor (morfologie) e aproape nulă, ea fiind masivă în schimb în domeniul vocabularului; comparați de pildă cu franceza: amestecul între galo-romani și popoarele germanice — franci, burgunzi etc. — a fost mult mai timpuriu și a afectat deci mult mai adânc limba neolatină, mai cu seamă în morfologie, în fonetică.

8. Cât despre pretinsele împrumuturi din albaneză (de ce trebuia o populație romanizată, deci mai înaintată în cultură, să împrumute *ea* de la vecinii albanezi, mai barbari, rămași neromanizați?), lingviștii de azi tind mai curând să explice asemănările dintre română și albaneză — doar câteva zeci de cuvinte — printr-o origine indo-europeană comună.

Tot astfel nu e nevoie să ne închipuim o ședere a strămoșilor noștri la sud de Dunăre pentru a explica strânsa rudenie a dacoromânei cu dialectele aromân și meglenoromân, căci același amalgam de popoare, mânuind aceeași latină balcanică târzie, poate da rezultate similare și la o mie de kilometri distanță. De altfel avem în dacoromână câteva exemple de plante sau de materii *care nu se găsesc la sud de Dunăre*; cum ar fi fost ele păstrate în limbă o mie de ani dacă strămoșii noștri s-ar fi aflat cu toții strămutați la sud? Dau un singur exemplu, însă grăitor: cum să se fi păstrat cuvântul „păcură" (< lat. *picula*) la sud de Dunăre, când păcura, adică petrolul brut, țițeiul, nu țâșnea natural decât la poalele Carpaților?

9. Istoricii unguri se străduiesc acum să nege orice valoare unui document capital, și anume cronica scrisă în latinește pe la anul 1200 de un „notar" anonim al regelui Béla al Ungariei — cronicar desemnat de aceea în istoriografie cu numele de „Anonymus" —, document, zic, capital pentru istoria noastră, fiindcă, bazat probabil pe o cronică anterioară,

povestește cum ungurii, pătrunzând în Transilvania și Banat de la vest către est, au dat de trei voievodate locuite de români și de slavi. (Informația că maghiarii, după ce au trecut Carpații de nord, au dat de valahi [volohi] e consemnată și într-o cronică rusească și mai veche, cunoscută sub numele de *Cronica lui Nestor*, ceea ce reprezintă o sursă cu totul independentă.) Un singur punct tare în argumentarea criticilor lui „Anonymus": acesta pomenește și de cumani printre neamurile aflate atunci în Transilvania, or, cumanii n-au pătruns în părțile noastre decât vreo o sută cincizeci de ani după pecenegi și unguri. Dar asemenea „telescopări" cronologice se găsesc adesea în cronici (iar aici, pentru a explica confuzia, se mai adaugă faptul că pecenegii și cumanii vorbeau cam aceeași limbă).

Numele celor trei „voievozi", Glad, Menumorut și Gelou, sunt și ele sursă de polemici. Numai ultimul e prezentat ca valah, și istoricii unguri fac eforturi să găsească numelui vreo origine maghiară, cu toate că insistă asupra descrierii sărăciei acelei populații și a slabei înarmări a ostașilor voievodului! Noi ne-am obișnuit să scriem Gelu, pronunțând ca în româna modernă: *djelu*. Or, *g* în latina savantă a cronicarului trebuie să se fi pronunțat *g* dur (ghe), iar diftongul *ou* trebuie de asemeni păstrat, ceea ce ne dă Ghelou, deci probabil deformarea unui românesc Ghelău. Și tocmai în regiunea Clujului, desemnată de cronicar ca locul voievodatului acelui Gelou, mai avem până azi un munte, un râu și o localitate care în cursul veacurilor s-au numit ba Ghilău, ba Gilău; eu cred că *au păstrat numele acelui prim voievod român*. Dovada că numele ar fi autentic românesc, ba chiar antic, ne e adusă de un text grecesc antic pomenind de o localitate din Tracia numită *Geloupara*, adică satul sau târgul lui Gelou! *Exact aceeași ortografie!*

Glad trebuie să fie un nume slav deformat de cronicar, care adaugă de altfel că acel voievod venea de la Vidin, fiind probabil bulgar. În fine, Menumorut e vădit o deformare maghiară a numelui vreunui șef de origine turanică — poate și el bulgar, adică protobulgar —, domnind peste populații valahe și slave.

10. Dar argumentul decisiv în ochii mei în favoarea continuității îl constituie *păstrarea numelor antice ale tuturor marilor râuri și al numelui munților Carpați* din spațiul nostru: Nistru, Prut, Siret, Buzău, Argeș, Olt, Timiș, Mureș, Criș, Someș, Tisa etc. *toate, nume atestate chiar înainte de cucerirea romană — și, mai cu seamă, Dunărea,* care a păstrat în română o formă diferită de forma romană (*Danubius*) și apropiată în schimb de numele de ape din limbile baltice! Cine altcineva ar fi putut transmite unor năvălitori barbari aceste antice denumiri decât localnici rămași neurniți cu tot neîncetatul vârtej și curgerea de noi popoare?

Iată de ce am convingerea absolută că numeroase nuclee de populație latinofonă au dăinuit neîntrerupt, în tot Evul Mediu, în spațiul carpato-dunărean — cu legături continue, de altfel, cu populațiile de la sud de Dunăre, căci fluviul n-a constituit niciodată o stavilă pentru comunicație și circulație.

Primii barbari în părțile noastre

Să vedem acum cine sunt acei barbari care pătrund pe teritoriul dacoromanilor.

Au venit mai întâi goții, care s-au împărțit în două ramuri, ostrogoții și vizigoții, goții de la răsărit și goții de la apus. Nu s-au așezat în părțile noastre — erau prea atrași de bogățiile din Italia ori de la Constantinopol, a doua capitală romană de la împăratul Constantin încoace, care va deveni capitala imperiului bizantin mai târziu. La urmă, ambele ramuri gotice au migrat către apus, făcându-și loc ostrogoții în Italia, iar vizigoții în Gallia și Hispania.

La noi a stat câteva sute de ani un alt neam germanic, înrudit cu goții, gepizii (cel puțin două sute de ani prin Banat și vestul Transilvaniei). S-ar putea să fi rămas ceva de pe urma lor când au fost alungați către apus de o ciudată coaliție între avari și longobarzi (zic ciudată, fiindcă longobarzii erau germani, la fel ca gepizii, pe când avarii erau asiatici); însă urme în limba noastră se pare că n-au lăsat — dar nici longobarzii n-au lăsat urme în italiană (cu minime excepții: de pildă, numele ținutului Lombardia), și totuși au dominat nordul Italiei timp de veacuri!

Locul gepizilor l-au luat avarii, aparținând acelor seminții asiatice cărora savanții le dau numele generic de *turanici*, și care vorbeau o limbă turcică — se spune o limbă *türk* pentru a deosebi ansamblul limbilor turcice de turca otomană. Aceasta se petrece la începutul veacului al VI-lea. Și, o dată cu avarii, pătrunde și în părțile noastre un neam foarte numeros, care însă nu era structurat, ca germanii, cu o aristocrație, cu regi, cu oarecare organizare de stat. E vorba de slavi.

Vin și ei de undeva din actuala Ucraină, din Polonia, din Rusia de azi, și coboară încet-încet către împărăția romană, atrași și ei de bogățiile de-acolo. Chiar dinainte de anul 500 începuseră să se strecoare în imperiu, mai spre vest, spre Italia, dar erau atunci atât de slab organizați încât o mulțime cădeau robi. Unii filologi afirmă că din *slav* s-a tras în latina târzie cuvântul *sclav*.

Și în părțile noastre, în Transilvania, în Muntenia, în Moldova aceste grupuri de slavi pătrund încetul cu încetul, dar de-acum îi găsim întovărășiți cu avarii.

În primele veacuri, de pe la 500 încolo, slavii ocupă de preferință văile și șesurile libere, pe când descendenții daco-romanilor sunt retrași prin locuri păduroase sau spre munte.

Un text al unui preot croat din secolul al XII-lea, cunoscut în istoriografie sub numele de ,,Preotul din Diocleea",

ne sugerează încă un motiv pentru care populația „romană",
în Dalmația, fugea în munți, în fața unor dominatori slavi: teama de persecuțiile acestor păgâni împotriva lor *ca creș-tini.* Ceea ce ar explica de ce amestecul între valahi și slavii din părțile noastre trebuie să fi fost mai ușor după creștina-rea, în veacul al IX-lea, a bulgarilor și slavilor de sub domi-nația lor. *Dar să nu-i numim încă români* pe descendenții dacoromanilor — pentru că români nu avem dreptul să le zicem decât atunci când există o limbă română, iar limba română se naște când are loc o simbioză, adică o influență reciprocă și în cele din urmă un amestec între foștii dacoro-mani și slavi. Dacă nu-i putem numi români, atunci cum să le spunem? Să le zicem „valahi".

De ce? Valah nu e un termen peiorativ, cum ar vrea unii străini rău intenționați să-l considere. Valah e un nume foar-te nobil, dat de germanici tuturor romanilor, pornind de la numele unui trib celt care se numea *Volcae*, așezat pe unde sunt azi Elveția și Austria. Aceștia s-au romanizat, astfel în-cât germanii, vecinii lor, cu vremea au numit *volcae* pe toți romanii, pe toți cei ce vorbeau limba latină.

Așa se explică faptul că, din insulele britanice și până la noi, de-a lungul graniței între germanici și fostul imperiu roman, au rămas nuclee care poartă încă un nume provenit din *volcae*. Ați auzit de Țara Galilor în Marea Britanie, pro-vincie care, ca și Scoția, se află la nord de Anglia propriu-zisă, ambele locuite de rămășițe din vechea populație celtă a insu-lei. Ei bine, numele Țării Galilor, ce se cheamă *Wales* pe englezește, are aceeași origine cu Valahia! Și dacă coborâm în Europa continentală, *valonii* din Belgia, adică aceia care vorbesc franceza în Belgia (pe când ceilalți locuitori ai Bel-giei sunt flamanzii, care vorbesc, ca olandezii, neerlandeza, o limbă germanică), poartă tot un nume provenit din *volcae*. Pe francezi, cu un cuvânt de ocară, germanii îi numesc *Welsche* (după cum francezii, la rândul lor, au o poreclă insultătoare pentru germani, *boche*), iar în Evul Mediu, italienilor le ziceau *Wahlen*. Pe italieni, polonezii îi numesc *Włoch*; într-un mod asemănător îi numesc și alți slavi. Iar în Balcani și la noi, tot valahi i-au numit pe romanofoni. Slavii preluaseră termenul de la germani, făcând inversiunea valh/vlah. De la slavi, mai târziu, în Evul Mediu, au preluat și grecii termenul, dovadă a adâncimii la care au pătruns slavii în Grecia continentală! Iar întrucât în grecește V se scrie B, termenul a ajuns în timpul cruciadelor la occidentali, la „frânci", sub forma „blac". În concluzie, numele de valah i-a desemnat, și la germani, și la slavi, și la greci, pe „romanici", pe cei care vorbesc o limbă neolatină. Deci dacă spun de-acum încolo „valahi", să știți că asta înseamnă strămoșii românilor. Și așa ne-au numit în continuare străinii. Noi înșine ne-am numit *români* sau *rumâni* sau, în sud, în Balcani, *armâni* — cu un „*a* protetic", caracteristic dialectului aromân.

În rezumat, autohtonii și-au păstrat numele de roman, pe când străinii i-au numit vlahi sau valahi. Voi folosi deci când termenul român, când valah — dar găsesc că e mai comod să facem deosebirea și să păstrăm termenul „român" pentru mai târziu, după anul 1000, când a început de-acum simbioza slavo-valahă și avem o limbă pe care o putem numi *româna*.

Avarii — care și-au extins stăpânirea pe aproape întregul teritoriu de azi al Ungariei și Transilvaniei — aveau undeva în Pannonia (pusta ungară) un centru, un fel de tabără uriașă căreia i se zicea Ring. Timp de peste două sute de ani (cca 550–780), avarii constituie o mare putere în centrul Europei, și ei sunt oarecum stăpâni peste slavi. Fiind un trib de călăreți războinici foarte temuți, dar nu mulți la număr, duc cu ei mase de slavi în atacurile sălbatice împotriva imperiului bizantin, asediază Salonicul, Constantinopolul — iar rezultatul va fi că triburile slave, învățate de acum cu războiul și prada, vor pătrunde adânc în provincii ale imperiului bizantin și se vor stabili acolo, chiar până în sudul Greciei, în Peloponez. Și dacă, printr-o sforțare patetică de refacere a imperiului, bizantinii vor izbuti prin veacurile al X-lea și al XI-lea să „elenizeze" din nou Peloponezul și o parte din Grecia continentală năpădită de slavi, de albanezi și de vlahi, în schimb mai toată Macedonia va rămâne, definitiv, majoritar slavă, ca și Moesia, Dacia aureliană și Illyria toată, unde fosta populație romanizată e redusă la nuclee din ce în ce mai mici, ca niște insule care scad mereu, pe măsură ce cresc apele jur-împrejur.

Avarii se vor prăbuși între 797 și 805, sub o dublă lovitură: de la vest, de la regele francilor Carol cel Mare (în germană *Karl der Grosse*, pe franțuzește *Charlemagne*) și, de la sud, de la țarul bulgarilor, Krum. Prăbușirea acestei vremelnice mari puteri va fi atât de neașteptată și de totală, încât a rămas în Rusia o zicală: „Au pierit ca *obrii*" — așa se numeau avarii pe rusește, fiindcă numele se pronunța inițial *ávari* —, iar nu, cum zicem noi acum, *avári* — deci a dat în rusește, prin alunecarea lui *a* către *o*, trecerea lui *v* la *b* și căderea silabei neaccentuate, *áv(a)ri* → *obri*.

Slavii

În momentul când se prăbușesc avarii, slavii, care se răspândiseră și în aria noastră și în toată Peninsula Balcanică, devin independenți. De la avari au învățat arta războiului și au învățat oarecum de la ei și de la vecinii germanici cum să fie stăpâni asupra lor înșiși.

E interesant să observăm termenii care îi vor desemna pe șefii lor, ierarhia din structurile de stat ale slavilor, dintre care pe mulți îi vom prelua și noi: regelui i se va zice *kralĭ* — provenind de la marele rege franc, mai apoi împărat, Carol cel Mare, în dialectele germane *Karl*, pronunțat de slavi *Kralĭ* (termen care e preluat — ca substantiv comun — și de unguri, *király*, și de noi, *crai*); dar alte două titluri mari, *ban* și *jupan*, sunt moștenite de la avari; *boier* e și el turanic, ori peceneg, ori protobulgar (așa numesc istoricii neamul de limbă *türk* care cucerește de la bizantini, la sfârșitul secolului al VII-lea, Bulgaria de azi și se lasă cu încetul slavizat de populația slavă majoritară); alți doi termeni nobiliari ai slavilor, *knez* „cneaz" și *vitez* „viteaz", ar fi de origine germană, respectiv *König* „rege" și *Viking* (numele cuceritorilor scandinavi care din veacul al IX-lea până în veacul al XI-lea au făcut incursiuni în toată Europa de nord, pătrunzând în apus până în Franța, Anglia și Islanda, iar în răsărit până în Rusia unde, sub numele de *varegi*, întemeiază primul stat rus organizat).

Singurul termen de conducere autentic slav e *voivod/voievod*, la origine căpetenie de oaste, apoi, în spațiul nostru — *dar numai în spațiul nostru*, în Muntenia, Moldova și Ardeal (căci regii unguri vor continua să dea acest titlu reprezentanților lor în Transilvania) —, cel mai mare peste țară, șeful statului sau al ținutului. E însă o minune că, pe lângă termenul slav, apare și numele latinesc de *domn* (*dominus*), pe care romanii, în ultimele veacuri ale imperiului, l-au dat chiar împăratului și pe care românii îl vor folosi și pentru Domnul nostru Isus Cristos, și pentru Dumnezeu! El va fi cvasisinonim cu voievod, după cum jude va fi cvasisinonim cu cneaz.

Dar avem o și mai admirabilă reminiscență a vechilor structuri romane: păstrarea în vocabular a cuvântului „împărat" (*imperator*), când de sute de ani românii nu mai au împărat, nici la nord de Dunăre, dar nici la sud, unde stăpânului de la Constantinopol i se zice de-acum în grecește *basileu*, și în limbile slave *țar* (*Caesar*, pronunțat la origine Kaisar, care a dat la germani *Kaiser* și la slavi *csar!*).

În genere însă, aproape toți termenii care desemnează în limba noastră ierarhia nobiliară și de conducere sunt termeni împrumutați de la slavi. De unde tragem concluzia că atunci când acești slavi încep să se amestece cu populația romanizată rămasă pe teritoriul vechii Dacii, slavii au, un timp, o situație dominantă. (Vom vedea mai departe și semnificația pe care o capătă cuvântul *rumân*.) Întrucât conducătorii comunităților valahe se numeau *juzi*, cuvântul slav *cneaz* va deveni oarecum echivalent cu cuvântul *jude* (voi semnala mai departe o posibilă nuanță), și veacuri de-a rândul vom avea ori cneaz, ori jude, probabil după cum la origine era în fruntea unei comunități slave sau conducea o comunitate valahă. Vor trebui câteva sute de ani până când acești slavi să se lase românizați. S-a întâmplat în aria noastră românească exact inversul a ce s-a întâmplat la sud și sud-vest de Dunăre, în viitoarea Bulgarie și în Serbia și Croația, unde, dimpotrivă, vorbitorii de limbă latină s-au lăsat slavizați. E un fenomen, aparent, ciudat. Înseamnă că la noi au fost mai puțini slavi și prin urmare românii (vlahii) i-au înglobat, ca să zic așa, și le-au dat limba română, pe când la sud, vorbitorii de limbă protoromână au fost cu vremea înghițiți de slavi, încât n-au rămas acolo decât din ce în ce mai puțini latinofoni, care au fost aproape toți asimilați de slavi sau de greci.

A stăpânit țaratul protobulgar și în părțile noastre?

Am pomenit despre bulgari, vreau să spun protobulgari — și ei, ca și avarii, un trib de limbă *türk*, a cărui ultimă așezare cunoscută e pe Volga mijlocie. În ultimele decenii ale secolului al VII-lea, o parte dintre ei, împinși de alte seminții de la răsărit, se urnesc și de prin sudul Basarabiei (Bugeac)

izbutesc să treacă Dunărea. După lupte crâncene cu bizan-
tinii, pe la 670-680, îi silesc pe aceștia să-i lase să se așeze
în Dobrogea și în nordul Bulgariei de azi, unde vor fi curând
slavizați de majoritatea din jur. Acolo, acești călăreți război-
nici și organizați vor întemeia un stat puternic care va duce
lupte neîncetate cu împărăția bizantină, încercând chiar în
mai multe rânduri să ocupe capitala, Constantinopol. Dar
totodată erau fascinați de măreția capitalei imperiale, de or-
ganizarea statului, de fastul și influența Bisericii creștine,
astfel încât, din convingere și din calcul politic, Boris, cnea-
zul lor, va fi creștinat o dată cu mii de ostași și de boieri
de-ai lui, în anul 865, și-și va zice și țar (csar). Cu puțini ani
înainte, doi misionari bizantini de la Salonic, frații Constan-
tin (în călugărie, Chiril) și Metodiu — slavi grecizați, cum
pretind bulgarii, sau greci vorbind slavona, cum susțin gre-
cii? —, porniseră să-i evanghelizeze pe slavii din Moravia,
traducând Sfintele Scripturi în slavonă și inventând un alfa-
bet adaptat foneticii slave, alfabet ce va deveni cu vremea
alfabetul zis chirilic, după numele lui Constantin-Chiril, al-
fabet păstrat până azi de bulgari, sârbi și ruși — și folosit
la noi până în anii 1860.

Cum a ajuns alfabetul chirilic la noi? Și nu numai alfabe-
tul, ci și liturghia în slavonă, și Sfânta Scriptură, și denumirile
din ierarhia noastră bisericească legată de Biserica răsări-
teană de la Constantinopol? Explicația cea mai firească e să
admitem că în momentul marii sale expansiuni, după căde-
rea *Ring*-ului avar, *țaratul bulgar și-a extins autoritatea și
peste o parte din ținuturile noastre.* Fiind prezenți la răsărit,
în Dobrogea și Basarabia, iar la apus având graniță comună
cu francii pe Tisa, de ce ar fi ocolit ei Muntenia și Ardealul,
când acolo tocmai începeau să mijească mici formațiuni po-
litice, *cu cneji de aceeași limbă cu ei?*

Totuși, cei mai mulți dintre istoricii noștri, în frunte cu
marele Nicolae Iorga, s-au opus cu îndârjire acestei ipoteze.

De-atunci însă au apărut și argumente arheologice pentru a sprijini argumentele logice: cetatea Slon din Prahova (ambele nume sunt slave!) e tipic bulgărească, iar în regiunea Sibiu s-au găsit morminte de tipul celor ale căpeteniilor bulgare. De aceea, cred că trebuie să închipuim o prezență bulgărească la noi cam un secol și jumătate, între sfârșitul veacului al VIII-lea (distrugerea puterii avare) și începutul veacului al X-lea (pătrunderea ungurilor pe Tisa și a pecenegilor în părțile noastre). Așa se explică cel mai logic cum, din cauza unei relative siguranțe în acel răstimp, s-a putut începe amestecul (simbioza) dintre așezările slave și populația valahă băștinașă, cum a putut să apară, dintre cneji și juzi, o clasă nobiliară (viitorii boieri) și cum au pătruns și au rămas la noi — pentru veacuri — alfabetul chirilic și limba slavonă în Biserică, pentru ca mai târziu, când vom avea structuri de stat, slavona să devină și limbă de cancelarie.

E drept că creștinismul nu s-a implantat la bulgari decât după 864 (botezul lui Boris), dar e probabil că noile structuri religioase, aduse de bizantini, s-au răspândit în același timp în toată împărăția lor, deci și în părțile locuite de români, adică de valahi și slavii care se vor româniza.

Cele două faze ale creștinării românilor

Vorbind despre organizarea Bisericii prin intermediar bulgăresc, constat că n-am evocat încă chestiunea creștinării strămoșilor noștri. Să fi fost ei creștinați o dată cu bulgarii (sau chiar după ei)? Limba — și numeroase urme arheologice, în special în Dobrogea, dar câteva și în restul țării — stă dovadă că creștinismul a pătruns în Dacia și Moesia foarte timpuriu, probabil chiar înainte de retragerea legiunilor și administrației romane, adus de legionari originari din Orient, de negustori, de călători, de ce nu și de propovăduitori, de misionari — doar nu fuseseră Grecia și Macedonia printre primele etape ale Sfântului Pavel? Mărturia limbii e cea mai grăitoare privind vechimea creștinismului la români; cuvintele de bază ale religiei creștine sunt toate de origine latină: Dumnezeu, cruce, creștin, credință, biserică, rugă și rugăciune, cuminecare, a boteza, înger, păgân și sânt (păstrat mai cu seamă în forme vechi pentru sărbători: Sân Petru, Sân Nicoară, Sân Toader, Sânta Maria, Sânziene), de asemeni Paște, Rusalii (?).

Vă veți întreba, poate: dar cum de s-a păstrat credința creștină în acea Dacie de-acum izolată de împărăție, ca și de structurile bisericești care au ieșit la lumină și s-au organizat după ce Constantin cel Mare va fi încetat prigoana împotriva creștinilor (313)? Grea întrebare. Trebuie să ne închipuim că micile comunități creștine din spațiul carpato-dunărean au putut menține contactul cu ierarhia bisericească născândă de peste Dunăre. De altfel, până la venirea bulgarilor, Bizanțul a păstrat o prezență activă de-a lungul Dunării, uneori ținând chiar capete de pod pe malul stâng al fluviului. Pe de altă parte, unele căpetenii ale goților și gepizilor din părțile noastre știm că au fost creștine și chiar au propovăduit creștinismul, ei primindu-l în varianta apuseană, adică de la Roma.

Se cuvine aici să reamintesc un eveniment important din istoria romană, din ultimele veacuri ale imperiului, anume că, din anul 395 încolo, împărăția a fost împărțită în două, cu doi împărați și două capitale: Roma și Constantinopol, ceea ce a avut consecințe de lungă durată, *pe care le mai simțim și azi.* Astfel, în cele două jumătăți — dintre care cea apuseană a păstrat ca limbă oficială latina, pe când cea răsăriteană a adoptat, în veacul al VII-lea, greaca — s-au dezvoltat cu vremea două forme deosebite ale ritului creștin, iar rivalitatea dintre papa de la Roma și patriarhul de la Constantinopol a dat naștere la conflicte din ce în ce mai dese și mai grave, care au dus, în 1054, la o ruptură între cei doi capi ai Bisericii — fiecare afurisindu-l, sau excomunicându-l, pe celălalt —, iar de atunci această rană nu s-a mai închis, *schisma*, adică despărțirea, nu s-a mai rezolvat. Biserica apuseană și-a zis apoi „catolică" — adică, pe grecește: universală, pe când cea răsăriteană și-a zis „ortodoxă", adică cea dreptcredincioasă, cea care interpretează corect dogmele. Și ca să vă dați seama de urmările nesfârșite ale scindării împărăției romane în 395, să știți că linia de despărțire între cele două jumătăți ale imperiului coincide aproape perfect, după mai bine de un mileniu și jumătate, cu granița actuală între croații catolici și sârbii ortodocși! Acest exemplu arată cum o hotărâre istorică oarecum arbitrară sau întâmplătoare, ca fixarea unei granițe, poate avea urmări neprevăzute, la nesfârșit.

Pentru a reveni la chestiunea creștinismului în Dacia părăsită de romani, e totuși de presupus că, în regiuni mai izolate, creștinismul trebuie să se fi păstrat în forme destul de puțin „ortodoxe", cu preoți învățând gesturile și tainele religiei din generație în generație, fără a avea, adesea, hirotonisirea cerută de canoanele Bisericii pentru a păstra legătura apostolică. De aceea, mai toate cuvintele desemnând la noi funcțiile și ierarhia ecleziastică vor aparține unui al doilea val, adică sunt de origine bulgărească sau grecească (dar și în acest din urmă caz, de cele mai multe ori, prin intermediar bulgăresc): mitropolit, vlădică, popă, diacon, stareț, duhovnic; de asemeni termeni privitori la lăcașul de rugăciune: schit, strană, clopot, hram; sau elemente de liturghie: utrenie, vecernie, sfeștanie, prohod, nedeie, prescură, spovedanie, post, blagoslovenie; apoi termeni teologici: Maica Precista, duh, rai, iad și multe nume de sărbători. Vechiul cuvânt (iată că și acest *cuvânt* e latinesc, *conventum*, cu conotație religioasă de adunare a credincioșilor!), vechiul cuvânt „sânt" a fost contaminat de slavonul *sventu*, încât a dat

de-acum „sfânt". Așadar, de-abia după acest contact cu ie-
rarhia bisericească a bulgarilor, de curând organizată de bi-
zantini (și *cu* ierarhi bizantini), începe să se înfiripeze și la
noi o biserică mai organizată, mai disciplinată, mai „orto-
doxă" — cu toate că multe datini vechi, cu iz păgân, păstrate
sau născute în veacurile de izolare, s-au mai păstrat, și se
mai păstrează încă în credința noastră populară.

Alungați de la nord de Dunăre de invazia ungurilor și a
pecenegilor, măcinați de certuri intestine și atacați din sud
de bizantinii mânați de un împărat de o excepțională energie,
Vasile II zis Bulgaroctonul (adică „ucigătorul de bulgari"),
bulgarii primului țarat se prăbușesc cu totul, în 1018, iar țara
lor redevine, pentru mai mult de un veac și jumătate, pro-
vincie bizantină.

Din lupta necruțătoare dusă timp de douăzeci de ani de
Vasile II împotriva regelui bulgar Samuil, istoria reține un
episod înfiorător: învingător într-o ultimă bătălie în care face
paisprezece mii de prizonieri, basileul pune să li se scoată
ochii, tuturor, cu fierul roșu, lăsând la fiecare sută de oameni
un om cu un singur ochi crăpat (câți vlahi vor fi fost
printre cei paisprezece mii?). Jalnica coloană va mărșălui sute
de kilometri, până ajung învinșii la vetrele lor, îngrozind în
drum țara întreagă și posteritatea.

Ungurii

Ultimii barbari care s-au așezat la nord de Dunăre sunt
iarăși răsăriteni, cum fuseseră avarii: maghiarii (ungurii),
pecenegii, uzii (pentru o vreme mai scurtă) și cumanii. Pe-
cenegii au venit cam împreună cu ungurii în ultimii ani ai
veacului al IX-lea. Ei sunt cei care i-au împins pe unguri
din actuala Rusie spre apus.

Ungurii au trecut la nord de Carpați, prin pasul Verecke/ Veretchi, situat în Beschizii Orientali, poposind în pusta Pannoniei, propice turmelor lor de cai. Acolo, zic unele cronici, se mai găseau încă vorbitori de limbă latină, adică preromână. Și după ce s-au stabilit acolo, ungurii, călăreți năprasnici, au întreprins timp de câteva zeci de ani incursiuni pustiitoare prin Germania și în toată Franța de azi, până când, în anul 955, în bătălia de la Lechfeld, în Bavaria, regele german Otto I cel Mare, viitor împărat, i-a oprit, și astfel au rămas de-atunci sedentari în Pannonia. Au avut norocul să apară curând în dinastia arpadiană (astfel numită după primul șef maghiar, Árpád, care i-a dus în apus) o personalitate excepțională, Ștefan I (1000–1038), consacrat mai apoi de papalitate ca Sfântul rege Ștefan. El consolidează în regatul lui (e primul care poartă titlul de rege) religia creștină de rit apusean, după ce înaintașii lui șovăiseră un timp între Roma și Constantinopol, și integrează noul stat, locuit de populații vorbind mai multe limbi, în sistemul feudal occidental care tocmai atunci se înjgheba. Între altele, favorizează influența Bisericii germane și începe în tot regatul colonizări cu germani: cavaleri, plugari, mineri, meseriași și negustori etc.

Opriți în expansiunea lor către apus, ungurii vor urmări de-acum extinderea regatului către sud și răsărit, împotriva slavilor și românilor, ba atacând chiar imperiul bizantin. În ultimii ani ai veacului al XII-lea, parte prin uniuni matrimoniale, parte cu forța, pun mâna pe regatul slav al Croației, care va fi de-atunci o feudă a coroanei maghiare, dar care nu-și pierde limba și particularitatea sa și e condus de cele mai multe ori de un ban ales din nobilimea croată.

În Ardeal, cum am văzut, au pătruns cu încetul, când acolo apăruseră deja mici formațiuni statale românești. Aici se vor lovi de aceiași pecenegi cu care se ciocniseră prin stepele Ucrainei cu vreo două veacuri înainte.

Pentru punerea în valoare a Transilvaniei, regii maghiari aplică aici, ca și în Ungaria, o intensă politică de colonizare. Împotriva pecenegilor, apoi a cumanilor, ei așază, la poalele Carpaților răsăriteni, ostași-grăniceri dintr-o etnie sosită în Europa o dată cu ei; ungurii îi numesc *székelyek* (singular: *székely*) (în latinește, *Siculi*), iar noi — secui. Originea lor precisă nu s-a lămurit, cert e însă că au fost de la început maghiarizați. Pe teritoriul concedat, întins cât două mari județe, ei formează un fel de „marcă", beneficiind de un regim special și condusă de un comite din neamul lor, *comes Siculorum*.

Altă importantă colonizare, începând chiar de la sfârșitul veacului al XII-lea, e reprezentată de coloniști germani, aduși mai întâi din regiunile nord-vestice ale Germaniei, aproape de Olanda, iar într-o a doua fază, mai de la răsărit, din Saxonia — de unde i-a rămas întregii populații germane din Transilvania numele de *sași*. Această populație germană era menită pe de o parte, la țară, să introducă o agricultură mai înaintată, pe de altă parte, să înființeze orașe de tipul celor din Germania, cu întăriturile lor, cu fel de fel de meșteșuguri și cu o bună practică a negoțului. Dintre orașele (*burg*-uri) înființate, șapte vor fi mai însemnate, de unde numele de *Siebenbürgen* „cele șapte *burg*-uri" dat de germani Transilvaniei. Două dintre ele, Brașovul și Sibiul (botezate de germani Kronstadt și Hermannstadt, dar ambele nume inițiale erau slavo-române), vor juca un rol de frunte în dezvoltarea provinciei, și de altfel și în economia țărilor române de dincolo de Carpați. Ca și secuii, sașii se vor bucura de largi privilegii și vor fi reprezentați de un comite al sașilor.

Să ne întoarcem la pecenegii de dincolo de arcul Carpaților. Pecenegii stau prin părțile noastre aproape două sute de ani. Sunt foarte agresivi; îi găsim în neîncetat conflict ba cu rușii, ba cu ungurii, ba cu bizantinii până ce, în 1091, când au pornit iar o incursiune în imperiul bizantin, împăratul

Alexis Comnenul îi zdrobește într-o mare bătălie, la Lebunion. O parte dintre captivi îi înrolează în armata lui, iar ceilalți, cu femeile și copiii, devin coloniști prin imperiu. Să fi dispărut atunci chiar toți pecenegii din spațiul nostru? Nu-mi vine a crede. Au rămas, în orice caz, nume de locuri (toponime) probabil pecenege, cel puțin localitățile numite Peceneaga; poate și cuvinte în limba noastră, greu însă de identificat, fiindcă limba lor era foarte apropiată de cea a cumanilor, care le iau locul, frați-dușmani care au dat o mână de ajutor bizantinilor ca să-i nimicească.

Cumanii

Cumanii vin și ei de la răsărit, de prin Ucraina actuală, unde vreme de mai multe veacuri vor reprezenta o adevărată putere care se războiește necontenit cu rușii marelui-cnezat de la Kiev (multe cântece bătrânești ale rușilor — *bâlinele*, regăsite miraculos pe la mijlocul veacului trecut, tocmai în nord, pe la lacuri — se raportează la acele lupte cu *polovții*, numele rusesc al cumanilor, adică oamenii stepei, cum își ziceau și ei în limba lor, de la radicalul *kum*). Marea masă a cumanilor e deci acolo, în sudul Ucrainei, și li se zice *cumani albi*, pe când celor ajunși în sudul Moldovei și în Muntenia, până și în Bulgaria, li se zice *cumani negri* (adică, după cum s-ar spune în termeni moderni, dintr-o ramură mai mică a neamului cuman). Cumanii iau locul pecenegilor și sunt mai statornici decât ei; ne putem imagina că între sfârșitul secolului al XI-lea (circa 1090) și mijlocul secolului al XIII-lea (circa 1240), când fug din fața marelui val mongol, deci timp de o sută cincizeci de ani, ei au avut la noi o așezare organizată, relativ stabilă. În hărțile și scrierile occidentale sau bizantine din vremea aceea, Muntenia noastră apare cu numele de „Cumania". Și pentru prima oară, sub stăpânirea acestor barbari, se simte o *participare a români-lor* la viața politică. Nicolae Iorga a vorbit de „simbioza ro-mâno-cumană". De pildă, apare clar că de la ei au reînvățat românii în Evul Mediu arta războiului (în special, tactica atacurilor călărimii); conform unor lingviști, de la ei ne-au rămas câteva cuvinte în limbă, adesea cu sens originar ostă-șesc, ca *beci* (la origine loc întărit, de unde numele de Beci dat Vienei), *bir*, *ceată*, *olat*, *toi*, probabil și *odaie*; dar mai cu seamă foarte multe toponime dintre care cele mai vizibile sunt Comana și Comarnic — dar și mai toate toponimele în *-ui* (Vaslui, Covurlui etc.); am vorbit de Teleorman. Tot așa de semnificativ e și Bărăganul.

Revolta Asăneștilor și „regatul vlahilor și al bulgarilor"

Cumanii au pătruns până în Bulgaria — Bulgaria care nu mai există ca stat independent de la fioroasa represiune a împăratului bizantin Vasile II zis Bulgaroctonul — (o urmă reprezintă, de pildă, localitatea Kumanovo, unde s-au întâl-nit în anii '90 negociatorii militari ai Iugoslaviei și NATO!). Or, în toată acea regiune mai trăia încă o importantă popu-lație de limbă română care, fără îndoială, păstrase un contact neîntrerupt cu românii de la nord de Dunăre. Acești valahi se îndeletniceau în special cu creșterea oilor, de unde, cu vremea, termenul de vlah a devenit, la bulgari și la greci, sinonim cu cioban.

În 1185, doi frați vlahi din regiunea Târnovo, Petru și Asan, certați pe motive fiscale cu împăratul bizantin Isaac Anghelos, și fiindcă acesta refuzase continuarea unui servi-ciu militar al acestor vlahi în armata bizantină, asmuțesc ți-nutul întreg, și pe vlahi, și pe bulgari, împotriva împărăției. Cum, după doi ani de lupte, soarta armelor le e potrivnică, trec Dunărea și se întorc de acolo cu alți români *și cu călă-rime cumană*, iar, după un timp, îi înving pe bizantini. Această imediată alianță româno-cumană mă face să cred că acei frați vlahi de la Târnovo aveau cu căpeteniile cumane o legătură mai veche, poate chiar o încuscrire, *întrucât numele Asan e cuman*. Petru și Asan vor prelua însă coroana foștilor țari bulgari, căci aceasta reprezenta tradiția statală a locului, întreruptă de bizantini cu două sute de ani în urmă. Un al treilea frate, Ioniță, zis pe grecește Kaloioannes, adică cel Frumos (sau cel Viteaz?) duce și mai departe ambiția familiei, obținând o coroană regală de la marele papă Innocentiu III. Corespondența dintre papă și Ioniță dovedește clar că acesta din urmă își reclama originea sa romană și că papa o recunoștea (se știe ce bine informată a fost întotdeauna papalitatea!). Lucrurile se vor încurca însă în urma cuceririi Constantinopolului, în 1204, de către cruciații celei de-a patra cruciade, deviate de la drumul ei de lăcomia și viclenia venețienilor. (Eveniment dramatic cu consecințe incalculabile, căci de atunci s-au învrăjbit atât de rău Bisericile din Apus și Răsărit, catolicii și ortodocșii, încât nu s-au mai putut împăca nici până azi.) Ioniță va părăsi obediența romană pentru a reveni la ascultarea față de patriarhul grec (refugiat la Niceea, în Asia Mică) și, purtând război cu cruciații, cu *francii*, în 1205, îl va învinge, la Adrianopol, cu ajutorul cumanilor, pe împăratul *latin* Baldovin de Flandra, care va pieri în beciurile de la Târnovo. Dar statul Asăneștilor, instalat în tradiția politică și culturală a primului țarat bulgar, nu va mai fi cunoscut după Ioniță ca „regat al vlahilor și al bulgarilor", cum îi spun cronicarii „franci", ci numai ca al „doilea țarat bulgar", participarea inițială a românilor la această mare înfăptuire fiind cu vremea estompată, până la a permite afirmația (chiar ridicolă) a unei anumite istoriografii bulgare, că a fost vorba de un „regat al bulgarilor și al ciobanilor"...

Invazia mongolă

În primii ani ai veacului al XIII-lea, apare deodată la celălalt capăt al Eurasiei, pornind din stepele Mongoliei, o formidabilă putere, neprevăzută și nemaiîntâlnită în violența ei, cea a călăreților mongoli ai lui Genghis-han.

Trebuie să ne oprim o clipă asupra fenomenului mongol, nu numai fiindcă e un moment crucial din istoria universală, ci și fiindcă a avut la noi — la mii și mii de kilometri depărtare — urmări de o importanță capitală. Uriașa armată a lui Genghis-han, admirabil organizată, încadrată de călăreții tribului său mongol, dar cuprinzând cu timpul multe alte seminții de rasă mongolă sau turcă, se urnește în 1206 și cucerește mai întâi tot nordul Chinei. Mongolii vor porni apoi către Apus, vor nimici mai târziu mai multe țări asiatice, între care regatul persan, punctând de fiecare dată înaintarea lor cu măceluri de masă de o nemaipomenită cruzime — piramide de sute de mii de capete după cucerirea fiecărui mare centru. Faima lor și spaima se răspândesc ca un pârjol în lumea întreagă. Marele-han moare în 1227 și împărăția se împarte între fiii lui, dintre care unul e ales „mare-han"; dar, chiar înainte, o *armada* cum nu mai cunoscuse pământul pornise prin Siberia spre Europa, sub comanda unui nepot al lui Genghis-han, Batu-han. La nord de Marea de Azov, pe Kalka, o coaliție a cumanilor albi cu rușii marelui-cneaz de la Kiev, împăcați cu acest prilej, suferă, în 1223, o cumplită înfrângere. Vestea ajunge îndată la cumanii negri din părțile noastre. De teama pericolului mongol, de unde până atunci cumanii respinseseră toate tentativele de creștinare, ucigând mai mulți misionari, călugări catolici, căpetenia cumanilor negri cere acum regelui Ungariei să-i acorde protecția și să trimită grabnic un episcop, pentru ca tot poporul să fie creștinat. O impunătoare delegație sosește în 1228 peste Carpați, undeva la granița Moldovei cu Muntenia, având în fruntea ei pe însuși fiul regelui, viitorul rege Béla IV, și pe primul prelat al Ungariei, arhiepiscopul de Strigonium (Esztergom). Zeci de mii de cumani sunt botezați o dată cu căpetenia lor și e creat pe loc un episcopat al cumanilor, care va prelua numele râului Milcov (episcopatul *Milcovensis*), unde s-au clădit îndată biserică, palat, cetate — din care nu va rămâne nimic, căci treisprezece ani mai târziu va trece pe acolo iureșul mongol.

În 1241, trei coloane mongole înaintează din părțile Rusiei către Apus, distrugând pe rând cnezatele rusești, regatul polon sprijinit de cavaleri germani și, trecând peste țara noastră — unde vor întâlni în nord rezistență din partea sașilor de curând instalați la minele de la Rodna, iar în sud din partea unei formațiuni „valahe" —, nimicesc în Ungaria armata regelui Béla. Acesta nu-și găsește scăparea decât refugiindu-se pe o insulă din Adriatica. Se așteaptă ca puhoiul mongol să se îndrepte acum către marile țări din Apus. Dar, în 1242, mongolii se retrag subit, nu din pricina vreunui contraatac creștin, ci fiindcă a sosit vestea morții marelui-han, iar toți frații, fiii și nepoții lui se grăbesc către Karakorum pentru alegerea noului Han. În treacăt trebuie spus că conducătorii Apusului, papa, regele Franței, regele Angliei, au crezut un moment că s-ar putea folosi de acești nou-veniți atât de temuți împotriva puterii musulmane, care rămânea, în gândul lor, marele adversar al creștinătății.

Europa centrală și apuseană va avea totuși răgazul de a se reface și întări. Mongolii însă nu s-au retras cu totul din Europa, ci au înființat, în sud-estul Rusiei, pe Volga inferioară, un stat puternic, cunoscut sub numele de Hoarda de Aur, care va ține în vasalitate principatele rusești timp de peste două sute de ani, și va roi și mai la apus, pe malul Mării Negre și în Crimeea, unde mongolii *se vor contopi cu foștii cumani albi, a căror limbă o vor adopta.* Sunt cunoscuți, de atunci, sub numele de *tătari*, și vor reprezenta pentru

țările noastre, veacuri de-a rândul, prin incursiunile lor săl-
batice, o permanentă primejdie. Chiar din primele decenii
ale secolului al XIV-lea, constatăm că formațiunile politice
bulgărești, sârbești și românești se află în raport de vasali-
tate față de acești hani tătari instalați pe malul nordic al Mării
Negre. Formidabila expansiune mongolă va avea însă, după
cum vom vedea mai târziu, și urmări pozitive, cel puțin pen-
tru români.

Diploma Ioaniților (1247) — o „radiografie"
a Olteniei și Munteniei înainte de descălecat

Ungurii, stăpâni pe regatul croat, după cum am văzut, și
pe cetatea Belgrad cu ținutul dimprejur, și pe viitorul ba-
nat de Timișoara, izbutiseră în ultimul pătrar al secolului
al XIII-lea să treacă peste zona apuseană a Carpaților me-
ridionali și să înființeze, în Oltenia de azi, un fel de pro-
vincie-tampon, o „marcă", zisă Banatul de Severin, cu un
ban ungur peste mai mărunte formațiuni, cnezate sau voie-
vodate românești, dintre care unele erau „călare" pe Car-
pați, adică parte în Oltenia, parte în Hațeg.

Un document de un interes excepțional ne permite să
ne facem o idee despre situația politică și socială a acelor
ținuturi la momentul invaziei mongole: e vorba de diploma
pe care regele Béla IV o va acorda în 1247 cavalerilor Sfân-
tului Ioan din Ierusalim pentru a veni să se așeze în Banatul
de Severin, să-l colonizeze și să-l apere în calitate de vasali
ai regelui Ungariei. Documentul e cunoscut în istoriografie
sub numele de *Diploma Ioaniților.*

Să ne oprim o clipă asupra acestui document care ne dă
un fel de „radiografie" a țării *câteva decenii înainte de în-
temeierea voievodatului Țării Românești.*

Dar, mai întâi, cine sunt acești Cavaleri Ioaniți?

Foarte curând după prima cruciadă, la începutul veacului al XII-lea, se înființase în noul regat creștin de la Ierusalim un „ordin de cavaleri", călugări-ostași având misiunea de a îngriji pe răniți și în același timp de a fi gata oricând să ridice armele împotriva „păgânilor", a „necredincioșilor", adică a musulmanilor. Se va numi Ordinul Sf. Ioan din Ierusalim (în majoritate, alcătuit din francezi). După el vor apărea și altele, dintre care rețineți: *Templierii*, care vor deveni mari bancheri în Occident, și *Cavalerii Teutoni* (adică germani) care, în urma părăsirii Palestinei, după o scurtă ședere la noi, în Țara Bârsei, vor coloniza nordul Poloniei, creând o largă enclavă în jurul portului Danzig (Gdansk) și pe care, sub numele de Prusia Orientală, o vor stăpâni germanii până aproape de zilele noastre, până la dezastrul german din al doilea război mondial. Ioaniții, după alungarea din Palestina, la sfârșitul secolului al XIII-lea, se vor instala pe rând în Cipru, apoi în insula Rhodos și, în sfârșit, în secolul al XVI-lea, alungați de turcii otomani, în insula Malta. De atunci, sunt cunoscuți sub numele de Cavalerii de la Malta. Eminescu face un anacronism când îi aduce, sub acest nume, în bătălia de la Nicopole pe vremea lui Mircea cel Bătrân, în celebrul vers din *Scrisoarea III*:

S-a-mbrăcat în zale lucii cavalerii de la Malta;
Papa cu-a lui trei coroane, puse una peste alta...

În 1247, șase ani după catastrofala invazie mongolă, regele Béla IV se înțelege cu Marele-Maestru al Ordinului Ioaniților ca să-i cedeze în vasalitate Banatul Severinului, adică Oltenia și o mică parte din actualul Banat. „Contractul" pe care-l încheie cu acest prilej ne revelă lucruri de un interes pasionant pentru a încerca să ne imaginăm starea acestui colț de țară românească cu o jumătate de veac înainte de apariția aici a unui stat de dimensiuni comparabile cu ale marilor ducate din sistemul feudal al epocii, stat care va căpăta numele de „Țara Românească" (sau, în slavonă, *Vlașca Zemlia*).

Ne miră numărul mic de cavaleri prevăzuți să vină — câteva zeci. Să nu uităm că în vremea aceea cavalerii apuseni în armuri cântărind cât ei înșiși, călări pe caii cei mai grei din Europa, și ei acoperiți cu zale, și însoțiți fiecare de vreo zece aprozi, erau în tactica epocii echivalentul tancurilor de azi. Apoi, cavalerii cruciați din Palestina își croiseră reputația de cei mai pricepuți constructori de cetăți din lume. Asta mai cu seamă aștepta de la ei regele Ungariei, precum și organizarea de colonizări — *cu condiția să nu primească coloniști din Ardeal*, dovadă că de pe atunci se scurgea populație din Transilvania către câmpiile de la sud și răsărit.

Iată câteva dintre informațiile pe care ni le aduce diploma:

— Aflăm de existența unui voievodat românesc al unui Litovoi, căruia regele îi rezervă un statut special în interiorul feudei, și mai aflăm că acesta se întinde și dincolo de Carpați, în Hațeg, dar că acea parte regele nu vrea s-o cuprindă în teritoriul dat în vasalitate Ordinului. Mai sunt numiți și doi cneji, Ioan și Farcaș. Ioan e ortografiat așa cum îl pronunță românii, și nu Johann (germ.) ori János (ung.) sau Iovan (sl.); *farkas* înseamnă „lup" pe ungurește, așa că maghiarii pretind că putea fi un șef maghiar. E mai probabil că era un cneaz român coborât din Ardeal, unde numele lui, sau al moșilor lui, fusese schimbat din Lupu sau Vâlcu (slav) în Farcaș. Litovoi e nume slav. Interesant e că douăzeci și cinci de ani mai târziu, în aceleași locuri, un Litovoi (același sau un descendent al lui?) se revoltă împotriva suzeranului ungur și moare în luptă; îi succedă un frate, *pe nume Bărbat*, nume vădit românesc.

— Ordinul e îndemnat să cucerească dincolo de Olt fosta „Cumanie", rezervând și acolo, probabil în regiunea Argeș, un statut special voievodatului unui Seneslav — nume slavo-român, poate deformat de cancelaria ungară (oare același cu șeful valah care înfruntă coloana cea mai sudică a atacului mongol din 1241 ?).

— Se deduce din clauzele fiscale ale diplomei că în acel banat se iau dijmă și dări din recolte și din pescuit, deci, chiar dacă populația e cam răsfirată, există o țărănime și o economie organizate.

— Țara e totuși destul de populată și de structurată social ca să posede formațiuni militare (*apparatu suo bellico*) pe care Ordinul vasal va trebui să le adune și să le aducă regelui în caz de război cu țările vecine.

— În fine, diploma revelă că, pe lângă voievozii și cnejii citați nominal, mai sunt și alți „mai-mari ai țării" (*maiores terrae*) cărora regele le acordă privilegii exorbitante, între care dreptul de a veni în apel la judecata regelui în caz că contestă judecata vasalului său (Marele-Maestru al Ordinului), condamnându-i la tăierea capului. Înseamnă că acești „mai-mari ai țării" reprezentau o putere locală destul de însemnată încât regele să-i ia în anumite împrejurări sub protecția lui, la *curia* lui la o mie de kilometri depărtare; deci țara avea de pe atunci „cadre" politice și ostășești: sunt viitorii boieri pe care-i vom găsi câteva zeci de ani mai târziu în jurul voievodului țării.

Ce s-a întâmplat însă cu masa cumanilor creștinați în 1228? Când s-a apropiat valul mongol, căpetenia lor a cerut voie regelui Ungariei să treacă, cu toți ai lui, Carpații, pentru a se pune la adăpost de năvală. Regele i-a colonizat pe valea Tisei, unde în generațiile următoare vor da mult de furcă autorităților regale. Totodată, regele Ungariei a luat o prințesă cumană — erau vestite cumanele pentru frumusețea lor și asemenea nobile încuscriri avuseseră loc și cu marii-cneji ruși, ba chiar și cu „rude mari împărătești" la Bizanț —, și din acea căsătorie se va naște Ladislau, penultimul rege din dinastia arpadiană, zis Ladislau Cumanul, pentru că iubea mult obiceiurile neamului său matern, adoptase și portul și pieptănătura cumană, spre marea supărare a ungurilor.

Iarăși îmi pun întrebarea: *să fi fugit atunci chiar toți cumanii* din părțile noastre? Sunt multe semne că n-a fost așa. Documentele ungurești ulterioare din Transilvania ne revelă prezența unor cumani în provincie în secolul al XIV-lea, de asemeni numeroase nume cumane în regiunea Făgăraș și Hațeg, precum și toponime în Muntenia până în locuri retrase în munți, foarte tipice pentru datinile noastre strămoșești, cum e Loviștea. Nu lipsit de semnificație e faptul că în primele documente muntenești din secolele al XIV-lea și al XV-lea găsim o proporție destul de mare de nume cumane printre boierii țării — ceea ce nu înseamnă negreșit că toți erau de origine cumană, dar în orice caz că influența cumană fusese profundă.

II

Nașterea statelor românești medievale

Fost-a descălecat?

Ajungem astfel la cumpăna veacurilor al XIII-lea și al XIV-lea, momentul crucial al apariției, între Carpați și Dunăre, a primului stat român organizat, Țara Românească. Oricât ar părea de ciudat, circumstanțele acestui mare eveniment au rămas destul de obscure pentru a stârni, până azi, aprigi controverse între istorici: fost-a oare, cum vrea tradiția, o „descălecare" a legendarului Negru Vodă din Țara Făgărașului? Sau unirea voievodatelor și cnezatelor de la sud de Carpați să fi fost un fenomen exclusiv local? Și cine a fost Basarab, Basarab întemeietorul, mare-voievod?

Am spus, când am vorbit despre invazia mongolă, că această adevărată avalanșă care a zdruncinat din temelii sau dărâmat aproape toate formațiunile politice din Europa centrală și orientală a reprezentat, în schimb, un moment favorabil pentru cnezatele și voievodatele apărute în regiunea Munteniei ca să se elibereze oarecum de presiunea regatului ungar și să realizeze o primă unitate politică a tuturor celor care vorbeau limba română între Carpați și Dunăre. Aceasta se petrece în jurul anului 1300. Tradiția, consemnată de cronici târzii (din veacurile al XVI-lea și al XVII-lea), vorbește de anul 1290. Majoritatea istoricilor contemporani au avut tendința de a alege o dată mai târzie, după 1300; ba o întreagă școală istorică, încă majoritară chiar, pretinde că tradiția descălecatului, cu Negru Vodă coborând din Țara Făgărașului, ar fi o pură invenție din secolul al XVII-lea, fără temei real.

De la o vreme însă, câțiva istorici de valoare, ca Gheorghe Brătianu sau Șerban Papacostea, au reacționat împotriva acestei teorii, considerând că tradiția orală avea un sâmbure de adevăr. Mă înscriu categoric alături de ei în favoarea reabilitării vechii legende, având în plus și convingerea — care nu e împărtășită de ceilalți istorici — că Basarab întemeietorul, primul nostru dinast dovedit documentar, se trăgea dintr-o spiță de șefi cumani.

Cine a fost Basarab întemeietorul?

E dovedit că în ultimul pătrar al secolului al XIII-lea, cu toată persistența pericolului mongol, asistăm la o coborâre din Ardeal către Muntenia a unor elemente *românești, ungurești și săsești*, atrase și de belșugul câmpiilor, *și de negoțul de la Dunăre și Marea Neagră*. Câmpulung e mai întâi un centru comercial săsesc și va avea cu vremea o importantă minoritate catolică, cu o frumoasă biserică. De asemeni, mica biserică din peștera de la Corbii de Piatră, în aceeași regiune, e datată — după stil — în jurul lui 1290 și are, lucru neobișnuit, două altare unul lângă altul. Pe de altă parte, ultimul rege arpadian, Andrei III, aplică o politică discriminatorie împotriva românilor, a căror *nobilime nu mai e chemată la adunările Dietei*. Regii unguri, vasali ai papei, au considerat ca o datorie demnă de o adevărată cruciadă să elimine pe „schismatici", adică pe ortodocși, din regatul lor. De aceea, cei din nobilimea română care nu treceau sub obediența Romei au fost de atunci excluși din categoria nobiliară și încetul cu încetul reduși la starea de simpli țărani. (La celălalt capăt al regatului, nobilimea croată n-a avut a suferi de această declasare, fiindcă Croația fusese creștinată în rit apusean.)

În orice caz, evenimentele din jurul anului 1290 justifică în mod straniu data transmisă de tradiție ca fiind cea a coborârii legendarului Negru Vodă din Țara Făgărașului și *așezarea sa la Câmpulung*, iar sub urmașii lui la Argeș, de unde își vor întinde curând autoritatea până la Dunăre. De la această origine „munteană" a dinastiei se trage probabil numele de Muntenia, dat tradițional întregii țări — țară majoritar de șes.

Douăzeci de ani mai târziu, documente străine (ungurești, papale, sârbești, bulgărești etc.) ne revelă, domnind peste toată Țara Românească, țara dintre Dunăre și munți, inclusiv Oltenia, pe „Basarab mare-voievod" (atenție: la origine Basarab e un prenume). Ce înseamnă „mare-voievod"? Înseamnă că acea căpetenie, voievodul Basarab, a reușit să se impună peste toți ceilalți cneji și voievozi români din acel teritoriu, fosta „Cumanie" și fostul Banat de Severin. Înseamnă că și urmașii lui Litovoi și eventual alți cneji din Oltenia se închinaseră lui Basarab. Acesta e deci un *primus inter pares* „primul între egali". Comparați cu Persia antică: marele-rege, adică rege peste ceilalți regi; cu India: Maharaja/raja; cu Etiopia: regele regilor etc. — acesta era sensul, chiar dacă curând (intenționat sau nu) s-a confundat cu un epitet personal: Marele Basarab Voievod. De altfel, de îndată ce această întâietate, după domnia lui Basarab, n-a mai fost contestată, termenul „mare-voievod" a ieșit din uz.

Am mai multe motive de a crede că Basarab cobora dintr-o spiță de șefi cumani. Nicolae Iorga a scris despre Basarab: „Numele e cuman... (apoi, subliniat) *numai numele?*" Dar nici marele Iorga n-a îndrăznit să ducă „ancheta" mai departe, atât de înrădăcinată e încă la noi concepția că în istoria națională unele lucruri se pot spune, iar altele nu. Un istoric contemporan, pentru a exclude ideea că Basarab ar fi putut fi de origine cumană, scrie că Basarab era sigur român, căci altfel n-ar fi putut avea gândul să unească pământul românesc... Ce ați zice de un istoric francez, pătimaș adept al originii galo-romane a francezilor, care ar scrie: „Clovis (regele franc) sigur că era galo-roman, altfel n-ar fi putut avea ideea de a unifica Gallia"?! Vă îndemn la următorul exercițiu: căutați cine a întemeiat, în Evul Mediu, *toate* noile state provenite, pe rând, unele după sute de ani, din prăbu-șirea imperiului roman: în Gallia sunt franci, burgunzi și vizigoți; în Hispania, vizigoți, suevi și vandali; în Italia, lon-gobarzi — uneori au lăsat moștenire ținutului și numele lor: Franța, Burgundia, Lombardia, Andalusia.

Adaug că este *o constantă a istoriei universale*: când se surpă dinlăuntru un imperiu, *niciodată* noile state care apar ulterior în același loc nu rezultă din fapta foștilor băștinași, care rămân vreme îndelungată fără elite și fără vlagă. Aceas-tă observație e confirmată de istoria Egiptului antic, a Per-siei, a Chinei, a Indiei... Repet, e ca un fel de lege naturală. Așadar, ce contează dacă s-ar dovedi cumva că strămoșii lui Basarab ar fi fost cumani? Departe de a fi o ciudățenie, ar fi doar normal.

Iată câteva argumente în favoarea opiniei mele (căci nu ne putem întinde prea mult în cadrul prezentei lucrări):

— Nu numai numele lui Basarab e cuman, ci și al tatălui său, Tocomerius (sau Thocomer), pe care regretatul orien-talist Aurel Decei l-a dovedit cuman — varianta Tihomir, pe care o găsiți în toate cărțile, e greșită. Să aibă oare cneji slavo-români prenume cumane din tată în fiu la numai o sută-o sută cincizeci de ani de la năvălirea cumanilor? Puțin probabil.

— Cancelaria papală i-a considerat pe primii doi voie-vozi, Basarab și Nicolae Alexandru, ca fideli ai Bisericii Romei, în ciuda unor „trădări", după care cancelaria ungară se grăbea să-i califice drept „schismatici"; dar Curia romană nu se putea înșela. Or, dacă au fost originar catolici, nu pu-teau fi slavo-români, aceștia fiind de veacuri legați de Con-

stantinopol; *numai cumanii fuseseră botezați în rit roman.*
De altfel, și Basarab, și Nicolae Alexandru au avut soții
catolice.

— Cozia și Hurezul au fost două dintre cele mai presti-
gioase ctitorii ale Basarabilor; ambele poartă nume cumane
(*cozia* = nucet; *hurez* sau huhurez = pasăre de noapte).

— Se sugerează adesea că Basarab s-ar fi impus celorlalți
voievozi și cneji români în calitate de căpetenie a lor împo-
triva tătarilor, dar n-avem nici un document care să evoce
o asemenea acțiune. În schimb, există surse sârbești și ungu-
rești după care Basarab ar fi fost *ajutat de tătari* într-o luptă
pe care o duce împotriva sârbilor alături de bulgari (Vel-
bujd, iunie 1330, bătălie unde aliații sunt învinși de sârbi)
și în vestita bătălie zisă de la „Posada" (noiembrie 1330)
împotriva ungurilor — despre care vom mai vorbi, căci e
considerată „actul de naștere" al Țării Românești ca unitate
autonomă în cadrul Europei feudale. E deci mai probabil
că Basarab a fost acceptat ca „mare-voievod" nu fiindcă ar
fi dus lupte victorioase împotriva tătarilor, ci fiindcă ar fi
fost cel mai capabil de a se înțelege cu ei. Originea cumană
putea fi un atu la o vreme când tătarii occidentali (din Cri-
meea și Bugeac) erau, majoritar, foști cumani.

De altfel, marii cneji ruși au procedat la fel, adică au
preferat îndepărtata suzeranitate mongolă, care nu se atin-
gea de credința și datinile lor, unei dominații a puterilor ca-
tolice, mult mai constrângătoare. Cu câteva zeci de ani înainte
de Basarab, marele erou al Evului Mediu rus, Aleksandr
Nevski, de la Novgorod, apoi din Vladimir, a ales aceeași
cale: s-a luptat eroic împotriva apusenilor, învingându-i și
pe suedezi, și pe cavalerii teutoni — în schimb s-a dus să-și
plece genunchiul, smerit, în fața marelui-han al Hoardei
de Aur. La fel vor face în veacul următor și marii-cneji ai
Moscovei.

— Avem și un document ciudat printre documentele transilvane de la începutul secolului al XIV-lea: în 1325, un cleric ungur depune mărturie că un fiu de comite cuman a îndrăznit, în fața unui tânăr nobil maghiar, să-l ponegrească pe rege, zicând că nu-i ajunge nici la gleznă lui Basarab! De ce tânărul cuman, dacă a vrut să-l înjosească pe regele Ungariei, nu l-a comparat cu regele Poloniei, cu cneazul de Halici sau cu vreun despot sârb — de ce l-a comparat cu voievodul Basarab, când acesta nu se distinsese încă învingând pe trufașul rege? Nu cumva fiindcă era mândru de el, îl știa de un neam cu el, poate chiar rudă?

— Mă întreb, în fine, dacă poreclei „Negru Vodă" dată de tradiție „descălecătorului", adică întemeietorului, poreclă pentru care s-au căutat tot felul de explicații, dintre care unele chiar năstrușnice, nu trebuie să i se păstreze explicația pe care o mai avea trei sute de ani mai târziu, când a fost culeasă de un celebru oaspete oriental în țara noastră, Paul de Alep: i-ar fi zis Negru Vodă pentru că era negricios la față! Or, un cuman era desigur negricios în ochii cnejilor noștri slavo-români. De altfel, câteva decenii mai târziu, moldoveanul Miron Costin ne dă aceeași explicație! Avem o paralelă izbitoare în cazul scriitorului bizantin care, în veacul al XI-lea, vorbește primul mai amănunțit despre aromâni, generalul Kekauménos: numele lui înseamnă pe grecește „pârlitul la față", „negriciosul" — porecla fusese dată bunicului său, care era armean și, probabil, mai oacheș decât grecii constantinopolitani!

Bineînțeles, nici unul dintre aceste argumente, singur, nu e concludent, dar, împreună, formează ceea ce se numește în jargonul juridic un mănunchi de prezumții cel puțin tulburător.

Putem, în rezumat, închipui pentru descălecat „scenariul" următor: când în 1238–1240 cumanii din Episcopatul Milcovului și din Muntenia noastră trec Carpații pentru a se pune la adăpost de năvala mongolă în regatul ungar, nu toți vor fi acceptat să fie colonizați pe valea Tisei mijlocii. Mulți — fiind deja amestecați cu românii sau chiar de-a binelea românizați (căci trebuie subliniat că toate sursele pe care le avem asupra lui Basarab îl califică drept valah) — vor fi ales să rămână printre români, și la nord, și la sud de Carpați. Coborâtor dintr-un asemenea neam, „Negru Vodă" (Basarab, sau mai curând tatăl său Tocomerius — căci un document bisericesc din secolul al XVII-lea zice că Nicolae Alexandru era „nepot" al lui Negru Vodă), cu posesiuni, poate, și la nord și la sud de Carpați, izbutește să se impună altor căpetenii române, să se așeze la Câmpulung, centru comercial săsesc, și, unificând întregul ținut dintre Carpați și Dunăre, să fie recunoscut „mare-voievod" — deocamdată tot vasal al regelui Ungariei.

În tot acest răstimp, adică între 1247 (Diploma Ioaniților) și începutul secolului al XIV-lea (primele informații despre Basarab), nu mai știm nimic despre voievodul Seneslav din regiunea Argeș și despre eventualii lui succesori.

Momentul 1330

De aproape trei decenii, se stinsese, în linie bărbătească, dinastia arpadiană a regilor maghiari. După ani de lupte între diverși pretendenți, se impune în sfârșit o rudă, pe linie maternă, a ultimilor arpadieni, Carol Robert de Anjou (de unde termenul de „dinastie angevină") dintr-o ramură a regilor Franței ajunsă domnitoare în sudul Italiei, în regatul Neapolelui. Noul rege, strâns legat de papalitate, va intra curând în conflict cu „marele-voievod" Basarab, căruia totuși îi recunoaște în 1324 stăpânirea peste toată Țara Românească în calitate de vasal. Dar în toamna lui 1330, îngrijorat de atitudinea prea independentă a lui Basarab și de legăturile

sale cu bulgarii și tătarii, și încurajat de înfrângerea suferită
la Velbujd, din partea sârbilor, de coaliția bulgaro-valaho-tă-
tară, Carol Robert intră în Țara Românească cu o oaste mare,
cu intenția să-și impună în toate privințele autoritatea de
suzeran. Dar, la întoarcerea către Ungaria, marea sa oștire
e surprinsă de armata lui Basarab într-o trecătoare (încă ne-
identificată cu siguranță, dar cunoscută în istoriografie cu
numele greșit „Posada"), lovită și din spate și din coaste de
ostași care prăvălesc bolovani de pe munți, pe când calea
înainte, prin strâmtoare, e tăiată de copaci rostogoliți de-a
curmezișul. Trei zile de-a rândul ține măcelul în care piere
floarea nobilimii maghiare. Dezastrul e pomenit de mai mul-
te surse, între care o cronică ilustrată cu miniaturi în culori
(*Chronicum pictum Vindobonense*), unde se vede cum regele
scapă cu fuga, pe când ostașii lui Basarab, cu cojoace în spi-
nare și căciuli pe cap, de pe o stâncă înaltă, trag cu arcul și
prăvălesc bolovani asupra cavalerilor în armură. Celebra mi-
niatură din *Chronicum pictum Vindobonense* a fost la ori-
ginea unei greșite interpretări, de care n-a scăpat nici Iorga,
anume că oastea primilor noștri voievozi era formată doar
din țărani înarmați cu săgeți și că, la Curtea domnească,
portul și moravurile trebuie să fi fost rustice. Descoperirea,
în anii 1920, la Curtea de Argeș, a unui mormânt într-o stare
de miraculoasă conservare, în care se afla un membru proba-
bil al familiei domnitoare și constatarea că acest „prinț va-
lah" era îmbrăcat în stofe scumpe, cu mărgăritare și paftale
în stil occidental, ca un prinț sau un mare nobil ungur, au
adus o revelație (de altfel logică): voievozii români, boierii
și cavalerii (li se zicea „viteji") nu se puteau îmbrăca și în-
arma decât la fel ca în țările vecine, cu care erau în strânsă
legătură și interdependență: țaratul bulgar, regatul sârbesc,
regatul ungar. Dacă arcașii rustici joacă un rol capital în
„bătălia de la Posada", asta nu înseamnă că ei formau toată
armata lui Basarab, care nu putea să nu fie formată, ca în

întreaga Europă medievală, de o călărime cu platoșe, spade, suliți și securi, iar cei mai avuți, cu zale.

Și în bătălia de la Azincourt, în 1415, unde regele Angliei Henric V îi învinge pe cavalerii francezi, mult mai numeroși, acțiunea hotărâtoare a fost, la început, a pedestrimii de arcași adăpostiți în spatele unor rânduri de țăruși — dar izbânda finală nu putea fi obținută decât de atacul masiv al cavalerilor. Aceasta era tactica vremii. Așa trebuie să ne închipuim și desfășurarea ultimei faze a bătăliei de la „Posada".

1330 este, așadar, momentul când acest voievodat al Munteniei devine cvasiindependent. Dar independența în Evul Mediu nu are importanța pe care ne-o închipuim noi astăzi. Toate țările din Europa au suverani care sunt mai mult sau mai puțin vasalii altcuiva. De pildă, regele Angliei este vasalul regelui Franței fiindcă posedă unele ducate și comitate pe teritoriul francez, pentru care el trebuie să presteze jurământ de credință unui rege care îi este suzeran pentru acele ducate. Dar el poate fi, ca putere, egal cu el. Să nu credem că a fi vasalul regelui Ungariei era o înjosire. Cavalerii atât de temuți, cavalerii teutoni, au fost vasalii regelui Poloniei. Regele Ungariei este, la rândul lui, vasalul papei. Acest principe al Munteniei trebuia să fie vasalul regelui Ungariei, iar dacă Basarab, la un moment dat, se răzvrătește împotriva regelui maghiar e ca să fie mai puțin dependent de suzeranul său; pe urmă însă, se împacă cu regele Ungariei și prestează din nou jurământul de vasalitate, iar fiul său, Nicolae Alexandru, prestează de asemenea jurământ regelui ungar; principele sau voievodul Moldovei, cum vom vedea, prestează jurământ regelui Poloniei, pentru a avea un protector tocmai împotriva Ungariei. Nu era nici o înjosire. Astfel funcționa sistemul feudal.

Apoi, *regele Ungariei și voievodul român aveau interese economice comune*: să aibă acces liber la Marea Neagră pentru negoțul cu Orientul, care aducea mari profituri vamale.

De la Sibiu și Brașov porneau drumuri comerciale către por-
turile controlate de negustorii genovezi pe Dunăre și pe coas-
ta Mării Negre, la Vicina, la Chilia, la Cetatea Albă și până
pe coastele Crimeii. Cu ajutorul regelui și în numele lui, vo-
ievodul muntean, întorcându-se împotriva tătarilor, își în-
tinde stăpânirea timp de câteva zeci de ani la nord de Delta
Dunării până la Cetatea Albă, pe un întreg ținut între Prut
și Nistru, care de-atunci a rămas pentru străini țara lui Ba-
sarab, Basarabia (ținut numit apoi de tătari și turci *Bugeac*).
Acest soi de *condominium* româno-ungar a trecut prin mai
multe peripeții până când, în secolul următor, ținutul va fi
cucerit de celălalt voievodat românesc, Moldova, despre care
vom vorbi îndată.

Dar, în grabă, încă o vorbă despre urmașii imediați ai lui
Basarab, Nicolae Alexandru și Vladislav, sub domnia cărora
au loc de asemeni evenimente de mare însemnătate pentru
viitorul Țării Românești — și pentru românime în general.

Urmașii lui Basarab. Anul 1359: alegem definitiv între Roma și Constantinopol

Lui Basarab, după o lungă domnie, îi urmează, în 1352,
fiul său Alexandru. În primele documente externe referitoare
la domnia lui, îl găsim în termeni buni și cu papa, și cu re-
gele Ungariei. Dar în 1359, supărat că regele îi poprește co-
respondența directă cu papa, de la care spera o recunoaștere
ca domn „autocrat" — adică suveran care deține domnia
de la Dumnezeu, iar nu printr-o alegere sau o numire —,
voievodul muntean se adresează patriarhului de la Constan-
tinopol și împăratului bizantin — de-acum rămas doar cu
prestigiul, nu și cu puterea de odinioară — și obține ca mi-
tropolitul de la Vicina, rămas fără mulți enoriași din cauza
invaziilor tătare, să fie mutat la Argeș, la Curtea lui de „domn

autocrat al Țării Românești" (*autocrator* era termenul gre-
cesc, iar *samodrjavnâi*, termenul slavon). Cam în aceiași ani
clădește frumoasa biserică domnească de la Curtea de Argeș,
unde îl găsim reprezentat în pronaos: personaj mărunt și
smerit, zugrăvit îngenuncheat în fața chipului lui Cristos,
al Maicii Domnului și al Sfântului Nicolae, sfânt foarte ve-
nerat în Biserica răsăriteană; probabil, de atunci, îl întâlnim
în documentele grecești cu dublul nume Nicolae Alexandru.
(Istoricul Daniel Barbu a arătat de curând, cu argumente con-
vingătoare, că la acea vreme o schimbare de nume *în cursul
domniei* nu putea avea loc decât în caz de schimbare de con-
fesiune, eventual și cu un nou botez.) *Anul 1359 apare astfel
ca o a doua dată crucială*, după 1330, dată când dinastia
lui Basarab, cu toate sforțările Bisericii catolice și Curții
maghiare de a lega Țara Românească de Roma, a ales să se
lege definitiv de Biserica de la Constantinopol, de care ținea
de veacuri majoritatea locuitorilor țării.

Această întorsătură n-a fost — se înțelege — pe placul
regelui Ungariei Ludovic I, unul dintre marii suverani ai
dinastiei angevine, care a continuat presiunea și asupra suc-
cesorului lui Nicolae Alexandru, Vladislav — rămas în me-
moria populară sub numele de Vlaicu Vodă. Dar nici acesta
n-a schimbat linia politică a predecesorului său, ba a îndrăz-
nit chiar să opună rezistență cu armele, ajungând în cele din
urmă, în 1368, la un compromis favorabil țării sale: regele
Ungariei, în schimbul jurământului de credință, îi recunoștea
domnia asupra Țării Românești și Severinului, și-i dădea
ca *feudă și ducatul Făgărașului, dincolo de munți*.

Descălecatul în Moldova

Ceea ce se întâmplă în Moldova, cam în același timp,
seamănă și totuși se deosebește de cele pomenite mai sus

privind Țara Românească. În Moldova în mod cert a fost un descălecat, adică venirea de dincolo de Carpați a unui grup care a cucerit actuala Moldovă. Cum s-a întâmplat? S-au purtat mai întâi lupte ale regilor Ungariei, ajutați de supușii lor români, împotriva tătarilor, pentru a-i îndepărta de granița Carpaților. Ungurii și românii au trecut munții, i-au învins pe tătari, iar regele Ungariei, mulțumit de serviciile unuia dintre voievozii din Maramureș, pe nume Dragoș, îl lasă stăpân peste un teritoriu în Moldova, unde se închegaseră mai de mult mici unități politice, în legătură, probabil, cu cnezatul Halici (Galiția). Dragoș este deci la început în fruntea a ceea ce se numea, în termeni feudali, o „marcă" a regatului ungar la răsărit de Carpați. Întâmplarea face însă că la foarte puțini ani după această stabilire a lui Dragoș în Moldova, o familie, tot din Maramureș, rivală cu familia lui, familia unui Bogdan, se răzvrătește împotriva regelui Ungariei, trece în Moldova și îi alungă pe descendenții lui Dragoș. De-acum începe o nouă dinastie, a Bogdăneștilor — li s-a spus, în istoriografia modernă, Mușatini, din cauza unei femei, Margareta Mușata. (Istoricul ieșean Ștefan Gorovei a arătat de curând, cu argumente convingătoare, că data tradițională a descălecatului lui Dragoș [1359] era greșită. Dragoș trebuie să se fi stabilit în Moldova o dată cu marile campanii antitătare ale regelui Ludovic, adică între 1345 și 1347, iar îndepărtarea succesorilor lui de către Bogdan și clanul său s-ar fi petrecut la 1363.)

Și iată, descendenții lui Bogdan devin adevărații întemeietori ai principatului autonom al Moldovei. Primul nucleu al noului voievodat a fost pe râul Moldova, de unde numele păstrat de țară, iar capitala la Baia, pe râul Siret. A doua capitală a fost la Suceava. Extinderea autorității voievodului asupra formațiunilor care existau mai înainte s-a făcut treptat, dar destul de repede, deoarece chiar din anii 1390 domnul de la Suceava se intitula „stăpân până la mare" — însemnând că, în afară de o cetate sau două, luase „Basarabia" de la munteni și unguri. La acea epocă, străinii sunt conștienți de paralelismul destinelor celor două ținuturi românești. Când vorbesc despre Ungrovlahia, ei se referă la Țara Românească, iar Moldova apare în unele documente cu numele de Valahia. Pentru a păstra o relativă libertate de mișcare, voievozii moldoveni ba acceptă să rămână vasali ai regelui Ungariei, ba devin vasali ai altui rege, rival cu regele Ungariei, și anume regele Poloniei.

Este momentul să spunem câteva cuvinte despre structura acestui mic stat românesc — mai rar discutată în cărțile de istorie. Avem de a face aici cu o împărțire a puterii între voievod și marii boieri. De pildă, atunci când un voievod moldovean se duce în Polonia pentru a depune, ca peste tot în Europa, jurământul de credință în fața suzeranului său, regele Poloniei, se scrie pe urmă un hrisov, o chartă prin care voievodul spune: „Eu făgăduiesc să vin cu oști dacă ești atacat de vecini...", dar regele Poloniei cere ca acest tratat să fie iscălit și de marii boieri. Uneori, există chiar un tratat alăturat, numai cu acești mari boieri. Puterea marilor boieri care-l aleg pe voievod este deci atât de mare, încât un suzeran străin se crede nevoit, pentru a fi sigur că va fi ascultat în acea țară, să aibă nu numai cuvântul voievodului, ci și cuvântul marilor săi boieri. De altfel, constatăm că în lista celor cincisprezece-șaisprezece boieri care iscălesc un asemenea tratat numai vreo trei-patru sunt mari dregători, adică logofăt, vornic, vistier sau pârcălab de cetate etc. Ceilalți sunt numai cu numele lor, jupân cutare, jupân cutare. Ceea ce înseamnă că erau mari boieri prin naștere, prin faptul că posedau o mare întindere de moșie și cete de oameni cu care puteau merge la război. Prin urmare, la începuturi, în Moldova marea boierime avea aproape aceeași putere ca voievodul. Observația rămâne valabilă și pentru Țara Românească, chiar dacă aici documentele sunt mai puțin revelatoare.

Să ne oprim un moment pentru a vedea cum era structurată societatea românească în veacul al XIV-lea: cum se făcea succesiunea la scaunul domnesc; cine deținea puterea în stat, după voievod; ce însemna „mari boieri" sau „mari dregători"; cine le urma, în rang; ce rol avea Biserica în stat; apoi, ce rol jucau târgoveții; care era statutul țăranilor.

Sistemul de succesiune la tron

Sistemul de succesiune la tron în țările române a fost cea mai nefericită dintre instituțiile noastre medievale. Cu toate că primele două succesiuni din Țara Românească par a se fi făcut fără tulburări, la a treia generație — iar în Moldova chiar de la a doua —, constatăm că succesiunea nu se face automat de la defunctul domn la fiul său mai mare (cum au reușit să impună regii Franței, de pildă, sau regii Angliei), ci că avem de a face cu o alegere dintre fiii fostului domn. E ca și când descendenții foștilor cneji și voievozi și „mai-mari ai țării" ar fi vrut să reînvie *actul inițial când au ales ei pe marele-voievod*. De acum înainte, aceasta va fi regula — cu rare abateri, ca, de pildă, după domnia a două personalități excepționale precum Mircea cel Bătrân în Țara Românească și Ștefan cel Mare în Moldova, care reușesc să-l impună, înainte de moarte, ca succesor pe fiul lor mai mare: „țara", în cazul în care tronul devenea vacant, va putea alege ca succesor un membru oarecare din neamul lui Basarab (în Țara Românească) sau al lui Bogdan (în Moldova). Era un *sistem ereditar-electiv*: putea fi ales, dacă era considerat vrednic de domnie, oricare dintre descendenții familiei domnitoare, *chiar dacă era copil din flori*, adică bastard. (Mulți dintre marii noștri voievozi au fost bastarzi! De pildă Ștefan cel Mare, Petru Rareș, Neagoe Basarab, Mihai Viteazul!) Era de ajuns să fie — se zicea — „os de domn".

Se poate vedea de aici ce sursă de competiții, rivalități, intrigi, lupte se găsea în acest sistem, care aparent urmărea alegerea celui mai vrednic. În realitate, a fost la originea unui șir neîntrerupt de lupte intestine și un prilej continuu de intervenții străine. De unde provenea această tradiție? De la slavi? De la cumani? Dar atunci de ce s-a stabilit și în Moldova? Sau e o simplă consecință a faptului că primii voievozi au fost aleși?

Adunările de stări

Când se zicea că pe noul domn *l-a ales țara*, ce însemna asta? În principiu, se aduna în grabă o „Adunare de stări", adică un consiliu excepțional în care erau reprezentați marii boieri, înaltul cler, câteva din orașele țării, slujitorii (adică oastea permanentă de la Curte) reprezentând, așa-zicând, tot „norodul". Asemenea adunări au fost o adevărată instituție în Evul Mediu, la noi, ca și în Occident. Nu erau convocate numai pentru alegerea noului domn, ci și în momente de cumpănă, ca, de pildă, în 1456, când domnul Moldovei Petru Aron (predecesorul lui Ștefan cel Mare) voia să aibă învoirea „țării" pentru a plăti tribut turcilor, sau, în caz contrar, țara să-și asume riscul războiului.

În practică însă, foarte curând, când tronul rămânea vacant prin moartea domnului — sau, din nefericire, prin răsturnarea lui! — Adunarea de stări a devenit mai mult o simplă formalitate pentru a consfinți o alegere hotărâtă, în sfat restrâns, doar de marii boieri.

Marii boieri

Ei sunt, de la începuturi, tovarășii domnului în toate „trebile țării", și la război, și la cârma statului în vreme de pace.

Dintre ei își alege domnul dregătorii, echivalentul miniștrilor de azi, care fac parte dintr-un *sfat* (cuvânt slav, înrudit cu modernul *soviet*!). Numele pe care le poartă dregătoriile sunt mai toate de origine bizantină, dar trecute de cele mai multe ori prin intermediar bulgar. Uneori, se regăsește aproape neschimbată forma veche latină, de pildă pentru comis (< din ngr. *komis* < lat. *comes*, care a dat în ierarhia feudală apuseană „comite" sau „conte"), sau vistierul (de la *vestiarius*, cel ce ține cheia încăperii unde se păstrau veșmintele domnești și unde se află și tezaurul țării, vistieria); spătarul (< din ngr. *spatharios* < *spatha* „spadă, paloș"), comandantul oastei; logofătul, echivalentul unui cancelar la apuseni, vine de la numele unui mare dregător bizantin, *logothetis*, literal: păstrătorul legilor. Un singur titlu pare a fi o creație locală, românească: vornic, personaj de prim-rang, în termeni moderni ministru de interne și ministru al justiției. Numele slavon *dvornic* (de la *dvor*, palat) pare a fi fost calchiat după titlul înaltului slujitor de la Curtea ungară denumit *palatinus*. Mai era paharnicul, care gusta vinul din paharul lui vodă, ca să se asigure că nu e otrăvit! Stolnicul, însărcinat cu masa domnului; postelnicul, cu legăturile cu străinii. Mai existau mulți alții, de ranguri inferioare, între care de reținut e *pârcălabul*, comandant de cetate la graniță, al cărui nume venea, prin intermediar unguresc, din germană, *Burggraf*, comite al *burg*-ului sau cetății.

Am păstrat pentru sfârșit gradul cel mai înalt la boierii Țării Românești, *marele-ban* al Craiovei, fiindcă n-a fost înființat chiar de la întemeierea țării, ci abia în veacul al XV-lea, dar e de observat că s-a păstrat titlul pe care-l dăduseră regii unguri banului de Severin, și pe care-l purta și locțiitorul regelui în Croația (vă reamintesc că *ban*-ul este o moștenire de la avari). Din veacul al XV-lea, în Țara Românească, primele ranguri se înșirau astfel: mare-ban, mare-vornic, mare-logofăt, mare-spătar. În Moldova, ordinea era

diferită: nu exista mare-ban (banul a fost, mai târziu, un dre-
gător de rang mic), primul în sfat era logofătul, iar căpeteniei
oștirii nu-i zicea spătar, ci *hatman* — termen pe care-l pre-
luaseră polonezii și cazacii de la germani (*Hauptmann*). Vor-
nicii erau doi: de Țara de Sus și de Țara de Jos, reminiscență
a progresiunii noului stat format de Drăgoșești, apoi de Bog-
dănești în nord-vestul ținutului, pe văile Siretului inferior și
Moldovei, și extins treptat și asupra micilor formațiuni po-
litice din sud, din regiunea Bârladului de pildă. Și în Țara
Românească a dăinuit multă vreme amintirea celor trei prin-
cipale regiuni din care se constituise voievodatul lui Basa-
rab: regiunea centrală din jurul Argeșului, Oltenia conștientă
de fosta ei autonomie, și cele trei județe de la răsărit, Buzău,
Râmnicul Sărat și Brăila, mai legate de regatul ungar prin
interesele lor comerciale de la Dunăre.

Am înșirat câteva nume de dregători, dar trebuie reamin-
tit ceea ce menționasem când am pomenit de jurământul de
credință către regele Poloniei: la începuturile țărilor noas-
tre, *nu dregătoria îl făcea pe boier, ci invers*, adică dintre
boieri își alegea domnul dregătorii. Boierii erau marii stăpâ-
nitori de pământuri (moșii), de pe care puteau recruta cete
de luptători. De-abia mai târziu, prin secolul al XVII-lea, a
început confuzia dintre dregătorie și boierie, pentru ca echi-
valența să fie chiar instituționalizată sub regimul fanariot —
mult după epoca medievală. Marii boieri erau așadar foarte
puțini la număr, și, cu toate că existau între ei rivalități și
crunte dușmănii, ei au format veacuri de-a rândul o clasă
destul de solidară, care a încercat tot timpul să limiteze au-
toritatea voievodului și să împartă puterea cu el.

Despre felul cum s-a născut această clasă privilegiată
s-au dus lungi discuții în istoriografia noastră, de mai bine
de o sută de ani. Părerea mea, bazată pe contextul istoric,
pe vocabularul „conducerii" țării (voievod, cneaz, ban,
jupan, viteaz, voinic, boier etc.), ca și pe numele proprii

(onomastice) ale primilor voievozi și boieri pomeniți în docu-
mente, e că această clasă, care a început probabil să se for-
meze chiar în timpul dominației primului țarat bulgar (secolele
al IX-lea–al X-lea), a fost la începuturi predominant slavă;
că i s-a adăugat ulterior un însemnat aport turanic (pece-
nego-cuman), și de-abia după totala fuziune a comunităților
valahe și slave s-ar fi integrat în acest grup din ce în ce mai
multe elemente provenite dintre juzii valahi. Apoi, în epoca
voievodatelor, desigur că, pe măsură ce se primenea această
categorie socială, elementul valah, numeric precumpănitor,
trebuie să fi devenit, fatalmente, predominant. Originea sla-
vă a vechii boierimi trebuie să fi marcat însă multă vreme
această clasă pe plan cultural. Altfel nu s-ar înțelege cum
de a putut circula timp de veacuri o literatură numai în limba
slavonă, fără să mai vorbim de liturghie și de limba de can-
celarie — oare numai pentru câțiva popi și diaci? Toată bo-
ierimea, mare și mică, trebuie că mai înțelegea slavona până
târziu. Avem dovezi documentare că Ștefan cel Mare și Nea-
goe Basarab o mai vorbeau.

Așa s-a întâmplat și în Occident cu altă limbă moartă,
latina, pe care o utilizau mai mult sau mai puțin toți clericii
și toți oamenii mai învățați.

Iată un alt exemplu eventual (repet, eventual, nu sigur):
unul dintre fiii lui Mircea cel Bătrân, Radu, frate mai mare
al lui Vlad Dracul și care a domnit înaintea acestuia, a rămas
cunoscut cu porecla Radu Prasnaglava. Îl văd tradus în toate
cărțile noastre de istorie: Radu cel Pleșuv, sau Radu cel
Chel. Cred că e o eroare de traducere datorată faptului că
în română „gol" înseamnă și descoperit pe din afară (capul
gol) și deșert înăuntru (o oală goală). Or, în limbile slave,
pentru cap gol pe din afară există termeni înrudiți cu terme-
nii români *pleșuv* sau *pleșu*, dar *prasno* înseamnă numai gol
pe dinăuntru! În sârbă, există chiar termenul *prasnoglavac*
pentru a vorbi de… prostul satului! Deci porecla Prasnoglava

dată voievodului nostru n-ar fi însemnat nicidecum Radu cel Pleșuv, ci Radu Prostul! E de neînchipuit ca doar niște scribi de cancelarie să fi îndrăznit să insulte astfel un „os de domn", chiar detronat. O asemenea poreclă nu i-a putut fi dată decât de boierii mari, continuând a se considera oarecum pe aceeași treaptă socială cu familia domnitoare și mânuind încă curent limba slavonă. De altfel, și porecla nepotului său Radu, zis „cel Frumos" (fratele lui Vlad Țepeș), tot o poreclă cu iz ironic a fost, pentru că-i plăcuse, pe când era tânăr ostatic în Turcia, sultanului Mehmed II! Povestea e relatată, cu amănunte, în cronica grecească a lui Laonic Chalcocondilas.

O ultimă dovadă că slavona trebuie să fi fost înțeleasă de boierime și de o pătură cultă a clerului, poate și a negustorimii, până și la începutul veacului al XVII-lea, e faptul că învățatul boier Udriște Năsturel, cumnatul lui Matei Basarab, când traduce din latinește *Imitatio Christi*, cea mai populară lucrare mistică din Occident, nu o traduce în română, ci în slavonă. S-o fi făcut oare numai pentru câțiva preoți și câțiva diaci? Clasa boierească, cu toate împrospătările de trei-patru sute de ani, *trebuie să fi continuat a mânui slavona ca limbă de cultură și poate și ca limbă de distincție socială*, așa cum se va întâmpla, în secolul al XVIII-lea, cu greaca, iar în secolele al XIX-lea–al XX-lea cu franceza.

Boierii mici

Cine urma în ierarhia statului după marii boieri? În hrisoave, Vodă se adresează întotdeauna „boierilor mei mari și mici". Exista deci o categorie întreagă de boieri mai mici, care aveau și ei moșii și se bucurau de anumite privilegii în schimbul serviciului în oștire sau la Curte.

Dacă — așa cum am văzut — primul „mare-voievod"
a găsit, gata constituită, o categorie socială de posesori de
pământ și de șerbi, de îndată ce și-a consolidat autoritatea
a încercat să lărgească această clasă cu oameni credincioși
lui, sau care se remarcaseră prin vitejie în război. Aceasta
se făcea dăruindu-le pământ în regiuni încă pustii sau slab
populate, ori pământ confiscat de la alt boier, considerat
nevrednic sau trădător (se zicea „hain"). Foarte repede s-a
stabilit un obicei (o cutumă), a cărui origine istorică nu s-a
lămurit deplin, după care voievodul avea asupra pământului
întregii țări un fel de drept superior de proprietate, juriștii
vorbesc de *dominium eminens*. Aceasta îi dădea dreptul să
atribuie cui voia pământurile vacante sau nelucrate, să moș-
tenească pământurile sau casele rămase de pe urma unui po-
sesor mort fără moștenitori, în fine, cum am spus, să confiște
bunurile unui boier hain. Acest drept recunoscut voievodului
reprezenta pentru el un puternic mijloc de presiune asupra
boierilor, mari și mici, și a fost sursa unei continue înnoiri
a clasei boierești. Singura limitare a arbitrariului voievodului
o reprezenta riscul de răzvrătire a partidelor de mari boieri,
fie că aceștia luau armele împotriva domnului în scaun, fie
că intrigau împotriva lui la Constantinopol, fie că se refugiau
în Ungaria sau în Polonia, de unde se puteau întoarce cu
ajutor împotriva lui.

Rolul Bisericii

S-ar fi cuvenit poate să vorbesc despre rolul Bisericii în
stat înainte de a vorbi despre boieri; mi se pare însă că în
țările noastre marea boierime a fost mai apropiată de putere
decât Biserica. Mai întâi, fiindcă primii înalți ierarhi ai bi-
sericilor noastre (cum s-a întâmplat în Bulgaria și în Rusia)
au fost numiți de Patriarhia de la Constantinopol și au fost

de cele mai multe ori greci. Mai târziu, când am izbutit să avem mitropoliți, episcopi, stareți de-ai noștri, multă vreme s-au recrutat și ei dintre boieri, fiindcă Biserica, în societatea medievală, reprezenta o pârghie însemnată în exercitarea puterii.

Înființarea de schituri și mânăstiri e străveche în toată aria locuită de români; avem dovezi privind existența unei vieți monahale și în Ardeal, și în Țara Românească, și în Moldova cu mult înainte de întemeierea voievodatelor. Mai târziu, documentele, în special hrisoave de organizare și de înzestrare a marilor așezăminte mânăstirești, sunt foarte numeroase. Voievozii și boierii — din evlavie și pentru iertarea păcatelor — se vor întrece în generozitate față de mânăstiri. Avem chiar danii făcute mânăstirilor noastre de suverani străini, ca Lazăr al Serbiei sau Sigismund al Ungariei, pe când domnii noștri vor începe să sprijine din ce în ce mai mult mânăstirile din restul ortodoxiei, în special cele de la Muntele Athos, pe măsură ce dispar rând pe rând ceilalți principi creștini ortodocși: țarii bulgari, despoții sârbi, despoții greci, împăratul de la Constantinopol...

În Țara Românească — cum am văzut când am semnalat acel moment crucial sub domnia lui Nicolae Alexandru — avem un mitropolit la Argeș, din 1359. În Moldova, va ființa de asemeni o mitropolie îndată după întemeierea voievodatului, nu fără conflicte iscate între domni și patriarhie. Sediul mitropoliilor se va muta o dată cu schimbările de reședință ale domnilor țării. Faptul e oarecum simbolic pentru strânsa legătură dintre domnie și capul Bisericii. După o tradiție bizantină care a căpătat în istoriografie numele de „cezaropapism", puterea civilă, împăratul, domnul, a avut aproape întotdeauna întâietate asupra patriarhului sau mitropolitului când s-au ivit conflicte de competență. Și domnii Țării Românești sau ai Moldovei au avut conflicte cu mânăstiri (chiar de la Muntele Athos!), cu mitropoliți sau cu patriarhul de la Constantinopol, și mai întotdeauna a învins voința domnească.

Clerul inferior, preoțimea, în special la țară, se recruta aproape mereu din țărănime, iar cultura religioasă a slujitorilor bisericii lăsa adesea de dorit. În schimb, în câteva dintre marile mânăstiri, atât în Țara Românească, cât și în Moldova, se concentra activitatea culturală a țării. Copiere și împodobire de manuscrise, unele de reală frumusețe artistică; mai târziu, traduceri în românește ale Sfintei Scripturi și ale altor cărți duhovnicești; ateliere de broderie religioasă și domnească, școli de pictură murală. Acolo, departe de zbuciumul lumii și adesea și de grozăviile ei, își vor găsi adăpost veacuri de-a rândul toți cei care căutau în rugă și înfrânare liniștea sufletului.

Moșneni și răzeși

Mai exista o categorie de oameni liberi, mici stăpâni de pământ. În Țara Românească se numeau *moșneni*, cuvânt foarte vechi, provenit din substratul dinaintea ocupației romane, înrudit cu cuvântul *moș* care există și în albaneză. În Moldova, li s-a zis *răzeși*. Până azi, etimologia termenului nu s-a lămurit cu certitudine. Cel mai probabil, provine din ung. *részes*; unii lingviști au afirmat însă că originea termenului ar fi polonă, alții turcă, iar alții latină (înrudit cu „rază"). Mă întreb, dat fiind că reprezintă o organizație sătească de tip arhaic, dacă cuvântul n-ar putea avea, ca și moșnean, o străveche origine autohtonă. Problema rămâne deocamdată în suspensie.

Răzeșii și moșnenii sunt oameni liberi, deținători de întinderi de pământ *în devălmășie*, adică în comun în sânul unei familii întinse, care-și organizează lucrările împărțind pământul în fiecare an între membrii ei. E o instituție tipic românească, deosebită de *zadruga* sârbească sau de alte forme de organizare întâlnite la popoarele slave. Într-o seamă de documente vechi de răzeșie, apare că primul strămoș dovedit al acestei comunități avea statut de boier. Cu vremea însă, moșnenii și răzeșii au decăzut la rangul de țărani liberi, posesori de pământ. Pe măsură ce a crescut tributul țării către turcii otomani, deci și apăsarea fiscală (dările, azi zicem: impozitele) asupra țărănimii, soarta lor s-a înrăutățit și mai mult; în secolele al XVI-lea și al XVII-lea, mulți dintre ei s-au văzut siliți să-și vândă moșia unui boier, ajungând astfel în aceeași stare cu țăranul șerb.

Rumâni sau vecini

Coborând pe scara ierarhiei sociale, după moșneni (răzeși) vin *rumânii*, adică acei țărani care au căzut sub stăpânirea unui boier sau a unei mânăstiri și trebuie să rămână pe pământul lor, să-l lucreze pentru ei, să facă clacă. Rumânul nu e stăpân de pământ, dar stăpânul trebuie să-l lase să lucreze atât pământ cât poate lucra.

Faptul că etnonimul *roman*, devenit prin evoluție normală la noi *rumân*, a ajuns să desemneze pe țăranul care n-are pământ nu poate avea, cred, decât o singură explicație: când a început amestecul între comunitățile de valahi și comunitățile de slavi, când primii au început să iasă din „vlăsii" sau să coboare de la munte pentru a se apropia de văile mai bogate unde se așezaseră slavii, aceștia din urmă, de-acum stăpâni pe pământuri mai rodnice, i-au considerat ca lucrători neliberi, astfel încât termenii de rumân și rumânie — aproape sinonimi cu șerb și șerbie — s-au putut păstra peste veacuri alături de înțelesul etnic (Țara Românească, a vorbi românește). Că la început termenul a avut o conotație etnică ne-o dovedește și faptul că în documentele slavone rumânii sunt numiți *vlahi*. Bineînțeles însă, nu toți vlahii au devenit „rumâni". Toate comunitățile vechi de moșneni și răzeși au rămas formate din oameni liberi, cărora chiar, ne arată hrisoavele, când erau chemați la mărturie la vreo judecată, li se zicea „boieri".

La celălalt capăt al romanității, în Franța medievală, întâlnim un fenomen similar, dar cu rezultate inverse în vocabular! Etnonimul *franc* — pentru tribul germanic care se impune ca element dominant în Gallia — a ajuns să însemne „liber" (ceea ce implică *a contrario* că șerbii se recrutau numai printre galo-romani!); a însemnat de asemeni „scutit de dări" — de unde numele de Villefranche dat orașelor scutite de dări, echivalentul Sloboziilor noastre (fiindcă în româna veche se zicea „slobod", nu „liber", care e un neologism din secolul al XIX-lea; latinescul *libertare* dăduse în română *iertare*!). Termenul *franc* a intrat și el în limba română în veacul al XIX-lea, dând o familie de cuvinte (ca franchețe, a franca o scrisoare etc.).

În Moldova, rumânilor li s-a zis mai curând *vecini*, iarăși un cuvânt latinesc care în latina târzie (avem documente în Franța din secolul al VII-lea) i-a desemnat pe locuitorii unui sat dependent de o *villa*, de o mare proprietate.

Țiganii

Dar iată că, începând din ultimii ani ai veacului al XIV-lea, apare încă o categorie de locuitori și mai defavorizați, lipsiți și de proprietate, de pământ ori de case, dar și de libertatea de mișcare, cu un cuvânt, robi: țiganii.

Țiganii pot fi urmăriți în exodul lor de mii de kilometri și sute de ani. A fugit din nordul Indiei un trib întreg, care n-a mai putut îndura regimul la care era supus acolo de clasele sociale superioare. Făceau parte probabil din casta *paria*, de membrii căreia cei din castele superioare nici n-aveau voie să se atingă. Şi (să fie doar coincidenţă?) numele ţiganilor, scris în primele noastre documente *aţigani*, e probabil derivat din verbul grecesc *athinganein*, a nu se atinge! Au străbătut tot Orientul Mijlociu, respinşi din loc în loc, războindu-se cât au putut cu persanii şi cu turcii, până au ajuns în Europa, în imperiul bizantin, alungaţi din Asia Mică de turcii otomani. Nici aici n-au avut răgaz, în împărăţia bizantină, redusă de-acum (în veacul al XIV-lea) la Grecia continentală şi o fâşie de pământ corespunzând Turciei europene de azi şi sudului Bulgariei — regiune căreia i se zicea Romania, căci bizantinii, perpetuând timp de o mie de ani pretenţia că reprezentau imperiul roman, îşi ziceau romei. Din şederea lor în Romania şi-au tras ţiganii şi numele de *romi*, la care ţin astăzi. La noi au ajuns, tot refugiindu-se pâlcuri-pâlcuri; pe măsură ce treceau Dunărea, domnia şi boierii, care duceau lipsă de braţe de muncă, i-au făcut robi, adică muncitori lipsiţi de orice drepturi — şi au fost împărţiţi pe la moşiile boiereşti pentru tot felul de meserii şi munci casnice, şi de asemeni pe la mânăstiri, iar o mică parte — cei mai norocoşi — au fost păstraţi ca robi domneşti, de pildă însărcinaţi cu căutarea aurului prin albiile râurilor! Aceştia erau numiţi „aurari". Dintre robii boiereşti, unii erau lăsaţi să-şi exercite meseriile cutreierând ţara cu şatra lor, căci erau foarte îndemânatici ca fierari, tinichigii, potcovari, spoitori. Numai o dată pe an aveau datoria să se mai întoarcă la stăpân, spre numărătoare şi pentru căsătorii. Mici grupuri de nesupuşi au dăinuit sute de ani ascunşi prin codri deşi, într-o stare atât de groaznică de sărăcie şi sălbăticie, încât li s-a zis „netoţi". În Moldova, pe lângă sălaşele ţigăneşti şi uneori amestecate cu ele, s-au strâns sate de robi tătari, care cu timpul nu s-au mai deosebit de ţigani decât prin tipul fizic.

Oastea

La armată — la oaste se zicea, tot un cuvânt latinesc —, vodă cheamă bineînțeles pe boieri, pe boierii mari și pe cei mici, iar dintre țăranii liberi pe cei care sunt în măsură să „armeze" un cal; ceea ce nu înseamnă că nu se găsesc adesea și „rumâni" în cadrul cetelor aduse de boieri. Aceasta este *oastea cea mică*, pe care o poate aduna repede Domnul. Când acesta se așteaptă însă la o primejdie mare, de pildă când va afla că au pornit turcii asupra țării cu armată „câtă frunză, câtă iarbă", cum zic cântecele bătrânești, atunci el cheamă *oastea cea mare* — am zice în termeni moderni că „decretează mobilizare generală" — și atunci vin din țara întreagă toți bărbații în stare să poarte armele. Vin cel mai degrabă cei din orașe, fiind mai la-ndemână, în caz de urgență — orașele au apărut o dată cu formarea celor două state dunărene, ba uneori chiar înainte de „descălecătoare", ca să numim întemeierea voievodatelor așa cum o numește legenda. Primii care le-au înființat, după pieirea urbelor romane, au fost sașii, mai întâi în Transilvania.

Orașele

În Țara Românească și Moldova, au venit sași și unguri de peste Carpați, aparent din inițiativă proprie, atrași de noi posibilități de negoț. Așa au apărut de pildă Câmpulung în Țara Românească și Baia în Moldova, imediat populate și de români, bineînțeles, dar organizarea la origine a fost săsească. Aveau un fel de primari, *staroștii*, care multă vreme au fost cu rândul sași, unguri și români. Dăinuie și azi biserici catolice clădite pe vremea aceea. Prin urmare, n-am fost departe de a avea și în Țara Românească și Moldova, ca în Ardeal, o burghezie de origine săsească.

Astfel, cum am mai spus, orașele s-au născut de-a lungul drumurilor comerciale care străbăteau țara noastră, de la Dunăre și Marea Neagră către Ungaria și Polonia, și mai departe către Europa centrală și apuseană. De asemeni, se nășteau târguri pentru schimburile interne, pe măsură ce creștea populația și se populau regiunile mai pustii din sud-estul ambelor țări române. Orașele noastre începuseră să prospere, iar voievozii, la început, au fost bogați, până când turcii ne-au luat porturile de la Dunăre și Marea Neagră, precum Cetatea Albă.

Drumurile comerciale dintre Asia și Europa apuseană treceau pe la noi pentru că, de când arabii cuceriseră, în veacul al VIII-lea, tot litoralul sudic al Mediteranei (mai cu seamă, când vor ocupa turcii și jumătatea răsăriteană a litoralului nordic, distrugând imperiul bizantin), comerțul pe mare, în Mediterana, devenise prea riscant. Se foloseau deci și drumuri pe uscat și pe râuri, de la porturile Mării Negre până în Europa centrală — marile escale fiind, în Transilvania, Brașov și Sibiu, iar în Polonia, Lvov.

Traficul direct pe mare între, pe de o parte, Arabia, Persia, India, iar pe de alta Occidentul nu se va relua, treptat, decât în veacul al XVI-lea, după ce portughezii vor fi descoperit și exploatat ruta oceanică, ocolind Africa pe la Capul Bunei Speranțe (îndrăzneața aventură de a căuta noi drumuri maritime spre Orient va duce și la descoperirea Americii de către Columb).

Și ce bunuri atât de prețioase se puteau schimba la asemenea distanțe? Apusenii căutau în Orient mai cu seamă mătăsuri, pietre scumpe și mirodenii, în primul rând piper, care era atât de căutat în lumea feudală, încât a ajuns la un moment dat o adevărată monedă de schimb: atâția stânjeni de stofă pe atâtea dramuri sau ocale de piper!... Țările apusene, Anglia, Flandra, Franța, Germania, Italia, exportau pânzeturi, scule, arme etc.

Când vor veni turcii — despre care vom vorbi îndată —, vistieria țării noastre va sărăci, pentru că nu se va mai putea lua vamă de la marele tranzit de bunuri prin țările române. Și atunci vor decădea și orașele noastre care trăiau pe seama acestui comerț intercontinental din epoca feudală.

Remarcă despre regimul feudal

E momentul să fac o observație cu caracter general, la care țin. Ați citit prin cărțile noastre de istorie românească, sau ați auzit mereu vorbindu-se despre epoca feudală, despre regimul feudal. Trebuie să cunoaștem bine sensul cuvintelor, să nu le folosim cu înțelesuri aproximative sau cu iz politic. În ultima vreme, bunăoară, când se spune la noi „epoca feudală", se vorbește de fapt despre regimul boieresc care a existat până în plin veac al XIX-lea. Este un abuz de limbaj. Sistemul feudal a fost un regim politic care s-a născut în Franța pe vremea urmașilor lui Carol cel Mare (ziși Carolingienii), în secolele al IX-lea și al X-lea, în timpul neîncetatelor incursiuni, mai întâi arabe (sarazine) la sud, apoi normande (vikingi) la nord, când puterea regelui, care nu-și mai putea apăra supușii, s-a fărâmițat, el cedând o parte din puterea politică și militară, ba chiar și din cea financiară și judiciară, unor șefi locali cum erau, de pildă, ducele Bretaniei, ducele Burgundiei, contele de Toulouse etc. Avem de-a face de atunci în Franța cu o organizare piramidală în care unitatea statală practic a pierit sau e prea firavă: atașamentul față de un om, unsul lui Dumnezeu, regele. Nu mai rămâne decât legătura de jurământ a feudalului (vasalului) către suzeran (atenție la deosebirea între „suveran" și „suzeran" — mai ușor de făcut în limba franceză: *souverain/suzerain*).

Acest sistem nu a existat la noi, adică boierii mari, chiar marele-ban al Craiovei, nu au fost niciodată supuși care și-ar fi moștenit funcția, cu dreptul de a strânge impozitele și de a împărți dreptatea pe moșiile lor. Foarte rar a dat voievodul român pentru o vreme asemenea drepturi unui boier de-ai lui sau unei mânăstiri pe care a vrut s-o cinstească în mod deosebit; s-a calculat că asemenea privilegii n-au depășit niciodată cam 20% din întinderea țării. Apoi, chiar titlul celui mai mare boier din țară, banul Craiovei, nu a fost niciodată ereditar. Nu se moșteneau titlul și dregătoria din tată în fiu. O singură dată, în veacul al XV-lea și la începutul celui de al XVI-lea — și încă nu neîntrerupt —, au fost trei generații de mari bani din aceeași familie care au rămas cunoscuți sub numele de „boierii Craiovești". E incorect să vorbim de regim feudal la noi, dacă luăm cuvântul feudal în sensul strict pe care l-a avut în Occident. În țările române a existat un sistem preluat de la bulgari și de la Bizanț — o boierime foarte puternică, moștenindu-și apartenența de clasă, dar care n-a format niciodată acel sistem piramidal în care vasalul primește drepturi regaliene, adică dreptul de a culege impozite, de a împărți dreptatea pe pământul lui și de a păstra această autoritate din tată în fiu. Dacă am participat la sistemul feudal, această expresie trebuie privită în sensul mult mai larg legat de faptul că voievozii noștri au fost, intermitent, vasalii regelui Ungariei sau ai regelui Poloniei, integrându-se astfel în lumea feudală de tip occidental. Dar, în interior, părerea mea e că n-am avut un regim feudal și e deci mai bine să lăsăm deoparte această expresie când vorbim despre regimul din țara noastră.

Pentru ca lucrurile să fie mai clare, să luăm în considerație cele trei caracteristici esențiale ale regimului feudal vest-european și să vedem dacă le regăsim la noi:

1. Suveranul (împăratul, un rege sau un duce) a pierdut unele dintre prerogativele sale asupra supușilor, delegându-le — de nevoie — marilor săi vasali, fiindcă el nu mai avea puterea de a apăra toată țara. De pildă, regele Franței nu mai

are contact direct, decât în rare împrejurări, cu supușii săi din Bretania, Normandia, Burgundia, Provence sau Gasconia. Ei depind de-acum de ducele Bretaniei, al Normandiei, al Burgundiei, de contele de Provence sau de contele de Toulouse. Regele nu mai e cu adevărat *suveran*, ci doar *suzeran* al vasalului său, căruia i-a cedat aproape toate drepturile regaliene. Marii vasali (precum cei pe care i-am înșirat mai sus) au, la rândul lor, în subordine vasali mai mărunți, tot nobili, câteodată mânăstiri sau, mai târziu, orașe, cărora, la rândul lor, le cedează anumite puteri administrative sau fiscale. Dacă suzeranul pleacă la război, vasalii au datoria — sfințită prin jurământul de credință, jurământul de vasalitate, cu un genunchi la pământ și mâinile în mâinile suzeranului — să-i vină în ajutor cu un anumit număr de cavaleri, de slujitori și de materiale, pentru ca, împreună cu cavalerii și slujitorii ce depind direct de rege, să alcătuiască oastea țării. Autoritatea statului e deci fărâmițată, avem o structură de stat piramidală.

2. A doua caracteristică (deja enunțată sumar) e cedarea principalelor drepturi regaliene, în special dreptul de a strânge impozite și de a împărți dreptatea. Suzeranul n-a păstrat decât o contribuție bănească relativ mică, precum și dreptul de a judeca în apel. Slăbiciunea sa militară făcea însă ca drepturile pe care le-a păstrat — și în primul rând convocarea la oaste — să fie lipsite de sancțiune, adică, dacă ar fi fost încălcate, cu greu ar fi putut regele să le impună.

3. În al treilea rând (*last but not least*, cum zic englezii), stăpânirea asupra unei regiuni, mai întinsă sau mai restrânsă, ca și titlul care consacra această stăpânire (duce, marchiz, conte, baron etc.) *erau ereditare*; iar întrucât fărâmițarea autorității regale se datorase la origine incapacității puterii centrale de a apăra populația, pe tot teritoriul, de ultimele valuri barbare, fiecare dintre feudali, adică posesori ai unei „feude", ai unei concesiuni, își clădise unul sau mai multe

castele sau cetăți pentru ca în ele și prin ele să ocrotească pe locuitorii ținutului lor... dar și, eventual, să-i jefuiască! — sau să se bată cu alți castelani vecini pentru pricini legate de hotar sau de întâietate.

Dintre aceste caracteristici ale regimului feudal prea puține se regăsesc la noi în Țara Românească și Moldova. Boierii au avut mare putere, ei aveau moșii întinse, sute de șerbi și cete de slujitori, ei alegeau pe voievod și guvernau alături de el, ei erau șefi ai oștirii (spătari) sau comandanți ai cetăților de graniță (pârcălabi), dar n-au avut niciodată cetăți pe moșiile lor și nici n-au putut lăsa dregătoria lor unui moștenitor, așa încât numele dregătoriei să se prefacă în titlu ereditar.

De aceea — repet încă o dată — trebuie evitată folosirea calificativului de „feudal" când se vorbește despre vechiul regim de la noi. E un abuz de limbaj, cu iz politic.

III

Românii sub „turcocrație"
Apariția puterii otomane

Marea nenorocire a țărilor noastre este că în momentul când, de bine de rău, sunt suficient de independente față de unguri sau polonezi pentru a se dezvolta oarecum liber, apare o nouă putere, o putere formidabilă: turcii otomani. Câteva cuvinte despre acești turci otomani.

Am spus că și cumanii erau turci, și pecenegii au fost turci, dar în Anatolia, Turcia de astăzi, apare de la sfârșitul veacului al XI-lea și până în veacul al XIII-lea o mare putere, cea a turcilor selgiucizi, rude apropiate ale cumanilor de pe țărmul nordic al Mării Negre. Când aceștia sunt înlăturați de valul mongol despre care am vorbit de mai multe ori, statul înființat de ei se prăbușește și, în locul lor, un alt neam, tot de turci, care a preluat numele unuia din fondatorii lui, Osman (de unde s-au numit osmanlâi sau otomani), apare în Anatolia, pe teritoriul fostului imperiu bizantin.

Cum ajung pentru prima oară turcii otomani în Europa? E de reținut acest moment — dureros pentru noi, creștinii: primii turci care-au trecut Bosforul au fost aduși de un împărat bizantin al cărui nume sună frumos în urechile noastre: Ioan Cantacuzino (1341–1355). Disputele interne din imperiu — între familii, între facțiuni religioase — erau atât de violente, încât împăratul Ioan Cantacuzino se bate cu propriul său ginere, Ioan Paleolog, iar, pentru această luptă între bizantini, împăratul cheamă în ajutor ostași turci otomani de dincolo de Bosfor. Turcii, o dată ajunși pe pământul Europei, la nord de Bosfor, nu vor mai pleca. Așa începe încercuirea

Constantinopolului încetul cu încetul, de către descendenții lui Orkan, sultanul osmanlâilor care trece primul Bosforul.

Iată rezultatul certurilor dintre creștini. Acest subiect va reveni în mai multe rânduri; de pildă, Matei Corvin, rege de origine română al Ungariei, va fi mai preocupat de luptele cu vecinii din Europa decât de a-și aduna forțele împotriva turcilor; iar Ștefan cel Mare nu va primi de la polonezi ajutorul cerut în lupta contra turcilor.

Dacă bizantinii se bat între ei și nu mai sunt în stare să țină piept turcilor, cei care încearcă să oprească expansiunea otomană în Balcani în acel moment (1300–1350) sunt sârbii. Sârbii, după bulgari, formează al doilea mare stat care s-a constituit în Peninsula Balcanică la sfârșitul veacului al XII-lea, cu dinastia lui Ștefan Nemanja (fiul lui, Sfântul Sava, a devenit una dintre figurile cele mai venerate ale ortodoxiei). Ei ajung la un maximum de putere în veacul al XIV-lea, sub conducerea lui Ștefan Dușan, care domnește de la 1331 la 1355, are ambiția de a cuceri Constantinopolul și chiar se intitulează împărat. Au avut și sârbii cel puțin un suveran care s-a intitulat împărat. Din păcate pentru ei, poate și pentru creștinătate, după moartea lui Ștefan Dușan, în 1355, regatul sârbesc (care cucerise și Macedonia, Albania și o parte din nordul Greciei, devenind un regat întins) se împarte în mai multe principate, peste fiecare domnind un despot. Atacul turcilor găsește deci regatul sârb slăbit. La 20 iunie 1389, are loc la Kosovopolje „Câmpia Mierlei" una dintre marile bătălii ale istoriei europene. Mai întâi un sârb reușește să-l omoare pe sultanul Murad în cortul lui, dar în cele din urmă turcii îi înving pe sârbi, și-l omoară pe regele lor, Lazăr. De-atunci începe cucerirea Serbiei de către turci.

Atât de impresionantă a fost această bătălie de la Kosovopolje încât a dat naștere unei epopei, o serie de poezii populare sârbești de o mare frumusețe, una dintre cele mai frumoase epopei pe care le-a creat Europa: *Ciclul de la Kosovo*. Puterea sârbă intră de-atunci în declin, iar o parte dintre aceste despotate sârbești care-și împart vechea Serbie a lui Dușan acceptă să devină vasale turcilor. Ce ciudat poate fi caracterul unui popor! Sârbul e un ostaș grozav, dar, o dată ce a jurat că va fi credincios turcului, se bate alături de otomani. Un alt celebru ciclu de poezii populare sârbești e cel despre faptele de vitejie ale lui Marko Kraljevici. Kraljevici înseamnă fiu de crai. Marko Kraljevici este fiul unuia dintre craii aceia care s-au bătut la Kosovo, dar el a jurat pe urmă credință sultanului. Și moare la Rovine, în lupta împotriva românilor! Totuși, este marele erou popular al sârbilor. Dovadă că favoarea populară uneori n-are a face cu judecata posterității. Nu știi de ce un viteaz este iubit în mod deosebit și de ce îl adoptă poezia populară. Faimoasa *Chanson de Roland*, marea epopee franceză medievală, povestește faptele de vitejie din vremea lui Carol cel Mare. Nu știm cine era acel Roland, unul dintre locotenenții lui Carol cel Mare, dar marea poezie epică franceză din Evul Mediu nu s-a atașat de personalitatea lui Carol cel Mare sau de a vreunui alt căpitan vestit. S-a atașat în schimb de un necunoscut care a impresionat. La noi, s-a întâmplat la fel: cântecele bătrânești din vremea lui Mihai Viteazul nu-l slăvesc pe Mihai, ci pe un anume Gruia lui Novac, care n-a lăsat urme în istorie, probabil fiul unuia dintre căpitanii lui Mihai, Novak, de origine sârbă sau bulgară! Să facem o comparație — poate ușor forțată, dar nu lipsită de sens — cu ce se întâmplă astăzi. Lumea e entuziasmată, de pildă, de Michael Jackson sau de cutare actor, nu se știe de ce. E o chestiune de simpatie. La fel se întâmplă și cu epopeile populare. Marii eroi ai epopeilor populare nu sunt întotdeauna cei pe care istoria îi va reține ca mari căpitani, mari regi sau împărați. Sunt oameni iubiți de popor. Așa a fost acest Marko Kraljevici.

Mircea cel Bătrân

Am spus despre Marko Kraljevici că a murit la Rovine, dar încă n-am vorbit despre ce s-a întâmplat la Rovine. Trebuie să vorbim despre unul dintre marii domni ai Țării Românești, care descinde din Basarab. Trec mai repede peste primii voievozi de după Basarab, pentru a ajunge la Mircea cel Bătrân. De ce i se zice „cel Bătrân"? Fiindcă mai târziu au fost alți voievozi cu numele „Mircea", iar cronicarii, vorbind de Mircea, cel din veacurile trecute, i-au spus „cel Bătrân" (și marele nostru Eminescu s-a înșelat crezând că Mircea era bătrân când s-a bătut la Rovine cu sultanul). Mircea, la bătălia de la Rovine, era un voievod încă tânăr. Domnește treizeci și doi de ani, cu întrerupere de vreo doi ani, după faimoasa bătălie care a avut loc la o dată controversată: după o sursă sârbească (târzie) la 24 octombrie 1394, după o sursă bizantină contemporană, mai de încredere, la 17 mai 1395. După o sursă recent descoperită, s-ar părea că ambele date sunt valabile: au fost două bătălii! Prima e probabil marea bătălie de la Rovine care rămâne unul dintre cele mai glorioase momente ale istoriei românilor. Trecuse Dunărea vestitul Baiazid zis Fulgerul (Yilderim/Ilderim), acela care îi învinsese pe sârbi la Kosovo, acela care îi va învinge pe cruciați doi ani mai târziu, care a cucerit o mare parte și din Europa și din Asia. Baiazid trece Dunărea și Mircea îl oprește într-o bătălie atât de sângeroasă încât, zice o cronică bulgărească, „râul [care străbătea câmpul de luptă] curgea roșu de sânge".

Primăvara următoare, sultanul revine în forță și, la 17 mai 1395, are loc o nouă bătălie, în care Mircea, cu toate că a primit ajutor de la regele Sigismund al Ungariei, e învins. Sultanul îl lasă în scaun pe Vladislav, probabil văr al lui Mircea. Acesta din urmă însă nu e gonit din țară; îl vedem participând în anul următor cu un corp de cavaleri la cruciada de la Nicopole. Căci are loc atunci un eveniment de o mare importanță (și de mare frumusețe, așa-zicând, în termeni epici): cruciada de la Nicopole. Regele Ungariei, care va deveni împărat, Sigismund de Luxemburg, face propagandă în Occident pentru a primi ajutorul cavalerilor francezi, germani, ajutorul Apusului puternic. Și, în cele din urmă, după ani de negocieri, se urnește o mare armată de cavaleri din Franța, în frunte cu fiul ducelui Burgundiei, care este cel mai bogat și puternic senior din tot Occidentul (de aceea i se și zice *Le grand duc d'Occident*). E mai puternic decât regele Franței, fiindcă Burgundia, în momentul acela, poseda și Flandra (Belgia și Olanda de astăzi, care erau țările cele mai înaintate din punctul de vedere al producției postavurilor). Acest burgund e însoțit de mii de cavaleri apuseni și, împreună cu armata regelui Ungariei, ajunge în Bulgaria de astăzi, la Nicopole, pe Dunăre. Mircea se află și el acolo, lângă regele Sigismund, zic unele surse, cu trei mii de călăreți. Nu mai este domn (fusese vremelnic înlăturat de turci), dar are cavalerii care i-au rămas credincioși. S-a bătut cu turcii și a știut să-i învingă. În ajunul înfruntării, la întrunirea comandanților marii armate cruciate, Mircea îi sfătuiește cum să atace uriașa armată turcă. Nu „frontal", așa cum obișnuiesc cavalerii francezi — care sunt învățați cu armurile lor grele, cu caii lor grei, și ei îmbrăcați în zale, închipuindu-și că mătură totul în fața lor. Nu frontal, ci atacul trebuie dat mai întâi de cavaleria ușoară, pentru a răspândi și anihila pedestrașii așezați în fruntea armatei turce. N-au vrut să-l asculte. Trufașii cavaleri francezi, orgolioși, l-au dat la o parte pe Mircea și au atacat nebunește, frontal. A fost un dezastru cumplit pentru cavaleri, fiindcă turcii așezaseră țăruși în pământ, pedestrașii trăgeau cu săgețile sau intrau printre picioarele cailor și tăiau caii sub genunchi, iar abia pe urmă, din trei părți, au apărut stoluri-stoluri de călăreți. În urma înfrângerii catastrofale, mii de cavaleri au fost luați prizonieri. Unii au fost uciși în chiar seara bătăliei, sultanul răzbunând omorârea de către cruciați, în ajun, a unor turci prinși la Rusciuc. Captivii cei mai de vază au fost păstrați pentru a fi răscumpărați cu bani grei. Eșecul dezastruos al cruciadei a descurajat eventualele încercări ale Occidentului de a veni în ajutorul țărilor creștine din această parte a Europei. Vina cade, înainte de toate, pe seama trufiei cavalerilor francezi.

Singurul noroc pe care l-am avut după tragedia de la Nicopole este că a apărut la răsăritul împărăției otomane — de pe teritoriul unde se află acum Turkestanul și Afghanistanul — un alt mare cuceritor, tot de neam turc: Timur Lenk. În câțiva ani, devine stăpân, ca și Genghis-han cu o sută de ani în urmă, peste o împărăție și o putere pe care nimeni n-o poate opri. Sultanul Baiazid își închipuie că e invincibil, și duce război împotriva lui Timur Lenk. Marea bătălie se dă unde este astăzi capitala Turciei, la Ankara. Se vorbește de o încleștare între armate de sute de mii de oameni. În jurul lui Baiazid, se află, ca un fel de batalion de gardă, cavaleri sârbi, care vor rămâne până la ultimul moment alături de sultan. Dar bătălia e pierdută, iar Baiazid făcut prizonier și dus într-o cușcă cu gratii în țara lui Timur Lenk, unde va muri doi ani mai târziu, în captivitate.

Mircea, care-și redobândise domnia îndepărtându-l pe Vladislav cu ajutorul voievodului Transilvaniei, va profita de dispariția lui Baiazid și de faptul că trei dintre fiii lui se ceartă de-acum pentru tron. E prima dată, poate și ultima, când un principe român intervine în mari afaceri politice internaționale. A fost un moment de excepție. Din nefericire, acel pretendent, Musa, pe care-l susține Mircea, după ce domnește câțiva ani la Adrianopol, nu iese în cele din urmă învingător, așa încât cel care va învinge, Mehmet I, va reveni, în 1417, împotriva lui Mircea. Voievodul muntean pierde Dobrogea, pe care o cucerise, și este silit, la rândul lui, pentru a-și păstra domnia, să plătească tribut turcului.

Semnalez, în treacăt, un amănunt puțin cunoscut, dar deosebit de interesant: Mircea și Musa erau oarecum rude! Mama lui Musa era fiica regelui sârb Lazăr, cel căzut în bătălia de la Kosovo — iar Mircea era nepotul acelui Lazăr pe linie maternă! Crunta dușmănie dintre creștini și musulmani cunoștea și anumite limite, dictate de „interesul de stat": bietele domnițe erau jertfite pe altarul interesului statului — sau al dinastiei. (Și împăratul Ioan Cantacuzino și-a dat o fată sultanului otoman, iar țarul Șișman al Bulgariei pe sora lui!) Poate că unele dintre acele domnițe, după ce vor fi vărsat lacrimi multe, vor fi fost cândva și fericite în noua lor viață de sultane. N-avem de unde ști, ca să scriem romane.

De pe vremea lui Mircea cel Bătrân, pe care îl consider egal cu Ștefan cel Mare, a fost silită Țara Românească să se supună turcului. Dar e de observat că turcii nu erau atunci tot atât de exigenți ca foștii noștri suzerani creștini; se mulțumeau cu un tribut relativ mic și cu câteva zeci de armăsari — aveam cai frumoși pe vremea aceea în Valahia; au vrut la un moment dat să ia și tineri, pe care să-i facă ieniceri, dar voievozii noștri s-au împotrivit, așa că am scăpat de această obligație care a apăsat asupra sârbilor, bulgarilor, grecilor și albanezilor.

În al doilea stat românesc, Moldova

Moldova, după cum am spus, s-a format cu vreo cincizeci de ani mai târziu decât Țara Românească. Să trecem peste primii voievozi, pentru a ajunge la un voievod mare, oarecum contemporan cu Mircea cel Bătrân, și anume Alexandru cel Bun.

Alexandru cel Bun domnește de la 1400 la 1432, ceea ce pentru vremile acelea este o domnie lungă. A fost un bun

gospodar, țara s-a întins încetul cu încetul de la nucleul unde
se formase, regiunea din nord-vest cu capitala la Suceava,
cu marele oraș Baia. Baia în Evul Mediu înseamnă un loc
unde erau mine (de la magh. *bánya*). Din regiunea aceea s-a
întins din ce în ce mai mult, până la mare; se aflau deja ro-
mâni acolo, dar nu erau uniți sub un singur sceptru, cum
vor deveni în Moldova lui Alexandru cel Bun, care se întinde
până la Cetatea Albă, mare cetate, veche de pe vremea bi-
zantinilor, deținută apoi de negustorii genovezi. În momen-
tul când Moldova devine stăpână pe această regiune, Cetatea
Albă este încă în mâna genovezilor, care acceptă însă suze-
ranitatea voievodului moldovean. Mai târziu, în vremea lui
Ștefan cel Mare, deasupra unei intrări în cetate se va afla
stema Moldovei, capul de zimbru sau, mai corect, de bour,
stemă ce se mai vede și astăzi.

Alexandru cel Bun este totuși vasal al regelui Poloniei.
Avem documente despre împrejurările în care a prestat jură-
mântul împreună cu boierii lui, și nu numai atât, avem o
altă dovadă că și-a îndeplinit îndatoririle de vasal și a parti-
cipat la o luptă celebră între polonezi și cavalerii teutoni.
Acești urmași ai cavalerilor cruciați din Palestina erau sta-
biliți în nordul Poloniei, justificându-și prezența prin misi-
unea de a-i creștina pe acei păgâni care mai rămăseseră în
nord-estul continentului: lituanienii. De-atunci a rămas în
limba română expresia „liftă păgână": la origine, era „litvă
păgână"! Lituanienii rămân păgâni până pe la sfârșitul vea-
cului al XIV-lea. Însă lituanienii sunt foarte buni ostași și,
în frunte cu voievodul lor, se întind peste regiuni de limbă
rusă sau ruteană. Lituania, pe la 1350, îngloba teritoriile de
astăzi ale Lituaniei, Bielorusiei, sudul și vestul Ucrainei (țara
Galiției). Era mai mare decât Polonia. Regele Poloniei a reu-
șit să încheie alianță cu marele-duce al Lituaniei prin căsă-
torii și, neavând urmaș în linie bărbătească, i-a urmat la
tron Jagiello, voievodul lituanian care s-a creștinat. Așadar,

pe la 1390, unită cu Lituania, Polonia devine de două ori mai mare. Cu vremea însă, polonezii (noi ziceam pe vremea aceea: *leșii*, după numele unui trib de-ai lor zis *leah*), mai de timpuriu creștinați și mai înaintați în civilizație, vor asimila parțial Lituania, și vor fi principalul element în această uniune polono-lituaniană.

Dușmanul polonezilor și lituanienilor este ordinul cavaleresc german care s-a stabilit pe teritoriul numit până la ultimul război mondial, Prusia orientală, împiedicând accesul Poloniei la Marea Baltică. De-atunci se duc periodic lupte între cavalerii teutoni, temuți războinici, și regele Poloniei. La o mare bătălie care s-a dat la 1410 la Tannenberg sau Grünwald (ambele nume sunt valabile), Moldova lui Alexandru cel Bun a trimis un contingent de patru sute de călăreți. Pare o cifră derizorie, dar pentru acea epocă nu însemna puțin.

Acești călăreți, e interesant ce spune cronica, au fost cei care au hotărât soarta bătăliei, aplicând o tactică militară pe care o regăsim la Asănești, cei care, la 1205, la Adrianopol, ajutați de cavaleria cumană, îi înving pe cruciații francezi și-l fac prizonier pe împăratu. Baldovin al Constantinopolului. Atacă frontal, iar când ajung în fața dușmanului se opresc brusc, cum fac încă și azi arabii, și se prefac că fug. Cavalerii, îmbrăcați în armuri, se iau după ei, dar, fiind greoi, se împrăștie. Cavaleria ușoară se oprește brusc din nou și îi înconjoară, câte trei-patru împotriva unuia, și îi distrug pe cavaleri. Această tactică e încă o dovadă că de la cumani au deprins românii noștri în Evul Mediu arta militară: avem, la un interval de două sute de ani, exact aceeași tactică a cavaleriei ușoare pentru a hotărî soarta unei bătălii.

Alexandru cel Bun însă, cu toate că l-a ajutat încă o dată pe regele Poloniei în 1422, la sfârșitul domniei sale s-a aliat cu Ungaria și cu Ordinul Teutonic împotriva Poloniei, ca să pună stăpânire pe ținutul Pocuției, dat amanet de regele Poloniei unui predecesor al lui Alexandru, în schimbul unui împrumut de 3 000 de ruble de argint, niciodată restituit. Această nefericită „afacere" va strica periodic relațiile po-lono-moldovene timp de o sută de ani.

Înainte de a vorbi despre un nepot de fiu al lui Alexandru, Ștefan cel Mare, vreau să mai aruncăm o privire și asupra celeilalte provincii populate de români, Transilvania.

Dinastia angevină în Ungaria și starea românilor din Ardeal. Iancu de Hunedoara

Trebuie să ne facem o imagine a Transilvaniei în Evul Mediu, după ce fusese cucerită de unguri. Am spus deja că regii unguri, fiindcă neamul maghiarilor era prea răsfirat, iar românii erau și ei prea puțin numeroși pentru o mai bună exploatare a ținutului, l-au colonizat intens cu maghiari, se-cui și sași.

Cu timpul, starea românilor decade, iar când dinastia de origine maghiară, zisă arpadiană, se stinge și e înlocuită cu o dinastie de origine franceză, lucrurile se înrăutățesc și mai mult. Acești regi sunt prea devotați papei și învățați cu struc-tura feudală. Din momentul când preia puterea Carol Robert, cel care se bate cu Basarab în 1330, el înăsprește persecuția elementului românesc din Ardeal, românii nemaifiind admiși în ordinul nobiliar decât cu condiția să fie catolici. Atunci, multe familii de cneji ori trec munții către Valahia sau Mol-dova, ori sărăcesc și ajung în rândul țăranilor liberi — la început, mai târziu chiar iobagi, adică șerbi. Unii dintre ei însă, trecând la catolicism, au dat familii mari aristocrației maghiare, ca de pildă familia Drágfi, care coboară din Dragoș al Moldovei — când urmașii lui Dragoș au fost alungați din Moldova de Bogdănești, s-au întors în Maramureș, au rămas credincioși regelui Ungariei și au stat la originea unei familii nobile maghiare care a dat chiar un voievod al Transilvaniei la sfârșitul secolului al XV-lea. Au mai fost destule alte familii, și voi da numai un nume ilustru: Corvineștii.

Un Voicu, cneaz român, bun ostaș, e luat pe lângă regele Ungariei, care-i dă ca feudă regiunea Hunedoara; fiul său, Iancu de Hunedoara, mai cunoscut în istoriografia universală cu numele de Ioan Hunyadi/Huniade pe care i-l dau ungurii, va fi unul dintre cei mai iluștri luptători împotriva turcilor. El, român, ajunge voievod al Transilvaniei, în tovărășie cu un graf ungur, Nicolae de Újlak, și în cele din urmă, când moare tânărul rege al Ungariei, Ladislau, în bătălia de la Varna (1444), ajunge chiar guvernator al Ungariei.

Iancu e o figură măreață, care a reușit mai multe expediții contra împărăției turcești. A cunoscut din nefericire și înfrângeri, ca aceea de la Varna. Armata creștină înaintase prin Bulgaria cu prea mare îndrăzneală, bizuindu-se pe un ajutor al flotei venețiene, care trebuia să împiedice trecerea turcilor din Asia Mică în Europa. Dar acest ajutor a fost zădărnicit de o acțiune contrară a veșnicilor adversari ai venețienilor, genovezii. Încă o dată se vede cum zâzaniile și dușmăniile între creștini au fost principalul aliat al turcilor în înaintarea lor în Europa.

O altă tentativă nefericită mai întreprinde Iancu în 1448, încercând să-și coordoneze acțiunea cu lupta lui Gheorghe Castriota zis Skanderbeg, marele erou al rezistenței albaneze, dar e înfrânt, din nou, la Kosovo.

Iancu, care mărește castelul de la Hunedoara (extins de fiul său, regele Matei Corvin), e o personalitate atât de puternică, încât își poate permite să-i considere pe voievozii Țării Românești și ai Moldovei ca pe clienții sau protejații lui. S-ar părea astfel că Vlad Dracul (tatăl lui Vlad Țepeș) ar fi fost ucis din porunca lui Iancu, care s-a temut de o împăcare a lui Vlad cu turcii. Iancu de Hunedoara a avut un caracter destul de dur și de autoritar. S-a certat și cu despotul Serbiei,

George Brancovici, lipsindu-se, în clipe grele, de un ajutor prețios, unul dintre motivele neînțelegerilor fiind și zelul procatolic al lui Iancu.

Cu câțiva ani înainte ca Iancu să înceapă lupta împotriva turcilor, în 1439, se ajunsese, după lungi negocieri la Conciliul convocat de papa la Florența, la o înțelegere între catolici și ortodocșii conduși de Patriarhul de la Constantinopol și de împăratul Ioan VIII Paleolog. S-a ajuns la o formulă de unire pentru a pune capăt schismei intervenite în 1054. Printre semnatari se afla și mitropolitul Damian al Moldovei, iar împăratul bizantin, care nu mai avea decât o fâșie de pământ în jurul capitalei Constantinopol și o vagă suzeranitate asupra despotatelor din Epir și Moreea, își pusese mare nădejde în această unire, convins că va însemna începutul unei vaste coaliții creștine împotriva turcilor. Dar, abia întors la Constantinopol, s-a izbit de o atât de înverșunată împotrivire a preoțimii, a călugărilor și chiar a oamenilor de rând, încât Unirea de la Florența a rămas literă moartă. Mulțimea manifesta violent pe străzile orașului, strigând: „Mai bine turbanul sultanului decât tiara papei!"… Paisprezece ani mai târziu, dorința i s-a împlinit cu asupra de măsură, când, după căderea cetății, sultanul Mehmed II a dat voie asediatorilor cuprinși de furie să ucidă două zile la rând toată populația orașului.

Iancu crezuse și el că Unirea de la Florența avea să dea un nou impuls ideii de cruciadă. El rămâne o figură de epopee, cunoscută și în Occident. S-au scris chiar romane epice, în Spania, ca ecou al isprăvilor lui Iancu de Hunedoara în Balcani. S-a dovedit astfel de curând că el a fost modelul eroului unui roman de aventuri, foarte popular și în Franța până în veacul al XVIII-lea și intitulat *Tirant le Blanc* — *le Blanc* fiind o greșeală de copist pentru originalul *le Blac*, adică Valahul!

În 1456, Iancu reușește să despresoare cetatea Belgradului — pe vremea aceea, posesiune ungară —, asediată de Mehmed II, cuceritorul Constantinopolului (1453), dar la scurt timp moare de ciumă.

După moartea lui, urmează doi ani de dezordine în Ungaria, tronul fiind vacant. În cele din urmă, prin prestigiul de care se bucurase Iancu de Hunedoara, e ales rege al Ungariei fiul său Matei, în vârstă de numai cincisprezece ani. Va fi marele rege Matei Corvinul (1458–1490) — Mátyás pe ungurește, Mathias în latinește (Corvin, fiindcă pe stema lui figura un corb cu un inel în cioc, după o legendă a familiei).

Vom reveni asupra lui după ce ne vom fi oprit un moment asupra situației Transilvaniei când se urcă Matei Corvinul pe tronul Ungariei. Transilvania era parte din regatul Ungariei, însă cu un statut special. Interesant din punctul nostru de vedere e că rangul cel mai înalt în provincie era cel de voievod, care nu e titlu unguresc, ci slav, și care — cum am spus — numai la români a ajuns să însemne domnitor peste o țară.

Situația categoriilor sociale privilegiate (nobilii, sașii, secuii) pare să nu se fi modificat față de cea din veacul al XIX-lea, în schimb, din pricina neîncetatelor războaie și a situației economice deteriorate, soarta țărănimii e jalnică.

Țăranii, cei care devin iobagi (< ung. *jobbágy*), adică țărani dependenți pe moșiile nobililor unguri sau ale bisericii, țăranii aceștia, fie că sunt români, fie că sunt unguri, se vor revolta la 1437 și vor lupta câteva luni de zile împotriva nobililor, la Bobâlna, unde organizaseră un fel de tabără, după modelul revoltei „husite" din Boemia; sunt însă învinși în cele din urmă, iar rezultatul a fost că situația lor s-a înrăutățit. Învingătorii — nobilii maghiari, sașii din orașe și secuii — s-au înțeles între ei și au format ceea ce s-a numit pentru veacuri *Unio Trium Nationum*, adică „Uniunea celor trei națiuni". Să nu înțelegeți însă „națiune", acest termen latinesc, în sensul pe care-l are acum. El nu avea sens etnic. Prin *natio*, se înțelegea pe vremea aceea un fel de grup social privilegiat, și de aceea aceste trei națiuni reprezintă nobilimea maghiară, orașele săsești cu satele din jurul lor, tot săsești, și scaunele (comitatele) secuiești pe care le vedeți în arcul Carpaților. Iar românii, care formau majoritatea populației, sunt tratați ca o cantitate neglijabilă din punct de vedere politic. Se poate obiecta aici că Iancu de Hunedoara, un român, accede la rangurile cele mai înalte. Nu trebuie uitat însă că el era integrat în structura feudală ungară, fiind deja catolic, iar fiul său, care devine rege al Ungariei, este fiul unei nobile unguroaice, Erzsébet Szilágyi. Vom reveni asupra lui Matei Corvin după ce vom vorbi despre voievozii contemporani cu el.

Vlad Dracul și Vlad Țepeș

Am spus de la început că scopul cărții acesteia nu e de a înșira pe toți voievozii care se succedă certându-se pentru domnie. Ne vom opri numai asupra figurilor simbolice.

Dintre fiii lui Mircea cel Bătrân (i s-a zis și cel Mare, cu drept cuvânt), voi vorbi doar de Vlad Dracul, tatăl lui Vlad Țepeș. De ce i s-a spus „dracul"? Nu pentru că ar fi fost comparat cu Satana ori pentru că n-ar fi fost iubit de țară. I s-a spus Dracul, fiindcă acel Sigismund de Luxemburg, despre care am arătat că a fost rege al Ungariei, apoi și împărat — un rege relativ favorabil nouă, o dată ce nu i-a persecutat pe ortodocșii din Ardeal, un suveran liberal pentru vremea lui (cu toate că, în urma Conciliului convocat de el la Konstanz, a fost ars pe rug reformatorul ceh Jan Hus!) —, Sigismund de Luxemburg a avut o anume simpatie pentru acest fiu al lui Mircea și l-a luat într-un ordin de cavaleri, ordin feudal pe care-l înființase și care se numea Ordinul Dragonului. A fost atunci un moment în Europa când au apărut mai multe „ordine" de acest fel: mai întâi, Ordinul Jartierei, creat de regele Angliei (mai există și astăzi); imitat curând de regele Franței — suntem în plin Război de o sută de ani. Era asemeni unui „club" select, o gardă de onoare formată din mari feudali în care regele are încredere și care jură că-i vor fi credincioși până la moarte. Regele Sigismund creează Ordinul Dragonului la un moment când nu e încă sigur de victorie împotriva altor pretendenți la tron, iar pe marii feudali care i-au fost credincioși îi face membri ai Ordinului. Toți erau magnați unguri*, numai trei străini a ales Sigismund: pe despotul Serbiei, pe un prinț al Galiției, și pe Vlad. Iar Vlad era atât de mândru că făcea parte din acest ordin de cavalerie, încât, o dată ajuns domn al Țării Românești, a pus să se bată pe monede și să se sculpteze, ca o emblemă a lui, acel dragon — de unde în popor i s-a zis Vlad Dracul, adică Dragonul. De aici vine și numele de Dracula sau Drăculea pentru el și pentru fiii săi. De aceea, Vlad Țepeș a devenit pentru străini Dracula.

N-am să insist asupra lui Vlad Dracul, cu toate că a fost și el o figură interesantă. A domnit de două ori și a dus și el război împotriva turcilor, dar s-a supus când a crezut că era în interesul țării, și de aceea a fost ucis din porunca lui Iancu de Hunedoara.

Mai important pentru istorie — din păcate și pentru legendă — e fiul său, Vlad zis Țepeș, un domn fără îndoială de o cruzime cumplită, care avea obiceiul de a-și trage în țeapă dușmanii sau pe cei care nu-l ascultau înlăuntrul țării.

---

* Termenul *magnat*, din latina medievală, a desemnat în Ungaria și Polonia marea nobilime care beneficia de privilegii aparte. Corespondentul în Țara Românească și Moldova îl reprezentau marii boieri.

Se zice că de îndată ce a venit în scaun, în 1456, a poruncit să fie adunați hoții și cerșetorii, i-a închis într-o casă și, după ce i-a ospătat, le-a dat foc. Pe boierii răzvrătiți sau neascultători îi trăgea în țeapă.

Era un supliciu înfiorător: se înfigea un mare țăruș în pământ, sau se tăia și subția un pom mic, iar în această țeapă osânditul era, într-un fel, răstignit — lucru groaznic de povestit; se ungea țeapa cu seu și se introducea prin fund, însă cu încetul, pentru a nu provoca moartea imediată; nu trebuia ca țeapa să străpungă ficatul sau inima, ci să iasă prin gât, lângă cap, iar omul stătea expus până-și dădea sufletul, îi mâncau corbii ochii. Era, încă o dată, un supliciu groaznic despre care s-a aflat până departe și se zvonea că Țepeș ar fi tras în țeapă mii și mii de oameni.

Acestea fiind zise, trebuie amintit că veacul al XV-lea a fost un veac crud și nemilos în toată Europa. Un singur exemplu: în 1415 se bat englezii cu francezii (dar să nu zicem englezii și francezii, de fapt era o luptă între două ramuri ale dinastiei franceze, o luptă între două familii feudale, nu între două națiuni). În bătălia de la Azincourt (dacă aveți cumva ocazia, într-o cinemateca, să vedeți filmul realizat de Sir Laurence Olivier, *Henric al V-lea*, care reconstituie această bătălie, vă sfătuiesc să n-o ratați; e, pentru mine, cea mai frumoasă și veridică reconstituire cinematografică a unei bătălii medievale), la sfârșitul luptei, englezii au făcut șase mii de prizonieri, pe care au vrut să-i vândă, adică să-i țină pentru răscumpărare, cum se obișnuia în tot Evul Mediu. Dar s-a zvonit că francezii s-au regrupat și contraatacă. Atunci Henric V dă ordin să fie toți decapitați, și au căzut atunci pe acel câmp șase mii de capete. Grozăviile comise de Vlad Țepeș trebuie relativizate, așezându-le în contextul istoric.

O dată ajuns domn, în 1456, Vlad hotărăște să scape de suzeranitatea otomană. Petrecuse ani de zile în Turcia, ca

ostatic trimis de tatăl său Vlad Dracul. Cunoaște deci perfect
limba și moravurile turcilor. Își pune speranțe în ajutorul re-
gelui Ungariei, Matei Corvin, cu care era și rudă, soția lui
Vlad fiind o vară a lui Matei (nu știm dacă de partea Corvin
sau de partea Szilágyi). Vlad încetează să plătească hara-
ciul anual, trece Dunărea și face o incursiune cumplită prin
Bulgaria. În 1462, vine însuși sultanul Mehmed II, cuceri-
torul Constantinopolului, ca să-l pedepsească pe Vlad și să
supună iar Țara Românească. Vlad Țepeș ține piept singur,
cu mica lui oștire, căci nu primește ajutor de la regele Matei.
Îndrăznește într-o noapte să atace chiar tabăra sultanului,
dar nu izbutește să-i găsească cortul ca să-l ucidă. Se retrage
apoi către munte, lăsând pârjol în urma lui. Sultanul e în-
grozit de spectacolul ce i se dezvăluie în drum spre Târgo-
viște: o pădure de țepi în care atârnă leșurile turcilor prinși
într-o luptă, cu un an înainte. Cronicarul turc vorbește de groa-
za dar și de un fel de admirație a sultanului pentru un domn
în stare de asemenea fapte.

Sultanul renunță să ia cetatea de scaun, Târgoviște, se
retrage către Brăila și părăsește țara în care oastea mare piere
de foame. Dar îl lasă la marginea țării cu un corp de oaste
pe fratele lui Vlad, Radu zis cel Frumos. Radu, în trei luni,
va izbuti cu încetul să-i convingă pe cei mai mulți dintre
boieri că politica lui Vlad e dezastruoasă pentru țară, că ve-
cinii creștini nu ne ajută, nici ungurul, nici polonezul, *nici
măcar Ștefan al Moldovei*, și că e deci mai cuminte să în-
chinăm țara, cum făcuse de altfel viteazul și înțeleptul său
bunic, Mircea Vodă. Turcul nu ne va preface țara în pașalâc,
cum a făcut cu toate țările vecine de la sud, ci se va mulțumi
cu făgăduiala supunerii și cu plata unui tribut anual.

Vlad, părăsit de boieri, caută adăpost și ajutor în Tran-
silvania. Cum însă trăsese în țeapă o mulțime de negustori
sași care nu ascultaseră de ordinul ce-l dăduse de a nu mai
face „comerț în detaliu" în țară, ba întreprinsese chiar teribile

incursiuni spre Brașov și în împrejurimi, necruțând nici femei, nici copii (de-atunci trebuie să fi apărut legenda cu „puii de năpârcă"), sașii i-au făcut o reputație atât de rea, încât regele Matei, în loc să-i dea ajutor, l-a ținut închis în cetățuile lui timp de doisprezece ani.

De atunci datează portretul de la castelul Ambras în Austria, care ne este familiar și care e probabil foarte fidel — pentru un fizionomist, un tip de o înspăimântătoare asprime.

Când Matei Corvin se va fi hotărât, în sfârșit, în 1476, să poarte război împotriva turcilor și va considera că are nevoie de Țepeș, îl va pune din nou în scaun la Târgoviște, dar Vlad e ucis după puține săptămâni, nu s-a lămurit în ce condiții, probabil de boierii care se temeau de răzbunarea lui.

Așa piere Vlad Țepeș, figură ieșită din comun, dar care, pentru că vestea cruzimilor sale s-a aflat în lumea largă, a căpătat cu vremea o imagine negativă până la caricatură (ca în romanul irlandezului Bram Stoker, de la sfârșitul veacului al XIX-lea, care e la originea avalanșei de filme de groază cu eticheta „Dracula"; deformare — repet — caricaturală, pe care regimul de la București a folosit-o în mod iresponsabil în scopuri comerciale).

Reputația lui Vlad Țepeș s-a făurit pe trei căi: prin cronicile turcești; printr-o relatare slavă, de origine nelămurită, *Povestire despre Dracula Voievod* — de fapt elogioasă! — despre care se zice că a ajuns carte de căpătâi a țarului Ivan cel Groaznic; dar mai cu seamă prin cărți scrise de sași — care erau în mare dușmănie cu Țepeș — și răspândite în Germania, pare-se înadins, de Matei Corvin, spre a justifica faptul că nu a întreprins cruciada pentru care papa îi dăduse mari sume de bani — este cel puțin ipoteza interesantă pe care o sugerează istoricul Șerban Papacostea. Ne-am afla, după această ipoteză, în prezența unui prim caz cunoscut de „propagandă de stat", de „intoxicare prin media", profitând de apariția în epocă a tiparului, care a permis să se răspândească larg povestiri fantastice originare din mediul săsesc. Alți autori însă, pe baza unor documente, atribuie prima comandă a unei scrieri împotriva lui Vlad unui nobil german care fusese în litigiu cu el. Nu putem ști așadar care dintre povestirile despre Vlad Țepeș se pot reține ca verosimile. Cert e că a folosit supliciul țepei la o scară neîntâlnită până atunci, ceea ce ar ajunge pentru a-i croi celebritatea; dar e posibil ca faima lui să vină și mai mult de la anumite excentricități pe care i le atribuie povestirile, ca de pildă turbanul bătut în cuie în capul unui trimis turc care nu s-ar fi descoperit în fața lui Vodă! Ce să credem?

Matei Corvin

Să vorbim acum despre Matei Corvin. A fost unul dintre cei mai mari regi ai Ungariei, foarte priceput, foarte cult, a adus savanți și artiști din Italia (e epoca Renașterii în Ungaria). Pe plan intern, s-a sprijinit pe mica nobilime împotriva magnaților (care-i erau ostili, inclusiv propriul său unchi Szilágyi!) și i-a ocrotit într-o oarecare măsură pe țărani.

Din păcate, prea ambițios și însetat de putere, în loc să pornească război împotriva turcilor, s-a luptat cu regele Cehiei, voind să ajungă și rege al Cehiei, ca pe această cale să intre în Confederația germană, iar apoi să ajungă împărat. A purtat război cu împăratul Germaniei și a ocupat Viena.

Deschid iar o paranteză. Cer iertare: nu trebuie să spunem „împăratul Germaniei". Împărăția, până în secolul al XIX-lea, se numea „Sfântul Imperiu Roman de Națiune Germană" — acesta era numele oficial. Nu vorbiți nici de „împăratul Austriei" — chiar sub Habsburgi — înainte de 1807, când Napoleon dărâmă vechea structură medievală. Împărat în Europa numai unul era, și, din punct de vedere protocolar, el trecea înaintea tuturor suveranilor Europei, chiar atunci când — de pildă — regele Franței ajunsese un suveran mai puternic.

Matei Corvin își irosește puterile în lupte sterile împotriva vecinilor săi occidentali, în loc să poarte război cu turcii. Rezultatul a fost că, la treizeci și șase de ani de la moartea lui, regatul ungar, pe care ambiția sa îl voise atât de sus, se prăbușește la un singur atac al turcilor.

Slăbiciunea regatului ungar după Matei Corvin se explică și prin motive sociale: feudalitatea maghiară, după răscoala de la Bobâlna din 1437, nu numai că nu ușurase asuprirea țăranilor, dar o și înăsprise, în parte din cauza neîncetatelor războaie „moderne", cu armele de foc și specialiștii mercenari care le mânuiau, și care costau mulți bani.

În 1514, a izbucnit în Transilvania și în Ungaria o nouă mare răscoală antifeudală, sub conducerea unui fruntaș secui, Gheorghe Doja (Dózsa György). Ca și precedenta, răscoala a adunat țărănime din toate neamurile și, de asemeni, a fost înecată în sânge.

Țara a ieșit slăbită de aceste lupte lăuntrice, astfel că, la atacul turcesc din 1526, nobilimea s-a găsit singură în fața dușmanului.

Încă o dată trebuie remarcat că ne putem uneori pripi judecând istoria: la începuturile dominației otomane în Balcani și în Europa centrală, s-a putut întâmpla ca țăranii să fie mai puțin storși de bani și apăsați de corvoade sub noul stăpân „păgân" decât fuseseră sub stăpânul feudal.

Ștefan cel Mare

Dar să ne întoarcem asupra Moldovei, care cunoaște în veacul al XV-lea cea mai însemnată figură din istoria ei: Ștefan cel Mare.

Alexandru cel Bun a avut mai mulți fii și nepoți, iar Ștefan cel Mare este nepot de fiu al lui Alexandru cel Bun. Însă, după obiceiul, deja pomenit, ca marii boieri să aleagă succesorul la tron între fiii și nepoții fostului voievod, a fost uns Ștefan domn, punându-se capăt unei perioade de lupte interne. Iar Ștefan cel Mare nu era nici măcar fiu legitim, ci, cum se spunea, fiu din flori, fiu nelegitim, și prin urmare i-a fost mai greu să acceadă la tron. Totuși avea calități excepționale, nu numai de vitejie, dar și de chibzuință și de organizare, și, spre fericirea Moldovei, în general a românimii, a avut o domnie lungă de patruzeci și șapte de ani. Este cea mai lungă domnie înainte de cea a regelui Carol I în veacurile noastre. Se urcă pe tron în 1457, deci un an după Vlad Țepeș în Țara Românească, și domnește până în 1504. Moștenește o țară în plină organizare, dar care din punct de vedere economic începea să se dezvolte mai cu seamă datorită împrejurării că reprezenta o regiune de tranzit între Europa centrală, Polonia și porturile de la Marea Neagră. Iar faptul că Moldova avea două porturi importante, Chilia și Cetatea Albă, îi aducea o substanțială sursă de venituri, prin vămi. Chilia — după cum am spus — fusese a domnilor munteni, în înțelegere cu regii unguri. Ștefan cel Mare e cel care o cucerește de la munteni, atrăgându-și prin aceasta dușmănia lui Matei Corvin. Ștefan cel Mare este, pentru mica lui țară, un voievod bogat prin vămile pe care le ia de pe urma comerțului internațional. Vom vedea și tragedia care va decurge din pierderea, în timpul domniei lui Ștefan cel Mare, a acestor două cetăți, Chilia și Cetatea Albă.

Se tot spune că Ștefan cel Mare s-a bătut mereu cu turcii. Nu e chiar adevărat. S-a bătut împotriva tuturor celor care voiau să-i știrbească relativa independență. Astfel, s-a bătut și cu Matei Corvin care, supărat că Ștefan luase Chilia de la munteni și unguri, a venit să-l silească să redevină vasal al regelui Ungariei. Îl bate pe Matei Corvin la Baia, și-l silește să treacă îndărăt Carpații. Mai târziu va avea să lupte și împotriva polonezilor. Dar, bineînțeles, ce a rămas mai viu în memoria populară au fost luptele sale cu turcii, în special în 1475, când Moldova este invadată de o mare armată otomană condusă de Soliman-pașa, cel mai mare general al turcilor. Nu uitați că suntem sub domnia lui Mahomed (sau, în turcă, Mehmet) II care a cucerit Constantinopolul, deci momentul de maximă putere pe care o atinge imperiul otoman. Iar mica armată a lui Ștefan cel Mare învinge armata turcă la Vaslui. Faima lui Ștefan trece peste granițe; cronicarul polonez Dlugosz spune că este cel mai mare suveran din toată Europa, iar papa îl proclamă *Athleta Christi*, adică „Atletul lui Cristos". Din păcate, turcii, furioși din pricina acestei înfrângeri, revin după un an cu însuși Mehmet II în fruntea lor. În plus, îi îndeamnă pe tătarii din Crimeea și din actuala Ucraină să atace Moldova de la răsărit. De data asta, pentru a se putea apăra împotriva năvalei tătarilor, mai toți răzeșii din actuala Basarabie părăsesc armata lui Ștefan cel Mare pentru a se duce să-și apere vetrele. Ștefan cel Mare rămâne cu mica lui armată formată aproape numai din boieri, slujitorii lui, și din câteva cete din orașe. Este învins la Războieni, în 1476. Totuși, se retrage mai la nord, iar Mehmet II nu reușește să cucerească cele două puternice cetăți, din care mai puteți vedea și astăzi ruine, la Suceava și la Cetatea Neamțului. După ce a pârjolit țara, pentru ca turcii să nu se mai poată aproviziona, Ștefan cel Mare rămâne voievod al Moldovei, iar Mehmet II se retrage.

După această aventură — ca să zic așa —, Ștefan cel Mare își dă seama că trebuie să se înțeleagă cu turcii, dar, din păcate, lucrurile se înrăutățesc, căci câțiva ani mai târziu, în 1484, o nouă campanie a lui Baiazid II are drept scop, de data aceasta, cucerirea celor două porturi despre care am vorbit, Chilia și Cetatea Albă. Și cele două cetăți cad, probabil printr-o trădare a genovezilor care erau înăuntru și care

și-au dat seama că nu se mai putea lupta împotriva imperiu-
lui otoman, nefiind suficient de bine ocrotiți de un mic vo-
ievod creștin. Pierderea, prin trădare, a Chiliei și a Cetății
Albe a reprezentat o catastrofă pentru dezvoltarea ulterioară
a Moldovei. Au început să sărăcească orașele mari, și Mol-
dova nu s-a mai putut dezvolta cum s-a dezvoltat Transil-
vania, cu cetăți, cu târgoveți bogați, cu comerț de tranzit etc.
Anul 1484 reprezintă un moment, economic și politic, cru-
cial pentru dezvoltarea țărilor române.

Ștefan cel Mare rămâne pe tron până la bătrânețe. Se mai
bate cu regele Poloniei, iar legenda Dumbrăvii Roșii poves-
tește că, în urma luptelor, au murit atâția polonezi din șleahtă*,
încât se făcuse câmpia roșie, și prizonierii au fost puși să
are, trăgând ei înșiși plugurile. Aceste întâmplări se pare că
sunt adevărate. Deci chiar pe vremea lui Ștefan cel Mare,
domnul și dregătorii din sfatul lui își spun că nu sunt ajutați
cu adevărat de regii creștini, turcul e departe, promite ocro-
tire împotriva altor dușmani, nu vine să construiască mos-
chei la noi în țară, ne lasă să fim autonomi, adică să avem
regimul nostru, cu boierimea noastră, cu bisericile noastre —
și-atunci ne înțelegem cu turcul, plătindu-i doar un tribut
pe an. La început acest tribut a fost ușor, și în Țara Româ-
nească și în Moldova, dar foarte curând tributul a crescut,
pe măsură ce turcii, opriți în fructuoasele lor cuceriri, au
avut mai mare nevoie de bani. Aici începe nenorocirea celor
două țări române.

Prima jumătate a veacului al XVI-lea este într-adevăr
perioada când imperiul otoman își atinge, cu o repeziciune
uimitoare, întinderea maximă: în anii 1516–1517 otomanii
au cucerit Siria și Egiptul, apoi Arabia, iar sub Soliman zis
Magnificul (1520–1566) turcii au cucerit Ungaria, și în Africa

---

* Nume dat, în trecut, nobilimii poloneze; corp de armată alcătuit
din nobilii polonezi.

ajung până la granița Marocului. Cu vremea însă, aceste cuceriri, exploatate cu nemiluita, nu mai sunt „rentabile", ci se transformă într-o povară. De aceea, țările romane, cu pământul lor rodnic, cu mari turme de oi și cirezi de bovine, au devenit indispensabile vistieriei împărăției, și mai cu seamă aprovizionării capitalei, Constantinopol.

Ștefan cel Mare se zice că a clădit o biserică în fiecare an sau după fiecare izbândă, astfel încât s-au numărat patruzeci și șapte de biserici clădite de el. Între frumoasele mânăstiri din Bucovina câteva sunt ctitoria lui, însă majoritatea zugrăvelilor, picturilor exterioare aparțin unei epoci imediat următoare, când pe tronul Moldovei se află un fiu al său, Petru Rareș.

Lui Ștefan îi urmează la domnie Bogdan, fiul său legitim, pe care îl impusese ca succesor pe când era pe patul de moarte, tăind capetele câtorva boieri recalcitranți. Lui Bogdan i s-a zis Chiorul, fiindcă-și pierduse un ochi într-o bătălie cu tătarii. Nu a fost un domn strălucit, însă nici unul rău ; a domnit șaptesprezece ani și s-a închinat turcilor.

Aici intervine povestea logofătului Tăutu, pe care-l trimite la Constantinopol cu birul, dovadă că se închină turcului. Nu s-a dus el personal, cum pretinde o legendă turcească — ce arată de unde vine numele de Bogdania dat Moldovei —, ci l-a trimis pe cel mai mare boier al său, logofătul Tăutu.*

Petru Rareș

După domnia lui Bogdan Chiorul, urmează scurta domnie a unui fiu al lui, pentru ca, în 1527, boierii să-l aleagă

---

* În această narațiune, se povestește cum logofătul s-ar fi ars cu cafeaua, dând-o pe gât ca pe țuică. (Legenda conține o inadvertență, în sensul că nu exista cafea pe vremea logofătului Tăutu, dar probabil că a fost o altă băutură caldă, asemănătoare cafelei.)

pe un frate vitreg al lui Bogdan, alt fiu al lui Ștefan cel Mare, însă copil din flori, Petru Rareș. El reprezintă în istoria Moldovei una din ultimele izbucniri de ambiție și de dorință de independență. A fost un personaj extrem de interesant, însă din păcate cam nechibzuit. S-a bătut și cu polonezii, și cu turcii, și a intervenit activ în luptele din Transilvania împotriva partidei favorabile Habsburgilor, după cum vom vedea. (În vremea aceea, domnul Moldovei avea în posesie în Transilvania două puternice cetăți, Ciceiul și Cetatea de Baltă, plus câteva domenii.)

În cele din urmă, va veni însuși ilustrul sultan Soliman Magnificul (sau Legislatorul) ca să-l detroneze, în 1538, prilej cu care teritoriul Moldovei e din nou ciuntit: turcii prefac în „raia", adică provincie administrată direct, tot sudul Moldovei, Bugeacul, și ocupă și cetatea Tighina pe Nistru, botezând-o Bender — cu împrejurimi, va forma o nouă raia în coasta Moldovei. Voievozii moldoveni sunt de acum sub supraveghere apropiată și permanentă, după cum turcii au de asemeni trei „capete de pod" și în Țara Românească: Brăila, Giurgiu și Turnu (viitorul Turnu Măgurele).

După trei ani, neastâmpăratul voievod se va împăca cu sultanul și va domni a doua oară încă cinci ani, până va pieri, victimă a unui complot boieresc.

Cu domnia lui Petru Rareș avem impresia că se încheie o întreagă epocă a istoriei noastre, când românii, timp de peste două sute de ani, se structurează temeinic pe plan intern și se afirmă pe plan internațional. Oameni ca Mircea cel Bătrân, Iancu de Hunedoara, Vlad Țepeș, Ștefan cel Mare sunt figuri de dimensiune europeană, care știu să îmbine vitejia în luptă cu abilitatea politică necesară în fața unor puteri mai mari. După mijlocul veacului al XVI-lea însă, împrejurările vor fi prea vitrege: o dată cu căderea regatului ungar și cu supunerea tătarilor față de turcii otomani, țările noastre vor fi practic încercuite și reduse la paralizie pe plan militar —

în afară de scurta și epica izbucnire din vremea lui Mihai
Viteazul. S-a adăugat și revoluția tehnică a dezvoltării arme-
lor de foc, care cer mijloace bănești disproporționate față de
posibilitățile țărilor mici, precum și participarea unor ostași
specializați, mai greu de recrutat în ținuturile exclusiv agricole.

Veacurile al XIV-lea și al XV-lea rămân veacurile mari
ale istoriei românilor. Instinctul poetic nu l-a înșelat pe Emi-
nescu când a ales Rovine pentru splendida lui evocare din
Scrisoarea III.

Sub domnia lui Petru Rareș, s-au început acele minu-
nate fresce exterioare din mânăstirile Moldovei, din care nu
ne-au rămas decât circa o zecime. S-a zis că aveau un tâlc
ascuns, un înțeles de rezistență tăcută împotriva turcului:
să se vadă în afară, de către tot creștinul, ce este creștinismul.
Și la aproape toate aceste biserici se găsește o frescă în care
se arată cetatea Constantinopolului asediată de păgâni, ca și
cum ar reprezenta un asediu al cetății imperiale din vremea
veche, din anii 600, Bizanțul asediat de persani — arată însă
ca asediul orașului, care avusese loc cu mai puțin de un veac
în urmă, și îi vedem pe turci cu tunurile și turbanele lor. Is-
toricii de artă nu sunt toți de aceeași părere privitor la sem-
nificația acestei reprezentări a asediului Constantinopolului.
Unii cred că e simbolică: această cetate, ca o cetate celestă,
nu poate cădea. Alții susțin că, dimpotrivă, Rareș a vrut, re-
prezentând actuala cădere a Capitalei imperiale în mâna tur-
cilor, să arate tuturor cum i-a pedepsit Dumnezeu pe creștini
când n-au știut să se unească.

Oricum ar fi, lucru ciudat, încă nelămurit, e faptul că după
vreo cincizeci de ani, zugrăvirea exterioară a bisericilor va
înceta cu totul. Unii autori au sugerat că ar fi intervenit o
interdicție din partea Porții Otomane.

Dar constat că n-am spus încă de ce i s-a zis guvernului
turc „Poarta Otomană" sau numai „Poarta" sau mai târziu
și „Sublima Poartă": fiindcă la intrarea în curțile palatului

sultanului, a Seraiului, la Constantinopol, se află o poartă mare, artistic împodobită, prin care nu putea trece nimeni, nici măcar ambasadorii străini, fără învoire specială și fără alai; de unde, acea Poartă a ajuns să simbolizeze guvernul sultanului — după cum vedeți astăzi că se vorbește în mod curent de „Casa Albă" pentru președinția Statelor Unite ale Americii, sau de „Downing Street" pentru cabinetul primu-lui-ministru britanic, sau de „Quai d'Orsay" pentru Ministe-rul francez de Externe.

Sfârșit de veac tulbure în Moldova

După Petru Rareș, a urmat în Moldova, în a doua ju-mătate a secolului al XVI-lea, o perioadă extrem de tulbure, lupte nesfârșite între diverșii pretendenți la domnie, inter-venție din ce în ce mai frecventă a Porții în alegerea dom-nilor. Mai rău: ajung „în scaun" unii aventurieri străini care nu sunt „os de domn", ca Iacob Heraclide Despotul, adevărat personaj de roman de aventuri, a cărui origine balcanică nici n-a putut fi bine stabilită; a studiat medicina la Montpellier, în sudul Franței, a fost primit la Curtea regelui Franței, a că-lătorit prin Germania, unde ar fi îmbrățișat protestantismul, a trecut prin Polonia și, prin intrigi străine (în special, spriji-nul Habsburgilor), ajunge să domnească doi ani în Moldova, unde încearcă să favorizeze pătrunderea protestantismului. A fost în cele din urmă răsturnat de boierii moldoveni și a murit accidental la arestarea sa.

E de reținut numele lui Alexandru Lăpușneanu, fiu natu-ral al lui Bogdan Chiorul — și căsătorit cu o fiică, Ruxandra, a lui Petru Rareș. El a inspirat celebra nuvelă a lui Costache Negruzzi *Alexandru Lăpușneanu*, prima capodoperă în pro-ză a literaturii române moderne. A rămas cunoscut în istorie pentru marele număr de boieri pe care i-a tăiat ca să-și asigure

domnia. Istoriografia modernă a modificat puțin imaginea
înfiorătoare a eroului lui Negruzzi. A fost un domn evlavios,
ctitor de biserici și binefăcător al mânăstirilor de la Sfântul
Munte (Athos).

E de reținut și numele lui Ioan Vodă cel Cumplit, care
în scurta lui domnie (1572–1574) a încercat și el o eroică
rezistență împotriva dominației turcești, eroică, dar nechib-
zuită, căci n-a fost coordonată cu alte tentative sau coaliții
antiotomane. Era și el copil din flori (al lui Ștefăniță, fiul
lui Bogdan Chiorul, cu o armeancă). „Cel Cumplit", adică
„cel Groaznic", i-au zis cronicarii, mai toți din tagma boie-
rească, fiindcă și el a tăiat mulți boieri. La o ultimă înfruntare
cu turcii, undeva în sudul Moldovei, trădat de o parte dintre
boieri, a căzut în mâinile turcilor, care l-au condamnat la
o moarte înfiorătoare : a fost legat, de mâini și de picioare,
de cămile, care, trăgând prin biciuire fiecare în altă parte,
i-au sfâșiat trupul.

La sfârșitul secolului al XVI-lea accede la tron un neam·
de mari boieri, coborâtori pe linie maternă din Bogdănești,
Moviléștii. Ei vor da Moldovei (și Țării Românești) șapte
domni și vor reprezenta un moment interesant în istoria noas-
tră, atât pe plan politic, cât și pe plan cultural, din cauza in-
fluenței apusene ce o aduc prin strânsele lor legături cu marea
aristocrație poloneză.

Astfel, o fiică a lui Ieremia Vodă Movilă, căsătorită cu
un mare nobil polonez, va fi bunica regelui Michal Wisnio-
wiecki ; iar o alta, căsătorită cu un Potocki (se pronunță Po-
tóțki), tot un nume cu rezonanță în Polonia, va fi strămoașa
regelui Stanislaw Leszczynski, a cărui fiică, Maria, va de-
veni soția regelui Franței, Ludovic XV — astfel că în sân-
gele lui Ludovic XVI, decapitat în 1792, curgea o picătură
de sânge movilesc ! Dar, mai cu seamă, un fiu al lui Simion
Movilă (domn în Țara Românească în 1601), Petre, va de-
veni unul dintre personajele-cheie în dezvoltarea modernă

a Rusiei. Crescut în școli iezuite din Polonia, dar rămas credincios ortodoxiei, el va ajunge mitropolit al Kievului, pe vremea aceea sub stăpânire poloneză, și va juca (nu fără aprigi rezistențe) un rol esențial în reformarea Bisericii ruse, precum și în afirmarea doctrinei ortodoxe pretutindeni, prin a sa *Mărturisire ortodoxă*. Atât de slăvit i-a fost numele după moarte, încât trei orașe din Ucraina și Rusia poartă azi încă numele de Moghilev (căci porecla Movilă s-a pronunțat și la noi uneori Moghilă).

Țara Românească de la Neagoe Basarab la Petru Cercel

Am amintit în treacăt că în Țara Românească medievală se pot distinge trei regiuni cu tradiții și interese oarecum diferite, deci cu partide de boieri urmărind politici antagoniste: 1. partea centrală, în jurul regiunii Argeșului, unde se afirmase întâi puterea Basarabilor; 2. Oltenia, care a păstrat în tot decursul istoriei noastre o coloratură aparte (să fie oare urmarea unei mai intense colonizări romane?); 3. în fine, cele trei județe din răsărit: Buzău, Râmnicul Sărat, Brăila. La sfârșitul veacului al XV-lea a cunoscut o mare ascensiune în treburile țării o familie de boieri olteni care reușește să ajungă la bănia Craiovei timp de trei generații. A rămas cunoscută sub numele de „boierii Craiovești". Iată că în 1512, după câțiva ani de lupte interne, doi frați Craiovești izbutesc să ridice în scaunul domnesc pe un frate vitreg al lor, Neagoe, considerat fiu natural al unui Basarab — va rămâne în istorie cu numele de Neagoe Basarab (nu pronunțați Neagoe, ca și când ar fi vreun erou de-ai lui Caragiale, un nea Goe!, ci Neàgoe, căci e doar forma slavonă a numelui neaoș românesc Neagu).

Neagoe Basarab a fost o personalitate de prim-plan, om energic și de înaltă cultură, căsătorit cu o prințesă Brancovici, din vechea familie de despoți ai Serbiei, Despina Milița (*despina* înseamnă domniță!), soră vitregă cu soția lui Petru Rareș al Moldovei, Elena Brancovici. E cazul aici să amintesc că Serbia medievală, care apucase să întemeieze un stat cu câteva veacuri înainte de Țara Românească și primise mai de timpuriu altoiul culturii bizantine, ca și, prin coasta Adriatică și prin proximitatea Veneției, o anumită influență italiană, a avut un aport neîndoielnic la dezvoltarea culturală a Țării Românești în primele două veacuri ale existenței sale. Domnii noștri s-au „revanșat" când Serbia a fost redusă la starea de pașalâc, iar relativa avuție a domnilor români și dorința lor de a veni în ajutorul ortodoxiei au făcut din ei, timp de veacuri, marii ctitori și ocrotitori ai așezămintelor creștine din Balcani și de la Locurile Sfinte.

Neagoe Basarab s-a distins prin două înfăptuiri majore: 1. biserica episcopală de la Curtea de Argeș (cu puternice influențe orientale în ornamentație), sfințită în prezența mai multor înalți ierarhi ai bisericii din Răsărit, a fost considerată atunci ca o minune a Orientului. (A fost restaurată cu exces de zel sub domnia regelui Carol I, ceea ce i-a luat din farmec, mai cu seamă că vechile chilii și dependințe au fost înlocuite cu clădiri noi, fără legătură stilistică cu biserica; în fine, în interior, frescele lui Neagoe Basarab au fost înlocuite cu portrete moderne ale regelui Carol și reginei Elisabeta.); 2. cartea de sfaturi către fiul său Teodosie, cunoscută sub numele de „Învățăturile" lui Neagoe Basarab, care e un prețios document despre morala, moravurile și instituțiile acelor vremi și e scrisă cu duh isihast.

Sunt semne că Neagoe ar fi vrut să reia lupta împotriva turcilor cu ajutor apusean. A murit însă prea tânăr pentru a da chiar un început de realizare planurilor sale, după cum nici n-a putut asigura domnia fiului său Teodosie, mort și el prea timpuriu.

O îndrăzneață încercare de luptă antiotomană a mai încercat ginerele său, Radu de la Afumați, al cărui mormânt îl puteți admira în Biserica Domnească de la Curtea de Argeș, cu înșirarea tuturor luptelor și izbânzilor sale, rămase însă zadarnice. Radu cade și el victimă a unei partide boierești care considera că lupta împotriva turcilor, în împrejurările de-atunci, ducea țara la pieire. E ucis într-o biserică de doi boieri, de altfel rude cu el.

Perioada imediat următoare coincide cu prăbușirea regatului ungar și maxima afirmare a puterii otomane. Se înțelege deci că veleitățile de independență ale ambelor voievodate sunt cu totul iluzorii. Afară de mica graniță a Moldovei cu Polonia, țările noastre sunt de acum încercuite din toate părțile de puterea otomană: cea mai mare parte a Ungariei e prefăcută în pașalâc, ca și Banatul, Serbia și Bulgaria; la nord, Transilvania e și ea vasală turcilor, iar la răsărit, tătarii din Bugeac și Crimeea sunt de asemeni vasali.

În acest context, turcii intervin din ce în ce mai des la noi în schimbările de domnie, iar zvârcolirile interne ale Țării Românești apar derizorii. Să reținem totuși numele unor domni sau domnițe: Mihnea cel Rău, Mihnea Turcitul, Mircea Ciobanul, Doamna Chiajna — care au tăiat atâția boieri (ca și Lăpușneanu în Moldova), încât s-a crezut un timp în istoriografia noastră că boierimea din epoca medievală fusese exterminată în ambele țări și că boierimea din secolul al XVII-lea reprezintă o serie cu totul nouă. Este o viziune exagerată — în sânul marii boierimi a existat totuși continuitate.

O amintire mai bună a lăsat Pătrașcu cel Bun, care a domnit de mai multe ori și care reține atenția noastră mai cu seamă fiindcă e tatăl prezumtiv a doi voievozi interesanți fiecare în felul lui: Petru Cercel și Mihai Viteazul.

Lui Petru i s-a zis Cercel fiindcă, refugiat în Occident pentru a căuta sprijin în favoarea pretențiilor lui la domnie, a stat o vreme la Curtea Franței, pe lângă regele Henric III, Curte extrem de rafinată și luxoasă, unde se ivise la bărbați moda (care a reapărut și astăzi printre tineri!) de a purta cercei. Regele Franței — de pe vremea lui Francisc I și a sultanului Soliman Magnificul, Franța se aliase cu Turcia împotriva Casei de Austria — a intervenit pe lângă sultan ca să-i dea lui Petru Cercel domnia Țării Românești. Petru nu s-a putut însă menține în scaun decât doi ani, fiind răsturnat (în 1585) de același domn pe care-l înlocuise, Mihnea zis Turcitul. Ar fi vrut, se zice, să clădească un palat frumos la Târgoviște și să introducă moravuri apusene (era însoțit de un secretar italian). Petru Cercel a fost un personaj fascinant, adevărat erou de roman cavaleresc. Și-a sfârșit viața într-un naufragiu în Marea Egee.

Frate vitreg cu el era Mihai Viteazul. Înainte însă de a evoca figura lui Mihai Viteazul, să vedem pe scurt ce s-a întâmplat în Transilvania în acest veac al XVI-lea, căci aici au avut loc schimbări esențiale.

Transilvania în veacul al XVI-lea. Urmările dezastrului de la Mohács

Două evenimente din prima jumătate a secolului al XVI-lea — fără legătură între ele — vor avea consecințe de mare importanță asupra situației din Transilvania: primul e prăbușirea regatului ungar în bătălia de la Mohács, în 1526; al doilea e apariția în Germania, în jurul anului 1520, a mișcării religioase de revoltă împotriva autorității papale și a moravurilor ce apăruseră cu vremea la Roma, mișcare inițiată de călugărul Martin Luther și care va căpăta curând numele generic de *protestantism*. Propagându-se cu o repeziciune uimitoare în mai toată creștinătatea, va da naștere la din ce în ce mai multe ramuri, la din ce în ce mai multe variante teologice, considerate toate, nu numai de Biserica catolică, ci și de Bisericile ortodoxe, ca fiind nu doar *schismatice* (adică despărțite de trunchiul comun), ci și *eretice*, fiindcă ar fi rupt cu unele din dogmele Părinților Bisericii, considerate esențiale, de neatins.

Una dintre cauzele înfrângerii de la Mohács fusese și ezitarea (să-i zicem trădare?) atât a banului Croației, cât și a voievodului Transilvaniei, Ioan Zápolya (Szápolyai, de altfel și el de origine croată), care n-au venit la vreme în ajutorul armatei regale. Exista, de pe atunci, o ostilitate foarte răspândită în nobilimea ungară împotriva perspectivei unei succesiuni a coroanei ungare în favoarea Habsburgilor — cum fusese convenit, mai înainte, între regele Ungariei și Ferdinand de Habsburg, fratele împăratului Carol Quintul, cumnat al regelui. După moartea regelui Ludovic II pe câmpul de luptă, s-a deschis succesiunea la tronul Ungariei, iar pătrunderea turcilor până în inima țării nu a împiedicat împărțirea — imediată — a nobilimii maghiare în două tabere: cei care acceptau urcarea pe tron a Habsburgului și cei, grupați în jurul lui Ioan Zápolya, care-l voiau pe acesta rege, chiar cu prețul unui ajutor din partea turcilor. Și ajutor de la turci însemna atunci supunere. A început o lungă luptă între partizanii lui Ferdinand și partizanii lui Zápolya (cărora, am văzut deja, li s-a alăturat un timp și Petru Rareș — un timp numai, căci apoi a trecut de partea lui Ferdinand, ceea ce a provocat reacția sultanului în 1538). În cele din urmă, au intervenit iarăși, masiv, turcii, în 1541, au ocupat Buda și au făcut din Ungaria centrală pașalâc. De atunci, timp de o sută cincizeci de ani, Ungaria e împărțită în trei: la vest de Buda, precum și în mare parte a Croației și toată Slovacia, până în regiunea Satu Mare, rămân stăpâni Habsburgii; Ungaria centrală și Banatul cad sub administrație turcească directă; Transilvania, Maramureșul și Crișana centrală (regiunea avea în acea vreme numele latinesc *Partium*) au fost partea lui Ioan Zápolya, apoi a fiului său minor Ioan Sigismund, însă nu cu titlu de rege, ci numai de principe al Transilvaniei, vasal al sultanului și supus unui tribut, ca și domnii Țării Românești și ai Moldovei. Transilvania, mai populată și mai bogată — și în plus mai ferită de atacurile turcești —, a avut în secolele al XVI-lea și al XVII-lea o soartă mult mai bună decât țările de la sud și est de Carpați, ba chiar se poate spune că din cauza conjuncturii internaționale (cum vom vedea) a cunoscut atunci momente de afirmare politică și de înflorire culturală — cel puțin pentru cele trei „națiuni" privilegiate.

Protestantismul.
Schimbări mari în Europa

Al doilea element, pătrunderea protestantismului, e un fenomen de dimensiune europeană — și, mai târziu, mondială, căci o dată cu reforma Bisericii cerută de Martin Luther începe cu adevărat o nouă fază în istoria întregii civilizații occidentale.

Primele efecte ale mișcării inițiate de Luther vor fi politice; pe măsură însă ce protestantismul se va întinde, vor apărea schimbări profunde în mentalități, în cultură, și chiar în economie, căci s-a putut susține cu argumente destul de convingătoare că mentalitatea protestantă a jucat un rol hotărâtor în nașterea capitalismului.

Pe plan politic, mai bine de o sută de ani se vor purta războaie în toate țările occidentale, mai cu seamă în Germania și Franța, între catolici, care reprezintă încă majoritatea populației, și protestanții care sunt din ce în ce mai numeroși și se revoltă împotriva anumitor greșeli ale papalității.

Interesant, din punctul de vedere, să spunem, al filozofiei istoriei, e să vedem că încetul cu încetul, când se împart între catolici și protestanți aceste țări din Occident, aproape toate țările protestante vor fi de origine germanică și aproape toate țările de origine latină vor rămâne catolice. Se poate deci observa că elementul etnic are o anumită greutate, un anumit impact asupra alegerilor culturale și religioase pe care le facem. Au fost excepții, bineînțeles: în Elveția, de pildă, există populații francofone care sunt protestante, iar în Germania o parte care a rămas catolică, în Bavaria, pe Valea Rinului, dar, în genere, linia de despărțire între catolicism și protestantism a avut o bază etnică.

Ce se întâmplă când protestantismul ajunge și în estul Europei? La un moment dat e cât pe ce să devină protestanți și polonezii. În Cehia (unde apăruse cu un veac înainte un mare reformator, Jan Hus, condamnat ca eretic de conciliul de la Konstanz și ars pe rug în 1415, ceea ce provocase un lung război civil cu repercusiuni până în țările noastre) s-a dat o mare luptă între catolici și protestanți. Și la noi, în Transilvania, elementul etnic va juca un rol determinant. Astfel, una dintre bisericile protestante, cea luterană, va avea câștig de cauză în lumea sașilor, iar calvinismul, care se naște în Elveția francofonă, inițiat de un francez, Calvin, e îmbrățișat de o mare parte a secuilor, pe când mulți dintre magnații unguri rămân catolici; desigur, masa populară română e ortodoxă. Așa se face că la mijlocul veacului, în Transilvania întâlnim patru religii, sau, mai corect, patru ramuri ale creștinismului. Dar iată că apare și o a cincea: se răspândește în Ardeal o credință, persecutată în alte țări pentru erezie, anume *antitrinitarismul*, care refuză noțiunea de Sfântă Treime. În Transilvania, din pricina confuziei politice, există și o oarecare lipsă de constrângere din partea domniei. Așadar,

în veacul al XVI-lea asistăm la un fenomen interesant : Tran-
silvania apare unui observator străin ca un fel de oază de
toleranță religioasă, unde pot conlocui, fără să fie siliți să-și
schimbe religia, catolicul, protestantul luteran, protestantul
calvinist și cel unitarian. Aceste patru credințe erau numite
recepte, adică admise oficial, protejate. În schimb, ortodoc-
șii români erau doar tolerați, tacit. De ei nu se va preocupa
deocamdată nimeni, până își vor da seama Curia romană și
Habsburgii că masa română ortodoxă putea fi folosită ca
aliat împotriva protestantismului.

Cultură și politică

Efervescența politico-religioasă, apărută ca urmare a in-
fluenței Renașterii italiene, pe care o favorizase Matei Corvin,
și după introducerea tiparului, a avut efecte profunde asupra
vieții culturale, mai cu seamă în mediul săsesc. E de reținut
numele brașoveanului Johann Honterus — cu patronim lati-
nizat după o modă răspândită pe atunci în Germania. Autor
de cărți, om de mare influență printre sași, el a introdus re-
forma luterană la Brașov, în 1541. Trezirea aceasta culturală
se transmite și în mediul maghiar, în special la Cluj (Heltai
Gáspár).

Asemenea vastă mișcare nu putea să nu se răsfrângă și
asupra românilor, mai cu seamă că prozelitismul protestant
era foarte activ. Un mijloc indirect de influență a fost tiparul,
cu primele traduceri de texte religioase în română. Una din-
tre marile reforme aduse de protestantism a fost înlocuirea
latinei, în slujba religioasă, cu limbile locale. Astfel, impri-
meriile săsești din Ardeal au îndemnat și pe români să tra-
ducă în română, din slavonă, cărțile bisericești. Diaconul
Coresi, care-și începuse opera de tipăritor în Țara Româ-
nească, s-a mutat în Transilvania, unde condițiile tehnice erau

mai bune și unde era ajutat de fruntașii sașilor. Curând însă autoritățile bisericești ortodoxe, atât în Ardeal cât și în Țara Românească și Moldova, s-au alarmat de subtilele interpretări eretice care se strecurau în textele românești cu prilejul traducerii, vădit influențate de gândirea protestantă. Această temere a frânat un timp elanul traducerilor, cu atât mai mult cu cât coincidea cu violenta reacțiune din Moldova lui Lăpușneanu, după domnia lui Eraclide Despotul, reacțiune care a lovit nu numai pe protestanți, siliți cu forța a se boteza din nou, după „pravoslavnica lege", ci și în colonia armeană, deja importantă în Moldova (aici motivarea era nu numai religioasă — Biserica armeană fiind considerată eretică de ortodocși —, ci și economică, din cauza reușitei comerciale a armenilor).

Trebuie adăugat însă că, cu toată această puternică rezistență a ortodoxiei împotriva insinuării ideilor protestante în scrierile religioase, pornirea către o literatură religioasă în limba română a continuat, ducând, în veacul următor, la frumoase realizări și în Țara Românească și în Moldova.

Pe plan politic, acea liberalizare a gândirii în Transilvania se combină în mod straniu cu o situație și mai rea pentru țărănime. Am vorbit în treacăt despre marea revoltă din 1514, condusă de Gheorghe Doja, care, după înfrângerea răscoalei, fusese executat în torturi groaznice (așezat pe un tron de fier încins și cu o coroană de fier roșu pe cap). Represiunea fusese condusă de Ioan Zápolya. Țărănimea e după aceea și mai strivită de dări și corvezi — chiar și secuii — și, în orice caz, lipită de glie, adică țăranului nu-i este îngăduit să se mute de la un stăpân la altul. Dominația nobiliară în provincie devine și mai apăsătoare, iar slăbirea — apoi disparția — puterii regale înlătură și ultima contrapondere la puterea nobilimii.

Noua dietă, adică Adunarea Stărilor, era larg dominată de nobilimea maghiară și, fără aprobarea ei, noul principe transilvan se găsea, practic, în neputința de a guverna. Dieta îl alegea pe principe, dar, în urma acceptării suzeranității Porții, principii, ca și în Țara Românească și în Moldova, trebuiau confirmați de sultan. Constatăm chiar, în 1571, că Ștefan Báthori fusese desemnat de Poartă înainte de a fi ales de Dietă. Ștefan Báthori este al treilea din neamul lui care urcă pe tronul transilvan, și vor mai fi încă patru după el. Să reținem din domnia lui că a încercat să frâneze decăderea catolicismului (între altele, i-a adus pe iezuiți în Transilvania) și — fapt excepțional — a fost ales și rege al Poloniei (1576), rămânând acolo până la moartea sa în 1586, ceea ce a dus la un anume dezinteres în ce privește principatul.

După moartea lui Soliman Magnificul (1566), pe tronul otoman se succedă o serie de sultani mediocri care, în plus, sunt confruntați cu mari dificultăți la granița estică a împărăției: războaie cu persanii, aflați într-o epocă de grandoare sub domnia lui Șah-Abbas. Profitând de aceste împrejurări, noul împărat Rudolf II Habsburg (încoronat în 1576), îndemnat și de Papă, se hotărăște să inițieze o nouă încercare de alungare a turcilor din Europa, și caută să realizeze o mare coaliție, cu Spania, Veneția, alte ducate italiene, eventual Polonia, și în orice caz cu țările din linia întâi care erau tocmai Transilvania, Moldova și Țara Românească.

Acesta este contextul internațional în care apare la noi figura fulgurantă a lui Mihai Viteazul.

Mihai Viteazul și vitejii lui

S-au spus și se spun prea multe despre Mihai Viteazul. În jurul lui, s-a născut o legendă în care nu se mai poate deosebi adevărul istoric de elementele adăugate de-a lungul timpului. Că a fost un căpitan strălucit și un geniu politic sunt lucruri incontestabile. Victoriile lui asupra turcilor au avut ecou până departe (regele Franței, Henric IV, scria ambasadorului său la Constantinopol ca să ceară informații asupra valahului). În țările balcanice, printre greci, bulgari, sârbi au apărut cântece populare despre faptele de arme ale lui Mihai Viteazul. Dar, lucru paradoxal, la noi în țară nu a fost iubit. De ce? Fiindcă acest viteaz a vrut mai întâi să-și adune o armată puternică, iar rezultatul eforturilor sale militare a fost o gravă înrăutățire a stării țăranilor. În vremea lui, sfârșitul veacului al XVI-lea, nu mai puteai constitui o armată din țărani, o dată ce apăruseră tunurile și puștile. Aveai deci nevoie de lefegii, adică de mercenari care să știe să mânuiască armele de foc. Iar acest fenomen nu se petrece numai la noi, ci și în Occident.

Un singur exemplu: în 1525, Francisc I al Franței se luptă cu Carol Quintul, rege al Spaniei — devenit și împărat. Bătălia se dă între Spania, care de-acum posedă colonii în America de Sud și primește an de an zeci de corăbii încărcate cu aur și argint, și regatul Franței, care e cel mai populat și mai închegat din Europa. La bătălia de la Pavia, unde este făcut prizonier Francisc I, se înfruntă 25 000 de oameni de partea franceză cu 25 000 de cea spaniolă. E interesant de știut ce sunt acești participanți la bătălie. Avem de-a face cu de-abia 5 000 de cavaleri francezi și 5 000 de spanioli, dar spaniolii au 20 000 de lefegii, de mercenari germani, iar francezii 20 000 de mercenari elvețieni. Așa încât s-a putut spune, mai în glumă, mai în serios, că bătălia de la Pavia a fost un fel de răfuială între mercenarii germani și mercenarii elvețieni.

Mihai Viteazul și-a purtat războaiele cu boierii din jurul lui, cu cetele pe care acești boieri le-au putut aduna de pe anumite moșii, cu câțiva moșneni, dar mai cu seamă, din păcate, cu lefegii străini, iar aceștia costau scump. Avem păstrate toate statele de plată, știm exact cine au fost. Știm câți mercenari sârbi, albanezi, unguri sau secui a avut Mihai Viteazul.

Despre Mihai Viteazul am spus deja că era considerat copil din flori al lui Pătrașcu cel Bun. Dar e foarte interesant de știut — lucrul a fost demonstrat de curând de mai mulți istorici, cu argumente convingătoare — că mama lui era o Cantacuzină, adică o coborâtoare din vestita familie bizantină care a dat doi împărați în veacul al XIV-lea și care se număra printre marile familii nobile ale Bizanțului. Decăzuți, după cucerirea Constantinopolului de către turci, ascunși timp de două-trei generații, reapar la începutul veacului al XVI-lea la Constantinopol; în special un personaj extraordinar, Mihail Cantacuzino, poreclit Șaitanoglu sau Șeitanoglu, adică, în turcește, „fiul Satanei". Se zice că mama lui Mihai Viteazul ar fi fost sora lui Șeitanoglu. În orice caz, e aproape sigur acum, după documente recent descoperite, că a fost o Cantacuzină venită să facă mare negoț în Țara Românească, iar cu banii și insistențele rudelor ei pe lângă marele-vizir a fost ales Mihai domn.

Coaliția inițiată de împăratul Rudolf II

La sfârșitul veacului al XVI-lea, domnul nu mai era ales de boieri. Intervenea și sultanul dacă voia, așa încât Mihai Viteazul este oarecum, la început, un om al acestor greci de la Constantinopol și al sultanului, dar, fiind ambițios și mare strateg, a vrut imediat să poarte război. Reamintesc conjunctura internațională în momentul acela: o perioadă de criză la Constantinopol, cu lupte în Asia și cu succesiuni la tron nu prea bine stabilite; și, în același timp, de partea creștinilor, un împărat la Praga (Praga era atunci reședința împăratului) care hotărăște să reia ostilitățile împotriva turcilor și trimite de-acum mesageri pe lângă principele Transilvaniei, care era iar un Báthori, Sigismund Báthori, și pe lângă cei doi voievozi din Țara Românească și din Moldova (în Moldova, Aron zis Tiranul, în Țara Românească, Mihai) pentru a-i convinge să facă o coaliție împreună cu el și să plece la război. Epopeea lui Mihai Viteazul începe într-un context european în care împăratul hotărăște să inițieze o cruciadă, cu bani și de la Papă, împotriva otomanilor.

Campaniile lui Mihai Viteazul nu reprezintă așadar un act nesăbuit, al lui și al boierilor lui, pentru a scăpa de asuprirea turcilor. Nu e mai puțin adevărat însă că această apăsare devenise din ce în ce mai grea. Împărăția turcă a ajuns la un maximum de extindere teritorială și începe să sărăcească. E un fenomen economic dovedit acum. De pildă, asprul turcesc își pierde din valoare, în termeni moderni, se devalorizează. Rezultatul este că sultanul cere un bir din ce în ce mai mare (haraciul), înzecit, însutit, în Țara Românească și-n Moldova. Consecința socială e că țăranii trebuie să plătească impozite (cum zicem astăzi) atât de ridicate, încât nu le mai rămâne nimic din recoltă. Au ajuns la sapă de lemn și, ca să poată trăi, mulți dintre țăranii liberi, moșneni și răzeși, preferă să fie șerbi ai unui boier pentru a nu mai plăti ei birul și pentru a avea pe cineva care să-i protejeze. Vedem deci în veacul al XVI-lea cum începe un fenomen foarte dureros, anume că dintre țăranii liberi tot mai mulți devin șerbi ai marilor boieri. Dar și marii boieri sărăcesc și vor să scape de turci, ei fiind răspunzători de strângerea birului. Războiul purtat de Mihai Viteazul nu poate fi desprins de contextul internațional și de marile greutăți economice care cereau eliberarea de sub jugul otoman.

Înainte de a începe lupta împotriva turcilor, Mihai, din îndemnul împăratului, trebuie să încheie un tratat cu principele Transilvaniei. Tratatul din 1595 ni se poate părea astăzi umilitor, în sensul că principele Transilvaniei, acest

Sigismund Báthori, un tânăr megaloman, nepot al regelui
Ştefan Báthori, care-şi zicea şi el crai, adică rege, a vrut să
fie principe peste cele trei voievodate româneşti; şi, prin ur-
mare, atât munteanul cât şi moldoveanul, când şi-au trimis
boierii să iscălească tratatul cu Sigismund Báthori, au sem-
nat de fapt un tratat de vasalitate, e clar. Principele Sigismund
Báthori devine principe şi în Transilvania, şi în Moldova,
şi în Ţara Românească, voievozii acestor două ţinuturi fiind
vasalii lui. S-a zis: cum se poate ca boierii noştri trimişi de
Mihai Viteazul să fi semnat aşa ceva? L-au trădat pe Vodă!
Sau n-au ştiut ce iscăleau! Nicidecum. Au semnat pentru că
aveau şi ei interesul s-o facă. Erau doisprezece mari boieri,
mitropolitul şi doi episcopi. Interesul mitropolitului şi al epis-
copilor era legat de faptul că principele Transilvaniei a dat
mitropolitului Munteniei jurisdicţie şi asupra ortodocşilor
din Transilvania. Boierii, la rândul lor, au cerut în acest tra-
tat ca voievodul lor să nu-i mai „taie" (decapiteze) fără în-
voirea principelui Transilvaniei — exact ceea ce doriseră
maiores terrae, mai-marii ţării, din 1247, înainte de descă-
lecat, când cereau regelui Ungariei să nu poată fi „tăiaţi"
de vasalul regelui fără a avea dreptul de a merge în apel la
Curtea regelui. Tratatul mai prevedea că puterea, zicem azi
„puterea executivă", trebuia exercitată de voievod împreună
cu cei doisprezece mari dregători din Sfat.

Clerul şi boierii au avut deci interes în iscălirea acestui
tratat, iar Mihai Viteazul nu a avut altceva de făcut decât
să accepte, fiindcă avea nevoie şi de ajutorul financiar al
lui Báthori şi de ajutorul lui militar. Abia semnat acest tratat,
a şi început războiul, turcii trecând Dunărea, având în frun-
tea lor pe cel mai vestit căpitan al lor, Sinan paşa. Atunci are
loc faimoasa bătălie de la Călugăreni, din 13/23 august 1595*,

---

* Din 1582, la îndemnul Papei Grigore al XIII-lea, în Apus, calenda-
rul iulian (de la Iuliu Cezar), care cu vremea adusese o întârziere de 10

la jumătatea drumului între Giurgiu și București. Românii, deocamdată, s-au găsit singuri. A fost o victorie, dar, ca și la Rovine, o victorie care nu alunga dușmanul din țară. Armata turcă nu era complet distrusă și nu s-a retras peste Dunăre, astfel încât Mihai Viteazul e hotărât să se tragă către munte și să aștepte ajutorul lui Sigismund. Sigismund Báthori vine cu ajutor, și de-acum amândoi pornesc la luptă, cu forțe oarecum egale, și reușesc să-l alunge pe turc peste Dunăre. Bineînțeles că Sigismund, în Occident, și-a atribuit tot meritul acestei victorii. S-a întors la el în Transilvania, acceptând însă, la cererea lui Mihai, ameliorări în tratatul cu Țara Românească, renunțând de pildă la controlul vistieriei țării.

În anul următor însă, turcii reiau ofensiva, de astă dată direct către centrul Ungariei, obținând în toamna 1596 o victorie asupra armatelor imperiale, ceea ce-i silește pe austrieci să facă momentan pace cu turcii. Același lucru reușește să-l facă și Mihai, care e recunoscut din nou de sultan ca domn al Țării Românești, în schimbul plății haraciului. Dar în același timp semnează un tratat cu împăratul (1598), de astă dată direct, nu prin intermediul lui Sigismund Báthori. Megaloman, caracter instabil, Sigismund Báthori abdică din cauza conflictelor cu marea nobilime din Transilvania. În locul lui Sigismund vine un văr de-ai lui, cardinalul Andrei Báthori, care nu mai urmează aceeași politică, nu mai vrea să facă alianță cu împăratul Rudolf, Țara Românească și Moldova. El este prieten cu polonezii, iar polonezii doresc în momentul acela pace cu turcii, pentru a purta război în altă parte, împotriva germanilor sau a rușilor. Așadar,

---

zile față de timpul astronomic, a fost înlocuit cu calendarul gregorian. S-au adăugat atunci 10 zile față de calendarul iulian, apoi după 1700, 11 zile, după 1800, 12 zile, după 1900, 13 zile. Bisericile din răsărit, în general, n-au urmat reforma, unele nici azi (la ruși sau la sârbi, de pildă). Noi am adoptat calendarul gregorian în 1924. (Cel care scrie aceste rânduri e destul de vârstnic ca să fi trăit evenimentul când era copil!)

polonezii fac pace cu turcii și-l alungă din Moldova pe aliatul
lui Mihai, Ștefan Răzvan (alt bastard, fiul unei țigănci răs-
punzătoare, probabil, de introducerea la noi a acestei porecle
iraniene, Rezvan, echivalentul Arhanghelului Gabriel!), și-l
impun în Moldova pe Ieremia Movilă, care este un fel de
client al regelui Poloniei. De aceea, Mihai trece munții (oc-
tombrie 1599) și îl învinge pe Andrei Báthori la Șelimbăr,
lângă Sibiu. E de remarcat că aceia care i-au tăiat capul lui
Andrei Báthori au fost secui. Deschid iar o paranteză. E, re-
pet, o greșeală să privim trecutul din perspectiva prezentului.
Dacă acum conflictele au, în mare parte, cauze etnice, pe
atunci conflictele aveau mai curând cauze sociale (șerbii îm-
potriva boierilor sau a nobililor etc.) sau religioase. Or, după
cum am spus, de când a apărut mișcarea protestantă, toată
Europa catolică e un vast câmp de luptă între catolici și pro-
testanți. În cazul de față, secuii au trecut în mare măsură la
calvinism, iar noul lor principe e catolic, în plus și înalt pre-
lat, cardinal. Dar mai cu seamă — mai cu seamă! — motivul
de îndârjire a secuilor împotriva lui Ștefan Báthori e că, abia
suit în scaun, restabilește grele impozite pe care predecesorul
său le suprimase. Iată de ce acești țărani secui sunt de partea
lui Mihai și contra lui Báthori.

Uciderea acestuia, în orice caz, nu fusese ordonată de
Mihai. Cronica spune că, văzând capul însângerat al lui Bá-
thori pe care secuii îl aduceau triumfători, Mihai ar fi ex-
clamat: „Sărmanul popă!"

Mihai stăpân pe Transilvania și Moldova

Când Mihai Viteazul cucerește Transilvania, bineînțeles
că îi favorizează pe ortodocșii români, în special preoțimea,
dar nu a avut vreme să ducă prea departe această favoare.
Pentru a putea guverna provincia, avea nevoie de sprijinul

au pătruns și acolo și l-au pus în scaun pe Simion Movilă. Mihai face atunci un demers disperat: se duce la Praga la împărat, ca să-l convingă că e cel mai capabil de a fi aliatul lui.

De atunci avem imaginea lui Mihai Viteazul — s-a aflat la palatul lui Rudolf II un pictor renumit care a vrut să reprezinte o alegorie în care regele Cresus din legenda greacă își împarte averile, dar acest „Cresus" este împăratul Rudolf II, iar lângă el vedem, în zale, un personaj despre care știm că este Mihai Viteazul, alături de fiica lui, Florica, o frumusețe de fată pe care-o adusese cu el la Praga. Împăratul îi promite că-l va ajuta din nou și ordonă generalului armatei sale imperiale, un albanez, Gheorghe Basta, să facă alianță cu Mihai Viteazul și să recucerească Transilvania de la unguri care-l rechemaseră pe Sigismund Báthori. Se dă o nouă bătălie, la Gorăslău (3 august 1601), unde Basta și Mihai Viteazul sunt învingători, dar Basta hotărăște să-l ucidă pe Mihai Viteazul, sub cuvânt că Mihai Viteazul nu acceptă viitorul său plan de bătălie.

Basta voia probabil pentru el voievodatul Transilvaniei. În orice caz, prin înșelăciune, câteva zile mai târziu (19 august 1601), îl cheamă pe Mihai Viteazul în cortul lui, iar dincolo de cort se găsesc ascunși mercenari valoni. Aceștia-l ucid pe Mihai Viteazul, care se apără cu sabia (era stângaci), dar cade străpuns de mai multe sulițe. Să fi fost și împăratul înțeles să-l suprime pe Mihai, considerându-l prea ambițios și temându-se că risca să zădărnicească planul habsburgic de a anexa Transilvania? Nu e clar.

Capul lui Mihai Viteazul este adus în țară pe ascuns de unul din boierii lui care se pare că îi era frate vitreg: Radu Florescu. Frații Buzești, desăvârșiți viteji între boierii mari ai Țării Românești, alungaseră între timp din scaun pe Simion Movilă. Iată sfârșitul tragic al lui Mihai Viteazul.

Dar nu s-a isprăvit încă lupta împotriva otomanilor. Succesorul lui Mihai Viteazul, Radu Șerban (1602–1610), care și-a zis Radu Șerban Basarab pentru că se trăgea dintr-o soră a lui Neagoe Basarab, se luptă și el alături de imperiali împotriva turcilor, cu succes, timp de câțiva ani. Atunci a avut loc acel episod vrednic de legendă, când marele-stolnic Stroe Buzescu, trimis cu un corp de oaste să oprească o năvală a tătarilor, îl provoacă pe hanul tătar la luptă și, după un duel între cei doi ca-n povești, îl răpune pe tătar, iar năvălitorii o iau la fugă. Dar și Buzescu e grav rănit. Dus la Brașov (vă închipuiți în ce condiții la vremea aceea!, pe cărări în munți și în păduri — calea obișnuită era valea Neajlovului), moare acolo, căci doctorii erau pe-atunci neputincioși în fața rănilor infectate.

Iată un lucru la prima vedere surprinzător: multă vreme, Radu Șerban a rămas mai prezent decât Mihai Viteazul în memoria populară. Iarăși, trebuie să ne situăm în contextul istoric. Mihai Viteazul nu a fost popular. În 1595, dăduse o lege, care s-a numit „legătura lui Mihai Viteazul", după care țăranii nu mai puteau să fugă de pe o moșie pe alta, ci trebuiau să rămână acolo unde erau, cu alte cuvinte i-a legat de pământ pe țărani; mai precis, măsura îi privea în primul rând pe stăpânii ai căror șerbi fugiseră de pe moșia lor, interzicându-le de a mai încerca să-i găsească la alt stăpân și să-i recupereze. Măsura avea un scop exclusiv economic și fiscal. Mai trebuie adăugat că Mihai a favorizat extinderea marilor moșii boierești în dauna țărănimii libere, el însuși — atât în timpul când a ocupat înalte dregătorii, cât și ca domn — cumpărând zeci de sate. De aceea n-a fost iubit Mihai. Aici este și o explicație pentru care în veacurile al XVII-lea și al XVIII-lea foarte puțin se vorbește despre Mihai Viteazul la noi. A trebuit să vină Nicolae Bălcescu în veacul al XIX-lea pentru a redescoperi figura voievodului.

IV

Ev Mediu prelungit în țările române

Privire asupra Transilvaniei în secolul al XVII-lea

După episodul Mihai Viteazul, luptele, cum am văzut, continuă, dar nu numai între turci și imperiali, ci și între diversele partide maghiare, unele fiind sprijinite de austrieci, altele căutând ajutor la Poartă. Cu toate acestea, în perioada când turcii sunt mai puțin prezenți în Europa, câțiva principi transilvani reușesc să se mențină mai multă vreme la putere, ba unii chiar să se amestece în politica Europei centrale și occidentale. Dintre familiile de magnați unguri care au dat atunci principi Transilvaniei, merită reținute cel puțin trei nume : Báthori (pe care l-am întâlnit deja), Bethlen și Rákóczi. În Războiul de treizeci de ani (care începe în 1618 în Cehia ca un război între catolici, susținuți de împărat, și principii protestanți, și se termină abia în 1648 după intervenția Franței catolice de partea protestanților — pentru a pune frâu puterii Habsburgilor în Germania), Gabriel Bethlen, care domnește șaisprezece ani, va juca un rol important, astfel încât Transilvania a apărut atunci occidentalilor ca o țară de oarecare însemnătate politică. Între timp însă, românii, chiar când participă ca ostași, rămân în umbră, având doar dreptul să-și păstreze credința ortodoxă, dar nu să și participe la viața politică, în afară de puțini dintre ei, integrați nobilimii maghiare.

Din familia Rákóczi, Gheorghe I și Gheorghe II domnesc succesiv între 1630 și 1660, iar ambii întrețin raporturi strânse cu voievozii din Țara Românească și Moldova ; sub Gheorghe Rákóczi II, în 1659, are loc chiar o scurtă și ultimă încercare de răzvrătire împotriva turcilor, la care participă

și Mihnea III în Țara Românească și Constantin Șerban în
Moldova. Turcii restabilesc grabnic situația schimbând dom-
nii în toate cele trei țări române.

Asediul Vienei în 1683 și urmările sale.
Pacea de la Karlowitz (1699)

La sfârșitul secolului, are însă loc un eveniment cu ur-
mări cu totul neprevăzute: într-un ultim elan de agresivitate,
turcii, în 1683, sub impulsul unui mare-vizir din dinastia al-
baneză Köprülü, pornesc o mare ofensivă împotriva Habsbur-
gilor și împresoară Viena. (Armatei turcești au trebuit să i
se alăture, în silă, și domnii Țării Românești și Moldovei,
Șerban Cantacuzino și Gheorghe Duca.) După ce a interve-
nit însă în luptă regele Poloniei Jan Sobieski, turcii au fost
înfrânți, s-au retras de la Viena, și încetul cu încetul austri-
ecii, aliați cu polonii și venețienii, mai târziu și rușii, pornesc
o lungă contraofensivă — războiul ține șaisprezece ani! —
cu continue succese de partea imperialilor, iar în cele din
urmă în 1699 se încheie pacea la Karlowitz (pe sârbește
Sremski Karlovci).

Principalul negociator al acestei păci a fost Alexandru
Mavrocordat, mare-dragoman al Porții, ajuns un fel de vice-
ministru de externe. Prin legăturile lui cu ambasadorii străini
de la Constantinopol, devenise un personaj de anvergură
europeană, îndrăznea să poarte corespondență cu împăratul
(care de altfel l-a făcut „conte al Sfântului Imperiu", titlu
foarte râvnit în toată Europa). Mavrocordat reușește să-i con-
vingă pe imperiali că turcii vor pace, pe turci că imperialii
vor pace, și în cele din urmă se semnează tratatul de la Kar-
lowitz, dezastruos pentru turci: Veneția păstrează Moreea
(Peloponezul) și o parte din coasta dalmată; Polonia, Pocuția
și o parte din Ucraina; Rusia, Azovul; iar austriecii capătă

toată Ungaria, Slovenia, o parte din Croaţia şi din Serbia, şi toată Transilvania — după lungi tratative directe cu „stările" din principat.

Şi, fiindcă de mai mulţi ani în centrul atenţiei se află gravele evenimente din fosta Iugoslavie (în urmă, drama din provincia Kosovo şi intervenţia Europei occidentale şi a Americii prin NATO), vreau să semnalez un fapt de excepţională dimensiune petrecut în cursul acelui război, acum trei sute de ani: la un moment, armatele austriece, care înaintaseră prea departe în Balcani, au fost silite de o contraofensivă turcă să dea îndărăt cu câteva zeci de kilometri. Atunci — suntem în 1690 — sârbii, care se încumetaseră să ajute armatele imperiale, s-au temut de răzbunarea turcilor şi, în frunte cu patriarhul lor, Arsenie, au părăsit cu sutele de mii căminele lor de veacuri pentru a se pune la adăpostul graniţei austriece. Această uriaşă deplasare a rămas cunoscută la sârbi cu numele de „Marea migraţie". Aprecierile numerice variază între 200 000 şi 500 000 de oameni. Singura cifră mai precisă dă 37 000 de familii. Or, o zadruga sârbească în acele vremi n-avea, ca o familie modernă, cu bunici şi copii cu tot, vreo cinci-şase membri, ci mai curând zece-cincisprezece, ceea ce mă face să înclin mai curând către cifra de cinci sute de mii (care corespunde probabil cu populaţia Munteniei întregi pe vremea aceea). Atunci s-au golit mai tot Kosovo şi cea mai mare parte a Serbiei medievale. Austriecii au colonizat pe aceşti refugiaţi, parte în Banat, parte în Voivodina, parte în Croaţia, în regiunea care s-a numit mai târziu Krajna. Aici se află originea multora din conflictele de azi.

„Unirea" cu Roma

De prin anii 1690, se petrece şi în Transilvania o schimbare de importanţă majoră: începând de-acum, „stăpânul"

secui, inspirând poeme și un marș rămas celebru (reluat de compozitorul francez Berlioz în lucrarea *Damnațiunea lui Faust*). În 1711, majoritatea nobilimii maghiare s-a împăcat cu Habsburgii, Rákóczi însă s-a exilat, urmat de un grup de partizani fideli, și a murit în exil.

Au fost și români printre partizanii lui Rákóczi, în special dintre cei ostili Unirii cu Roma. Mai găsim și azi familii ardelene purtând patronimul Curuțiu. *Curuți* (< magh. *kuruc*) era numele luptătorilor din partida lui Rákóczi.

Când românii au văzut că nu erau respectate făgăduielile făcute în momentul Unirii, o parte din preoțime, în cele din urmă peste jumătate din biserică — îndemnați și de frații din Țara Românească și Moldova și de insistente misiuni ale Bisericii ruse — au revenit la ortodoxie, cu toate măsurile de o cumplită brutalitate pe care le luau autoritățile pentru a opri acest proces. (Faptul că atunci armata austriacă a dărâmat biserici și a tras cu tunul în sate nu justifică măsurile de prigoană pe care le-au luat comuniștii *români*, două veacuri mai târziu, pentru a-i sili pe uniți să se lepede de credința lor, revenind la ortodoxie. Cu aplicarea la nesfârșit a legii antice „ochi pentru ochi, dinte pentru dinte", nu se va înainta niciodată către civilizație.)

Existau de-atunci în Transilvania două Biserici, aproape egale: Biserica unită (sau uniată, sau greco-catolică) și Biserica ortodoxă. Cea din urmă nu mai avea însă mitropolit (depindea de un mitropolit sârb), iar uniații se găseau într-o situație mai favorabilă decât ortodocșii. Pentru a fi cu desăvârșire imparțiali, trebuie să recunoaștem că, cu toate că s-au exercitat presiuni revoltătoare asupra Bisericii ortodoxe ca să treacă la „uniatism", rezultatele, pentru românime, ale Unirii cu Roma au fost benefice. Câteva zeci de ani mai târziu, un episcop unit, Inochentie Micu-Klein, care se luptase pentru a obține într-adevăr drepturile promise, și în cele din urmă fusese exilat la Roma, a primit totuși, ca o compensație, dreptul de a trimite tineri preoți să studieze la Roma și la Viena. Iar acești tineri, pe la mijlocul veacului al XVIII-lea, se întorc entuziasmați de descoperirea făcută. Mai întâi, mândria de a fi de origine romană. Tinerii uniați vor aduce, primii, elemente de occidentalizare în țările române. Cei dintâi învățați români care scriu istorie, care fac gramatici, literatură și știință în limba română sunt dar foștii elevi uniați de la Roma și din alte mari centre din Apus. Citez numai câteva nume, pe care le cunoașteți din cărți (în care nu se precizează însă niciodată că erau greco-catolici!): Petru Maior, Gheorghe Șincai, Samuil Micu-Klein; ei răspândesc ideea de romanitate, de origine nobilă a neamului, ceea ce va constitui „ideea-forță" care va trezi pasiunea națională la noi.

Putem găsi astăzi un cusur pasiunii lor de atunci: dorința de a afirma originea latină a limbii noastre i-a împins multă vreme către excese de „latinizare" a limbii, și în ortografie, și în vocabular, care, îndepărtându-se, până la caricatură, de graiul popular, risca să sape o prăpastie între masa populară și cei școliți și să producă o limbă artificială, inaptă creației literare autentice. Din fericire, cu vremea, a învins bunul-simț, iar excesele „școlii latiniste" s-au șters.

Marea răscoală din 1784

Între timp, situația țăranilor români, indiferent că erau ortodocși sau uniți, continua să fie jalnică și se va ajunge în 1784 la o mare răscoală țărănească împotriva clasei maghiare dominatoare, răscoală condusă de trei țărani mai cu vază, porecliți Horia, Cloșca și Crișan. Horia, cel mai îndrăzneț, s-a dus de mai multe ori la împărat (Iosif II, fiul Mariei Tereza, care trecea drept un suveran luminat — se crease tocmai expresia „despot luminat") și a crezut în asigurările primite privind soarta iobagilor. Când Horia a văzut

că aceste făgăduieli nu erau respectate, a ridicat steagul re-
voltei și a început o răscoală pe scară mare a țărănimii, cu
atacuri împotriva conacelor grofilor unguri. Mișcarea a fost
înăbușită în sânge de armata austriacă. Dintre cei trei con-
ducători ai răscoalei, Crișan s-a sinucis în temnița lui, iar
ceilalți doi au fost trași pe roată, pedeapsă groaznică, în care
osânditului i se frâng picioarele și toate oasele cu rângi de
fier — în prezența a mii de țărani, ca să vadă cum sunt pe-
depsiți cei ce îndrăznesc să se ridice împotriva ordinii stabi-
lite. (Guvernator al Transilvaniei, însărcinat cu restabilirea
ordinii, era atunci baronul Brukenthal, ale cărui prețioase
colecții de artă pot fi și azi admirate în frumosul său palat
de la Sibiu.)

Ne aflăm în ajunul Revoluției Franceze, există de-acum
în toată Europa o mișcare liberală și o presă independentă,
astfel încât „revolta valahilor" din imperiu a avut, pentru
prima oară, un larg ecou în Europa apuseană.

Așadar, la sfârșitul veacului al XVIII-lea, țărănimea ro-
mână continuă să fie asuprită, dar există acum o intelectua-
litate, și la uniați, și la ortodocși (care se trezesc stimulați
de activitatea Bisericii unite), iar acești învățați români încep
să trimită la Viena proteste și cereri de libertate mai mare
și de egalitate pentru români. Intelectualii români trimit îm-
păratului, în 1791, o petiție, rămasă cunoscută sub numele
Supplex Libellus Valachorum, adică expunerea revendică-
rilor românilor din Ardeal, revendicări foarte clar exprimate,
cu argumente istorice, juridice, demografice și care relevă
influența probabilă a ideilor Revoluției Franceze. Acest
Supplex a rămas fără răspuns favorabil, iar situația români-
lor nu s-a îmbunătățit decât foarte încet. De pildă, preoții
greco-catolici au căpătat treptat drepturi egale cu cele ale
preoților protestanți sau catolici. Apoi s-au deschis din ce
în ce mai multe școli, au plecat din ce în ce mai mulți studenți

în Occident. Nu putem spune că, cu vremea, nu a existat
un progres.

Trebuie să ne întoarcem acum — cu aproape două veacuri
în urmă — în Țara Românească și Moldova, care, sub un
control mult mai apăsător din partea Porții Otomane, cunosc
o evoluție foarte diferită.

Veacul al XVII-lea
în Țara Românească și Moldova

În veacul al XVII-lea, în Țara Românească și Moldova
nu mai avem figuri strălucite de conducători de oști. După
Radu Șerban, un singur domn, Radu Mihnea III, în 1658,
va îndrăzni pentru câteva luni să se alieze cu Gheorghe Ră-
kóczi, voievodul Transilvaniei, și să poarte război cu turcii,
însă fără rezultat. De-acum voievozii noștri au înțeles că tre-
buie să plece capul, nu mai au aproape deloc armată pămân-
teană, ci doar lefegii. Apar însă, în ambele țări, câteva figuri
care au jucat un rol important în cultură: Matei Basarab,
Șerban Cantacuzino și Constantin Brâncoveanu în Țara
Românească și Vasile Lupu în Moldova.

Matei își zice Basarab, fiindcă este înrudit cu Craioveștii
pe linie maternă. Era de fapt un Brâncovean; înainte de a fi
domn, i se spunea Aga Matei din Brâncoveni. Este un bun
ostaș, domnește timp de douăzeci și unu de ani, iar domnia
lui a fost liniștită, a clădit multe biserici, a refăcut alte bise-
rici vechi. Spre nenorocirea țării însă, nu i-a dat pace vecinul
lui din Moldova, Vasile Lupu, care era de origine albaneză;
tatăl lui fusese boierit în Moldova. Și-a zis Lupu și s-a pre-
numit Vasile, fiindcă „Vasilevs" înseamnă rege în greaca
bizantină. Era deci ambiția lui nebunească să reînvie impe-
riul bizantin. Avea o Curte bogată, foarte pretențioasă, oare-
cum de parvenit, însă domnia lui a dat strălucire Moldovei;

străinii erau uimiți văzând ce Curte cu lux occidental, cu podoabe, ce tacâmuri de argint avea voievodul Moldovei. Din păcate, ambiția l-a făcut să-și dorească fiul domn în Țara Românească, pentru ca el să domnească de fapt peste ambele principate, și de aceea cele două principate, deja sleite de puteri, în loc să fie aliate, se bat. Vasile Lupu invadează Țara Românească de mai multe ori. În bătălia de la Finta (1653), ultima dintre cei doi voievozi, învinge Matei Basarab, acum în vârstă de șaptezeci de ani. În ambele armate luptă mulți lefegii și aliați străini: polonezi de partea muntenilor, cazaci de partea lui Vasile Lupu, care-și măritase o fiică cu fiul hatmanului cazacilor, Bogdan Hmelnițki.

Mercenarii lui Matei Basarab — în majoritate sârbi — se vor revolta în ultimul an al domniei sale, din pricina lefurilor, ucigând mai mulți înalți dregători (între care Ghinea vistierul și marele-spătar Preda Brâncoveanu, bunicul viitorului domn Constantin Brâncoveanu) și provocând mari tulburări în toată țara, dovadă că și în popor mocneau profunde nemulțumiri împotriva regimului boieresc. Răzmerița nu va putea fi domolită decât după luni de zile, cu ajutor de la Gheorghe Rákóczi al Transilvaniei.

Dacă cei doi domni nu mai sunt în măsură să joace un rol politic și militar în afară, în schimb au o remarcabilă activitate pe plan cultural — și vor fi urmați în aceeași direcție de câțiva dintre succesorii lor, astfel încât veacul al XVII-lea ne apare, retrospectiv, ca un secol de mari prefaceri culturale și de frumoase realizări artistice.

Avânt cultural în veacurile al XVI-lea și al XVII-lea

E momentul să facem o pauză în înșirarea evenimentelor, pentru a evoca pe scurt unele aspecte ale vieții culturale.

E clar că la noi există de la începuturi două culturi, cu anumite interpenetrări, însă deosebite: o artă populară cu rădăcini străvechi și, în paralel, o cultură mai recentă, de origine bizantină, transmisă — nu întotdeauna, dar de cele mai multe ori — prin intermedieri slave, bulgărești sau sârbești.

În tezaurul popular (costum, țesături, scoarțe, habitat, cântece, legende, poezii), specialiștilor le e foarte greu să stabilească originile, influențele, inovațiile locale... Ce ne vine din moștenirea autohtonă, preromană (s-a observat, de pildă, la croiala iilor că este aceeași cu cea pe care ne-o arată Columna Traiană la femeile dace!), ce vine de la aportul mediteranean al coloniștilor romani (e surprinzător cazul acelui descântec românesc *identic* cuvânt cu cuvânt cu un descântec citat de un autor galo-roman tardiv), ce ne-au adus slavii și ce le-am dat noi lor — căci în muzică și port popular, de pildă, ce a dat și ce a primit fiecare e adesea foarte greu de deosebit.

Alături de acest „stoc" local, ne vin deodată (aparent nu înainte de secolul al XIII-lea) modele bizantino-slave în arhitectură, pictură religioasă, literatură, care, în manifestările culte, ne fac să aparținem civilizației bizantine în formele ei tardive. Noi le vom imprima curând diferențieri caracteristice, fie prin creație pură, fie prin influență apuseană gotică, fie prin trecătoare influențe turco-arabe (mânăstirea Curtea de Argeș) sau armene (biserica Trei Ierarhi din Iași). În Țara Românească, fidelitatea față de modelul clasic bizantin e mai evidentă, model apărut deja pe vremea împăratului Iustinian cu monumentala biserică Sfânta Sofia, prefăcută în moschee, azi muzeu — stil aflat în ruptură totală cu arta greacă antică, al cărui tip nemuritor a rămas Parthenonul de la Atena. Noua artă creștină își avea rădăcinile în Syria și în Iran.

În schimb, în Moldova apare influența gotică, admirabil îmbinată cu modelul bizantin sud-dunărean. Și mai marcată e pecetea gotică la bisericuțele de lemn din Maramureș, care-și înalță îndrăznețele turle de șindrilă spre cer.

În literatură, poezia și legendele autohtone rămân doar orale până la sfârșitul veacului al XVI-lea, literatura scrisă fiind exclusiv slavonă, fenomen care, în interpretarea mea, are și implicații sociale. Dar iată că apare ceva nou o dată cu tiparul și cu primele traduceri religioase în limba română. Tiparul fusese prima oară introdus în Țara Românească de un ilustru refugiat muntenegrean. Dar adevăratul inițiator al tipăriturilor românești va fi diaconul Coresi. Cei precum Coresi și alți editori după el sunt conștienți, și o spun, că scriu pentru toată suflarea românească, pentru toți cei ce vorbesc românește, din Banat și până la Nistru. E una dintre primele dovezi că muntenii, ardelenii și moldovenii, deoarece vorbesc aceeași limbă, se simt un singur neam, care „de la Râm" se trage.

Notați acest aspect, fiindcă nu e subliniat îndeajuns: suntem singura țară mare din Europa a cărei *unitate e exclusiv întemeiată* pe limbă (de altfel, pe vremuri chiar cuvântul limbă era sinonim cu neam sau popor). Mai toate celelalte state europene s-au constituit pe baza unei istorii comune, de cele mai multe ori cu populații de limbi sau dialecte diferite (ca Franța, Spania, Italia, Elveția, Anglia etc.).

Încetul cu încetul vor apărea scrieri în limba română, religioase mai întâi, istorice mai apoi, opera cronicărească, prin Grigore Ureche, Miron și Nicolae Costin, Ion Neculce, fiind mai bogată și mai de calitate în Moldova decât în Țara Românească. În Țara Românească a rămas de cele mai multe ori anonimă, cunoscută numai prin titlul lucrării (*Letopisețul cantacuzinesc, Istoria Țării Românești* etc.) — se rețin abia câteva nume, la început Goran din Olănești, spre sfârșit un Radu Popescu, frații Greceanu, care sunt și traducători, la îndemnul lui Șerban Cantacuzino, ai Evangheliilor.

Renașterea, mișcare spirituală și artistică apărută în mai multe țări apusene, dar mai întâi concomitent în Italia (mai precis în Toscana) și în Țările de Jos în veacurile al XIV-lea–al XV-lea, apare tardiv și la noi. Imboldul inițial venise de la redescoperirea, entuziastă, a culturii grecești și romane, redescoperire la care au participat în veacul al XV-lea și numeroșii învățați greci fugiți către Apus după căderea Constantinopolului.

La noi, influența renascentistă a pătruns prin Ungaria lui Matei Corvin, prin Polonia, adusă de Movilești și de tinerii boieri care apucau să studieze la universitățile poloneze. O oarecare influență italiană ne parvine și prin grecii din insule, de veacuri în legătură cu Italia, sau chiar prin cei de la Constantinopol, de unde o anumită elită îndrăznește să-și trimită odraslele la învățătură la Universitatea de la Padova, posesiune venețiană, reputată pentru liberalismul învățământului, care atrăgea și protestanți, și ortodocși (acolo studiase Alexandru Mavrocordat, viitorul mare-dragoman). Acolo se va afla, pentru scurtă vreme, și viitorul mare-stolnic Constantin Cantacuzino, fratele lui Șerban Vodă Cantacuzino.

Un periplu care îl duce și mai departe, atât în Occident cât și în Orient, va face Nicolae Spătarul (căruia îi zicem Milescu după numele luat de fratele lui și urmașii acestuia, iar „Spătarul" și-a zis fiindcă fusese scurt timp mare-spătar în Țara Românească). Bănuit de ambiții domnești, fusese însemnat la nas (i s-a zis „Cârnul"), căci tradiția voia ca un om cu gravă cicatrice să nu poată accede la domnie. Nicolae Spătarul se va retrage în Rusia, unde poliglotul nostru va face o carieră neașteptată la școala slavo-greco-latină înființată de Petru Movilă, și va inspira atâta încredere țarului Mihail, încât îl va trimite în ambasadă în China, cu un întreg alai. Ani de zile va ține această expediție. Spătarul se va întoarce fără a-l fi putut vedea pe împăratul Chinei, fiindcă n-a acceptat, nici în ruptul capului, ceremonia pe care voia

să i-o impună protocolul imperial chinez: ar fi trebuit —
el, reprezentantul unui suveran ce se considera egal cu împă-
ratul Chinei — să se ploconească cu capul până la pământ
în fața acestuia. S-a întors însă cu o relatare despre drumul
parcurs prin Siberia și Mongolia și despre moravurile chi-
nezești, care mai e și astăzi unul dintre cele mai prețioase
documente asupra Chinei acelor vremuri. În istoriografia rusă,
e cunoscut doar cu numele de „Nikolai Spatar" — nicăieri
nu e menționat că era român. Onestitatea intelectuală ne si-
lește să spunem că și el, ca și Constantin Cantacuzino, era,
cel puțin dinspre tată, de origine greacă.

Efectele Renașterii în Țara Românească și Moldova au
rămas puțin vizibile: câteva elemente de ornamentație arhi-
tecturală, mai nimic în pictura bisericească (pictură de șevalet,
pictură „civilă" nici nu se practica), probabil o mai profun-
dă influență în orchestrarea muzicală (la noi, ca și la ruși).
Influență în literatură nu prea se putea de atunci exercita,
atâta vreme cât scrierile în românește se limitau încă la scri-
eri bisericești sau traduceri de legende venite din Orient, ca
Alexandria sau *Varlaam și Iosafat*. Dar răspândirea scrisului
își croiește încetul cu încetul calea, provocând la domnii
Munteniei și Moldovei dorința de a crea centre de învăță-
mânt, de unde vor ieși, la sfârșitul secolului al XVII-lea la
București și la începutul secolului al XVIII-lea la Iași, ves-
titele școli domnești — despre care vom mai vorbi.

Influențele renascentiste, mai cu seamă în forma finală
a artei baroce, vor fi, bineînțeles, mult mai vizibile în Tran-
silvania, atât în arhitectura religioasă, cât și în arhitectura
civilă, și nu numai în mediile săsești și ungurești, ceea ce
era firesc datorită legăturilor cu Occidentul ale Bisericii ca-
tolice și a celei protestante, ci și — cu vremea — la români,
în special la noile biserici greco-catolice.

A mai intervenit și alt obstacol în pătrunderea ideilor și artelor apusene la sud și răsărit de arcul carpatic: o intervenție din ce în ce mai apăsătoare a Porții Otomane în viața cotidiană a românilor, pe măsură ce primejdia înaintării austriecilor era mai evidentă. Prezența unor occidentali la Curtea voievozilor noștri era prost văzută, iar plecarea coconilor (fiilor) domnului sau a tinerilor boieri la studii în străinătate, practic interzisă. Antonio del Chiaro, secretar italian al lui Constantin Brâncoveanu, va povesti că, îndată după sosirea la Curtea de la București a vreunui străin angajat, acesta primea în dar câțiva stânjeni de postav ca să-și croiască straie ca pământenii, să nu fie văzut umblând afară „îmbrăcat nemțește". Iar când, la inițiativa unui boier Colțea, care fusese ofițer în armata lui Carol XII al Suediei, s-a clădit un foișor de foc în centrul Bucureștilor (lângă actuala Piață a Universității și în fața spitalului care mai poartă numele de Colțea), turcii au cerut să fie șterse frescele exterioare, în care apăreau uniforme suedeze! În mod paradoxal, *portul și moravurile în țările române au fost mai strâns legate de Constantinopol, de la sfârșitul secolului al XVII-lea încolo*, decât în Evul Mediu.

Turcii ne impun domni străini

După cum am mai spus, chiar din veacul al XVI-lea suzeranul otoman începuse să numească domni în Principate, fără învoirea boierilor, adică fără a fi „aleși de țară". În veacul al XVII-lea practica devine curentă. Așa ajung la domnie câteva dinastii străine, dintre care una, de pildă, se va împământeni foarte repede: Ghiculeștii. În 1658, Gheorghe Ghica, albanez ajuns boier moldovean sub Vasile Lupu, și el de origine albaneză, e impus boierilor ca domn de marele-vizir Mehmed Köprülü — el însuși de origine albaneză, însă albanez musulman, pe când Ghica era creștin. Va domni, scurtă vreme, în Moldova și în Țara Românească, și îi va urma fiul său, Grigore I (Grigorașcu Vodă); vor fi mai mulți din această familie în veacul următor, în epoca zisă „fanariotă", despre care vom vorbi îndată, și încă trei în veacul al XIX-lea, când vor fi atât de bine împământeniți prin căsătoriile lor cu femei din vechea boierime și prin atitudinea lor patriotică, încât vor fi considerați ca „domni pământeni", în opoziție cu domnii fanarioți.

Au fost, de asemeni, doi domni Duca, în secolul al XVII-lea, greci de origine obscură, și doi Rosetti, în secolele al XVII-lea și al XVIII-lea, dintr-un neam ilustru la Constantinopol (la noi, li s-a zis un timp Ruset sau Rusăt: Antonie Vodă Ruset). Nu vă mai încarc memoria cu alte nume, dar rețineți că, în general, în veacul al XVII-lea Poarta își permite să numească domni în țările române fără a mai cere învoirea boierilor, astfel încât începutul perioadei fanariote n-a fost resimțit ca o schimbare de regim.

Înainte de a ajunge la epoca fanariotă, trebuie vorbit despre doi ultimi și iluștri domni pământeni în Țara Românească, Șerban Cantacuzino și Constantin Brâncoveanu, și despre unul în Moldova, Dimitrie Cantemir.

Șerban Vodă Cantacuzino

Îi spun „pământean" și lui Șerban Cantacuzino, fiindcă ilustrul său neam bizantin se asimilase atât de bine în țara noastră, încât se afla în fruntea partidei boierești care lupta pentru a restrânge influența familiilor grecești de curând „aciuate" în țara noastră (pe când capul partidei progrecești era marele boier Gheorghe Băleanu de autentică obârșie românească!). E drept că tatăl lui Șerban Vodă, marele-postelnic Constantin Cantacuzino (nepot de fiu al lui Șeitanoglu), se însurase cu o fată a lui Radu Șerban Basarab, așa încât fiii lui se simțeau oarecum moștenitori ai vechilor noștri domni.

Constantin postelnicul a fost o frumoasă figură de mare dregător înțelept, prețuit de domni, în special de Matei Basarab. Din nefericire, în 1663, Grigorașcu Vodă Ghica, venind în scaun, ascultă de unele zvonuri viclene cum că fiii postelnicului râvnesc domnia, și pune să fie sugrumat bătrânul sfetnic. De unde s-a iscat o cruntă dușmănie, de tip *vendetta*, între Cantacuzini și Ghiculești. Iar când ajunge la domnie Șerban Cantacuzino, în 1678, se răzbună cumplit pe boierii partizani ai lui Ghica. (Am și eu, din partea mamei, un strămoș, Vâlcu Grădișteanu, care a fost tras în țeapă la mânăstirea Snagov din porunca lui Șerban Cantacuzino — cu toate că era rudă cu el! Iată deci că un domn luminat, ctitor de biserici și mânăstiri, putea fi cumplit la mânie; *se mai trăgea în țeapă* la sfârșitul secolului al XVII-lea!... Dar e drept că în toată Europa supraviețuiesc încă moravuri cumplite: un rege strălucit ca Ludovic al XIV-lea al Franței folosește metode sălbatice, și în războaiele din Germania, și înlăuntru, contra protestanților.)

Despre Șerban Vodă se zice că nutrea speranța de a relua lupta împotriva turcilor, dar tocmai în timpul domniei lui (1678–1688) imperiul otoman are o ultimă zvâcnire de agresivitate și ajunge să asedieze Viena, în 1683, episod despre care am vorbit. Șerban Vodă, ca și domnul Moldovei și principele Apafi al Transilvaniei, fusese nevoit să însoțească armata turcă cu mica lui oștire; și s-a zis că trăgea cu tunul cu ghiulele umplute cu paie, ca să nu facă rău creștinilor asediați. Se mai află și azi lângă Viena o cruce de piatră ridicată de el pentru creștinii din armata turcă. Dar suntem încă departe de o luptă fățișă împotriva turcilor. În octombrie 1688, Șerban Vodă moare subit — s-au ivit fel de fel de zvonuri despre moartea lui.

Dintre frații lui, stolnicul Constantin Cantacuzino va fi un mare învățat, cu studii la Padova, iar spătarul Mihai Cantacuzino, după un hagialâc la mânăstirea Sfânta Ecaterina de la Muntele Sinai, va fi ctitorul mânăstirii de la Sinaia, a cărei construcție în munții împăduriți, la 1 000 de metri altitudine, într-o trecătoare prea puțin umblată pe atunci, a fost, am zice azi, o adevărată performanță. El a clădit de asemenea, la București, spitalul Colțea și biserica din fața acestuia, unde i s-a ridicat, în veacul al XIX-lea, o statuie.

Tot în vremea lui Șerban Cantacuzino are loc și începutul unei revoluții... agricole și alimentare: se introducea la noi cultura porumbului, plantă descoperită de spanioli cu peste un veac și jumătate în urmă, în Mexic. Românul constată că făina scoasă din bobul de porumb e aidoma mălaiului de mei din care-și făcea mămăliga încă din vremea romanilor (e atestat documentar), și poate chiar dinainte. Meiul a rămas de veacuri cereala de predilecție a românului, cred, și din motivul că e cea cu germinația cea mai rapidă: dacă-l semeni la 1 mai, îl poți secera la 15 iunie. Într-o țară bântuită de năvăliri sălbatice și de războaie, dacă ai norocul să fie pace în acele șase săptămâni, ai pus deoparte hrana de bază pe tot anul. Dacă năvălesc turcii sau tătarii, îngrămădești sacii și copiii în căruță și fugi la munte. Porumbul însă aducea deodată o serie de noi foloase: randamentul la pogon e mai mare, gustul mălaiului e mai bun, iar grăuntele se potrivește mai bine pentru hrana cailor și orătăniilor — dar, mai cu seamă, coceanul poate fi pus pe foc și, chiar uscat, poate hrăni boii toată iarna. De aceea, încet-încet, în tot veacul al XVIII-lea cultura porumbului se întinde în întreaga țară până devine, an de an, cultura principală atât în Ardeal, cât și dincoace de Carpați, căci obiceiurile alimentare sunt foarte statornice la un popor. În Țara Românească i se va zice porumb (din cauza asemănării știuletelui cu pasărea!), în Moldova păpușoi, iar în Ardeal, cu un nume slav, cucuruz.

Unii autori consideră că introducerea culturii porumbului ar fi una dintre cauzele creșterii populației în țările române în secolul al XVIII-lea, în ciuda vitregiei vremurilor.

Constantin Brâncoveanu, iscusit om politic, ctitor și martir

La moartea lui Șerban Cantacuzino, s-au adunat marii boieri ca să aleagă un nou domn — de data asta n-a intervenit Poarta —, iar boierii, considerând că fiul lui Șerban e încă un copil, îl aleg pe nepotul răposatului domn, pe Constantin Brâncoveanu, om matur și experimentat care deținuse mai multe dregătorii. El a vrut să-și spună mai întâi, după maică-sa, Cantacuzino-Brâncoveanu, dar tot neamul cantacuzinesc, prea mândru, s-a împotrivit cu indignare, zicând că a vrut să se facă armăsar când era doar catâr! Atunci a urcat cu o generație mai sus, a luat numele bunicii (Elina lui Radu Șerban Basarab) și și-a zis : Basarab-Brâncoveanu…

Nu voi insista asupra domniei lui Constantin Brâncoveanu, dar e de știut că a fost un domn înțelept, șiret totodată, ascunzându-și acțiunile față de turci, austrieci și ruși ; a căutat, de asemeni, să-și impună candidații în scaunul Moldovei, a fost deci un om ambițios și iscusit, și a domnit douăzeci și cinci de ani — e ultimul domn din țările noastre care reușește să rămână în scaun atâta timp. După el, va veni lungul șir de domni fanarioți, care, în general, nu vor fi lăsați în scaun, de turci, decât vreo doi-trei ani la rând.

În timpul domniei sale, a refăcut multe dintre clădirile și bisericile înălțate din vechime de neamul său, a construit multe noi monumente și chiar a „inventat" un stil (cunoscut azi sub numele de „stil brâncovenesc") în care intră, pe lângă vechea tradiție locală sau balcanică, și o anumită influență italiană, adusă bunăoară de unchiul său, stolnicul Constantin

Cantacuzino. Mânăstirea Horezu, în Oltenia, sau palatul Mogoșoaia de lângă București (frumos restaurat în secolul al XX-lea de prințesa Martha Bibescu, e azi singurul monument civil mai vechi și mai arătos din raza Bucureștilor) sunt reprezentative pentru stilul brâncovenesc.

A fost deci, din punct de vedere cultural, o domnie de cea mai mare importanță, continuând și încurajând dezvoltarea unor forme de expresie autohtone — deja sub unchiul său, Șerban Cantacuzino, se începuse traducerea Bibliei în românește și se înființase Școala Domnească.

Sfârșitul domniei lui Brâncoveanu, trebuie să recunoaștem, ne mai impresionează și azi. Turcii l-au bănuit că ar unelti împotriva lor, încercând să se alieze în secret cu austriecii sau cu rușii. Vom vedea mai jos ce se întâmplă în 1710–1711 în Moldova, când Dimitrie Cantemir trece fățiș de partea lui Petru cel Mare al Rusiei. Brâncoveanu, mai prudent, refuză să participe la această alianță, dar suspiciunea persistă după ce doi veri ai lui, Cantacuzini, trec la ruși (unde vor da naștere unei spițe de prinți ruși Cantacuzino). Turcii sunt încredințați că și Brâncoveanul e de partea apusenilor, în special a austriecilor, o dată ce împăratul i-a conferit titlul de „principe al Sfântului Imperiu". El, de fapt, o știm acum, a dus în mai multe rânduri tratative secrete și cu țarul Rusiei și cu împăratul, dar s-a ferit să facă pasul hotărâtor câtă vreme i s-a părut că turcul e încă prea tare. Ba chiar, în august 1690, a trecut Carpații către Ardeal, alături de principele transilvan proturc Thököly și i-a învins pe austrieci la Zărnești, pe când ginerele lui Șerban Vodă, Constantin Bălăceanu, murea ca general în armata austriacă!

Acum, în 1714, s-a zvonit chiar că unchii săi Cantacuzini, Mihai spătarul și Constantin stolnicul, îngrijorați că Brâncoveanul nu mai asculta de sfaturile lor înțelepte, l-ar fi pârât la Constantinopol. Atunci Poarta, în primăvara lui

1714, trimite la București un capugiu* ca să-l aducă la Con-
stantinopol pe Brâncoveanu cu toți ai lui. Iată în ce stare de
slăbiciune se află de-acum Țara Românească, la numai un
veac după faptele de vitejie ale lui Mihai Viteazul și ale lui
Radu Șerban Basarab : e de ajuns să sosească un capugiu
turc însoțit doar de câțiva ostași, să vină în palatul lui Brân-
coveanu, să-i pună pe umăr panglica neagră, semn că este
„mazilit", și să nu miște nimeni, toată familia lui Brânco-
veanu să fie urcată în rădvane și dusă la Constantinopol —
fără nici un semn de împotrivire din partea curtenilor, din
partea celor din jurul lor. Episodul e grăitor în privința gra-
dului de decădere militară și politică la care ajuseseră țările
noastre.

Brâncoveanu e dus la Constantinopol, închis în Cetatea
celor Șapte Turnuri (Iedikulé), supus la chinuri ca să spu-
nă unde-și ascunde averile — căci se știa că era foarte bo-
gat —, iar în ziua de 15 august 1714, ziua Adormirii Maicii
Domnului, marea sărbătoare creștină, în fața sultanului, a
tuturor vizirilor, pașalelor și ambasadorilor străini, este adus
Constantin Brâncoveanu, în cămașă lungă albă, cu cei patru
fii ai lui și cu sfetnicul său cel mai apropiat, Ianache Văcă-
rescu. Acolo e călăul, cu securea și cu un butuc. Cade mai
întâi capul lui Văcărescu, apoi vine rândul fiului mai mare
al lui Brâncoveanu, urmează cel de-al doilea, apoi al treilea.
Fiecăruia la rând i se spune că, dacă trece la islam, dacă „se
turcește", cum se zicea, scapă cu viața. Al patrulea, un copil
de doisprezece-treisprezece ani, răspunde că vrea să se
turcească pentru a scăpa de moarte. Tatăl îl dojenește atunci
aspru : „Mai bine să mori de o mie de ori decât să te lepezi
de credință." Cel mic retractează și spune că va muri și el

---

* Capugiul (portar al seraiului din Constantinopol), era însărcinat
deseori de sultan cu anumite misiuni în țările noastre, în special cu ma-
zilirea sau decapitarea Domnilor.

creștin, pune gâtul pe butuc, și cade și tânărul cap în nisip. După care l-au tăiat și pe al bătrânului domn. Moartea aceasta cutremurătoare a impresionat întreaga Europă — l-a impresionat și pe bardul popular care l-a cântat peste veacuri pe „Brâncoveanu Constantin / Boier vechi și Domn creștin..."

Dimitrie Cantemir, intelectual de talie europeană, dar politician nerealist

Pentru a înțelege instalarea, mai târziu, a regimului fanariot, trebuie să evocăm și un scurt moment din istoria Moldovei, scurt, dar de însemnătate majoră: domnia lui Dimitrie Cantemir în 1710–1711.

Dimitrie Cantemir era fiul unui voievod ales, Constantin Cantemir, care fusese un simplu ostaș, provenit din răzeșimea moldoveană din Tigheci, la granița Bugeacului tătăresc, foarte viteaz; el fusese mai întâi mercenar la polonezi, ajuns la cele mai înalte grade militare, apoi boierit în țară și în cele din urmă înălțat la domnie de către boierii moldoveni, la bătrânețe, în 1685, oarecum accidental, fiindcă nu se putuseră înțelege asupra vreunui candidat coborâtor din foștii domni sau ieșit din marea boierime. Domnește din 1685 până în 1693 și, cu toate că a fost atâta vreme în slujba Poloniei, îi ține piept regelui Jan Sobieski când acesta încearcă să cucerească Moldova (de atunci datează legenda „Sobieski și plăieșii").

Constantin Cantemir a avut doi fii, care au domnit apoi pe rând, Antioh și Dimitrie. Acesta din urmă era de o inteligență ieșită din comun. Cronicarul povestește cum bătrânului domn, *care nu știa carte*, îi plăcea să-l pună pe copil să-i citească din slovele vechi. Dar, după o străveche rânduială, domnul a trebuit să-l trimită pe tânărul Dimitrie ostatic la Constantinopol, ca garanție că voievodul nu se va răzvrăti împotriva turcilor; la fel fuseseră ostatici, chiar din veacul al XV-lea, Vlad Țepeș și fratele său, Radu cel Frumos. Dimitrie stă ostatic la Constantinopol douăzeci de ani. Învață toate limbile vorbite curent acolo la vremea aceea: araba, persana și turca, bineînțeles; limbile clasice (greaca, latina); greaca modernă; dintre limbile apusene: italiana, germana și ceva franțuzește — astfel că, adăugând româna și rusa, pe care o va învăța în exil în Rusia, avem ceea ce se numește un adevărat poliglot. Cunoaște cultura bizantină, firește; cunoaște perfect cultura islamică, trăind în mediul ei (e inventatorul unui mod de transcriere a muzicii turcești! se mai știe și azi în Turcia că notele muzicale turcești sunt o invenție a lui „Cantemiroglu", adică a fiului lui Cantemir Vodă tatăl); latina și greaca antică le cunoaște temeinic din cărți; cunoaște ceva și din cultura apuseană, căci e citit și îi frecventează pe ambasadorii străini: olandez, englez, francez, german... Când a ajuns să fie apreciat la Curtea Otomană, marele-vizir a crezut că el e omul potrivit să fie trimis domn în Moldova, pentru că se zvonea că țarul Petru (căruia i se va spune „cel Mare"), după ce l-a învins pe regele Suediei Carol al XII-lea, ilustru căpitan, se pregătea de război împotriva turcilor.

Dar iată că, abia ajuns în scaun la Iași, Cantemir caută să ia legătura cu țarul pentru ca împreună să pornească un război de eliberare de sub dominația turcă. În 1697, în vârstă de douăzeci și patru de ani, asistase, în rândurile armatei otomane, la înfrângerea de la Zenta în fața imperialilor, înfrângere sfârșită în adevărată derută, de unde Cantemir trăsese concluzia pripită că puterea otomană era definitiv decăzută. Prin emisari de-ai lui, aleși din mica boierime care-i era mai credincioasă, încheie, în primăvara lui 1711, un tratat cu Petru cel Mare, prin care pune Moldova sub protecția țarului, într-un cuvânt făcea din Moldova o țară vasală Rusiei. Noi, care știm ce a urmat vreme de trei veacuri, ne dăm seama ce imprudență comitea: dacă rușii ar fi ieșit învingători atunci, Moldova toată ar fi avut, cu timpul, soarta Ucrainei, a Georgiei sau a Basarabiei, prefăcute în simple provincii sau *gubernii* ale imperiului rus.

Închipuiți-vă că de pe atunci s-au găsit câțiva mari boieri, ca Iordache Rosetti sau Lupu Costache, care au înțeles că politica lui Cantemir era nesocotită, că puterea rusă în plină expansiune reprezenta de acum pentru neatârnarea țării o și mai mare primejdie decât dominația turcă, și au făcut tot ce au putut pentru a sabota acțiunea domnului și întreaga expediție. Țarul Petru sosește cu armata lui la Iași, unde Cantemir a adunat în pripă 20 000 de oameni, nu prea bine pregătiți, dar iată că aprovizionarea — se folosea atunci cuvântul turcesc *zaherea* — cu care fusese însărcinat marele-vornic Lupu Costache, aprovizionare de altfel greu de adunat într-o țară bântuită de secetă, nu sosește. Armata rusă, cu contingentul moldovenesc, coborând pe valea Prutului, e încercuită de turci la Stănilești, iar după două zile capitulează — nu învinsă de arme, ci de foame. Țarul încheie atunci o pace cu vizirul turc — o pace în condiții relativ ușoare: rușii cedează doar portul Azov de la Marea Neagră, pe care-l cuceriseră abia de puțini ani. Se zice că țarul l-a cumpărat pe vizir cu bani grei, țarina, prezentă, cedând și toate bijuteriile ei. Important pentru noi e că Dimitrie Cantemir, trădător în ochii turcilor, a putut să se retragă în Rusia cu toată familia lui și cu vreo 5 000 de moldoveni, boieri, curteni, simpli ostași voluntari. Destui dintre ei, nefericiți pe-acolo, s-au întors după câțiva ani în Moldova — între ei boierul Ion Neculce, viitorul cronicar, de la care aflăm multe despre această mare aventură.

Cantemir a rămas în Rusia până la moartea lui, în 1723, tot nădăjduind că țarul va relua lupta împotriva otomanilor, ceea ce nu s-a întâmplat atunci. Țarul l-a ținut pe Cantemir la mare cinste, făcându-l prinț rus, sfetnic de taină și membru în „senatul" său. De atunci ne-a rămas celebrul portret pe care-l vedeți în toate cărțile de istorie, unde ne apare fără barbă, în ținută apuseană, cu armură, perucă franțuzească și baston de mareșal — căci Petru cel Mare începuse deja în chip autoritar occidentalizarea Rusiei. La noi, înainte de pribegirea lui, îl vedem pe Cantemir ca pe toți voievozii noștri, cu barbă, ișlic și caftan… Și trebuie să ne dăm seama că fără acea nefericită bătălie de pe Prut și cei doisprezece ani de pribegie în Rusia, Cantemir n-ar fi lăsat operele care au făcut faima lui în toată Europa, precum *Istoria imperiului otoman* sau *Descrierea Moldovei*, ambele scrise în latinește (iar ultima destinată Academiei din Berlin, al cărei membru fusese ales). Așadar, în perspectiva timpului, trebuie să recunoaștem că exilul lui Cantemir a avut urmări pozitive pentru posteritatea sa. Să mai adăugăm și celebritatea fiului său, Antioh, geniu precoce, care a fost primul poet rus de stil occidental, și, fiind trimis, tânăr încă, ambasador al Rusiei la Paris, apoi la Londra, a făcut mult pentru faima tatălui său, favorizând publicarea în engleză și franceză a *Istoriei imperiului otoman* și intrând în legătură cu cărturari de renume, de pildă, la Paris, cu Voltaire.

Pașalâc sau țară autonomă cu domni străini?

Aceste două momente cruciale în desfășurarea raporturilor noastre cu Poarta Otomană, trădarea lui Dimitrie Cantemir în 1711 și destituirea și tăierea capului lui Brâncoveanu în 1714, au avut drept urmare înăsprirea controlului otoman asupra țărilor române. Nemaiavând încredere în domnii pământeni pe care și-i alegeau boierii noștri, turcii au hotărât de-acum să numească ei domni, alegându-i dintre marii lor slujitori greci proveniți din acea oligarhie — aristocrație a banului și a nașterii — care se reconstituise în cartierul Fanar al Constantinopolului. De-atunci începe ceea ce s-a numit la noi în țară „Epoca fanariotă" — de la 1711 în Moldova, de la 1716 în Țara Românească, după ce turcii i-au tăiat și pe succesorul lui Brâncoveanu, pe vărul său Ștefan Cantacuzino, împreună cu tatăl său, învățatul stolnic Constantin Cantacuzino, și cu unchiul său, marele-spătar Mihai Cantacuzino. Dacă-i adevărat că ei uneltiseră căderea Brâncoveanului, atunci au plătit la rândul lor.

Pentru a înțelege mai bine situația Principatelor și dilema care se ridica, trebuie spus în două cuvinte ce era un pașalâc turcesc și ce era un ținut sub protectoratul Porții Otomane. Am văzut cum au căzut rând pe rând țările creștine din jur : două țarate bulgărești, regatul sârb după faimoasa bătălie de la Kosovo, rămășițele imperiului bizantin, în cele din urmă și regatul ungar — toate prefăcute în provincii ale imperiului otoman, guvernate fiecare de un *pașă*, general și guvernator turc, de unde numele de *pașalâc* pe care-l dăm fiecărei mari împărțiri administrative (turcii le numeau mai curând *vilayet*). În aceste pașalâcuri, deci în Grecia, Albania, Bulgaria, Macedonia, Serbia, Bosnia, turcii puteau stabili coloniști turci, puteau clădi moschei, puteau face, prin tot felul de metode, prozelitism musulman — ceea ce a avut urmări durabile, perceptibile și azi în mai multe zone din Balcani : două treimi din Albania, jumătate din Bosnia, o parte din Bulgaria și din Macedonia au fost islamizate, de unde, până azi, conflictele dramatice din Bosnia, din Kosovo etc.

De ce au rămas Țara Românească și Moldova, mai apoi și Transilvania, cu o guvernare autohtonă și n-au fost transformate în pașalâc și guvernate direct de administratori turci ? Aici istoricii nu sunt toți de aceeași părere — nu există explicație unică și satisfăcătoare. Unii spun că rezistența îndârjită a unor voievozi ca Mircea cel Bătrân, Vlad Țepeș, Ștefan cel Mare sau Petru Rareș e cauza. Alții, că turcii au înțeles interesul de a avea un fel de „zonă tampon" între ei și regatele ungar și polon, ținuturi fără prezență militară turcă directă care să îngrijoreze acele două state creștine, dar care, tributare Porții Otomane și silite să-i fie credincioase, nu mai prezentau o primejdie pentru Constantinopol. O a treia explicație originală a sugerat-o, în perioada interbelică, istoricul Petre P. Panaitescu: turcii ar fi constatat că ținuturile administrate de ei sărăciseră în scurtă vreme, nemaiputând fi folosite ca surse de aprovizionare a împărăției și în special a Capitalei, Constantinopol. În schimb, țările române, lăsate în semiindependență, în orice caz sub ocârmuire autohtonă, puteau rămâne grânarul Constantinopolului, ceea ce au fost într-adevăr timp de veacuri, Poarta impunând un monopol la export pentru grâne, vite, lemne, miere și ceară — la prețuri stabilite de ea.

Probabil că toate explicațiile au un sâmbure de adevăr, dar cred că dorința de a avea spre nord o zonă relativ neutră — mai întâi față de Ungaria, apoi față de Polonia, în sfârșit față de Rusia și Austria — trebuie să fi fost determinantă. S-a adăugat, în epoca fanariotă, un motiv suplimentar, mai puțin evident, și în orice caz nemărturisit, dar de mare importanță pentru turci: *domnii fanarioți trimiși la București și Iași erau folosiți ca informatori* privind cele ce se petreceau în Apus, în Polonia, în Rusia. Prin cunoașterea limbilor, prin lectura și interpretarea ziarelor din Occident, prin negustori și prin agenți de-ai lor, domnii fanarioți au fost, timp de generații, *spionii oficiali* ai Porții privind treburile apusene. Iar când devii informator, tentația de a face dublu joc e mare!

Veacul fanarioților (1711–1821)

Așa-numita „epocă fanariotă" a fost foarte hulită în veacul al XIX-lea și în veacul al XX-lea. Dar trebuie spus că a fost cel mai mic rău dintre relele posibile, fiindcă în momentul când turcii s-au temut că noi am fi putut trece de partea Austriei sau a Rusiei, n-aveam șanse să redevenim independenți. Puteam ori să fim pașalâc, ori să avem guvernatori greci veniți de la Constantinopol. A doua variantă era de preferat, cu atât mai mult cu cât primii domni fanarioți nu au fost răi. Nicolae Mavrocordat avea o bunică mușatină și se considera os de domn. Tatăl său, vestitul mare-dragoman Alexandru zis Exaporitul, adică „deținătorul tainelor", un fel de „secretar de stat" (n-avea voie să fie ministru, dar era al doilea în ministerul de externe otoman), era un om de o mare iscusință și inteligență, încât el a negociat tratatul de la Karlowitz, din 1699, prin care turcii părăseau toată Ungaria și Transilvania, precum și părți din Serbia și Croația. Iar turcii nu i-au tăiat capul. Au tăiat capul ministrului turc, dar el a rămas în viață, și amândoi fiii lui, Nicolae și Ioan, vor deveni voievozi ai Țării Românești și Moldovei. Soția lui, Sultana Hristoscoléos, era fiica domniței Casandra a Moldovei, strănepoată a lui Ștefan cel Mare. Acești Mavrocordați s-au considerat deci os de domn, nu se aflau ca niște străini la noi în țară. Interesant este că toate familiile fanariote care au venit pe urmă, în afară de un fel de nebun care s-a numit Nicolae Mavrogheni (1786–1790), toate aceste familii care au ajuns să dea domni la noi erau înrudite cu Mavrocordații, ca și când ar fi fost os de domn „de gradul doi", chiar și Ghiculeștii, care domniseră deja în secolul al XVII-lea, și cele două familii de origine română, Racoviță și Callimachi (Călmașul). Epoca fanariotă n-a început deci printr-o ruptură totală cu trecutul. Boierii noștri, sau chiar poporul, nu au simțit o schimbare de regim. Cu vremea însă, situația a devenit din ce în ce mai grea. Toți acești domni fanarioți care, ca să ajungă domni, dădeau bani la Poartă, ba și peșcheșuri pe la viziri, au adus din ce în ce mai mulți oameni de-ai lor, din Fanar, rude sau creditori.

Fanarul era un cartier din Constantinopol, în afara zidurilor orașului, spre golful care se numește Cornul de Aur. Se pare că numele de Fanar vine de la franțuzescul „fanal", adică un far care s-ar fi aflat acolo pe timpul așa-zisului Imperiu Latin, după cruciada de la 1204. În acest cartier al Fanarului, turcii, câteva decenii după cucerirea Bizanțului, când au început să repopuleze Constantinopolul, au permis grecilor să revină. Bunăoară, au lăsat mai întâi țăranii din jurul orașului să vină să-și vândă marfa, să aprovizioneze, să hrănească noua populație turcească de funcționari, ostași, meseriași și negustori. Iar țăranii greci, când erau opriți la porțile orașului de vameșul turc care-i controla și-i întreba: „Unde mergi?", răspundeau în limba lor: „(merg) în oraș", pe grecește: *is tin pólin*! De unde a ieșit numele actual al Constantinopolului: Istanbul! Grecilor care cu vremea au fost considerați folositori bunului mers al capitalei și al împărăției, li s-a îngăduit deci să se așeze în această mahala a Fanarului, care a devenit un fel de „ghetou" grecesc la Constantinopol. Aici vin unele familii vestite pe vremea Bizanțului, cum au fost Cantacuzinii, Nottara, Ralli. Majoritatea însă sunt familii care fac comerț și acum se îmbogățesc, iar, pe de altă parte, Poarta — adică sultanul și vizirii săi — alege dintre ei administratori ai împărăției. De ce? Fiindcă turcii, din cauza unei interpretări integriste a religiei lor, nu învață limbile creștinilor, considerate ca „spurcate"! Au deci nevoie de acești greci care au învățat limbi apusene, italiana, franceza, precum și latinește, și-i folosesc ca tălmaci și „funcționari", cum am zice azi. La mijlocul secolului al XVII-lea, ei înființează postul de „mare-dragoman", adică mare-interpret pe lângă sultan și marele-vizir, post care chiar de la al doilea lui titular, Alexandru Mavrocordat, capătă o importanță nebănuită, din cauza pătrunderii în mai toate secretele guvernului și a legăturilor cu toți trimișii puterilor străine

(să nu le zicem tuturor „ambasadori", în acele vremi titlul
era rezervat numai pentru două-trei mari puteri).

Primii doi domni Mavrocordați au fost mai întâi mari-dra-
gomani, pentru a fi apoi numiți de Poartă voievozi în Țara
Românească sau Moldova — și a devenit aproape o regulă:
fanariotul ambițios, care visa să ajungă domn în țările ro-
mâne, știa că trebuie să ajungă întâi mare-dragoman.

În veacul al XVIII-lea — de la 1711, în Moldova, res-
pectiv de la 1716 în Țara Românească — încep vremuri
foarte grele pentru țările noastre. De aceea a apărut ideea
că tot răul vine de la domnii fanarioți, ceea ce în parte e ne-
drept. Nu ei au fost cauza răului, ci acel regim turcesc dur
și corupt, caracteristic perioadei de decadență a imperiului
otoman. Din nevoia de a stoarce bani pe orice cale, s-a ajuns
la vânzarea tronurilor de la Iași și București pe bani grei. Și
la suma „oficială" se adăugau daruri, *peșcheșuri*, către ma-
rele-vizir sau alți demnitari care înlesniseră „târgul". Dom-
nul, plin de datorii, își aducea creditorii cu el, îi făcea boieri
la noi în țară, ca să se căpătuiască. S-a ajuns astfel la o si-
tuație și mai grea decât în veacul al XVII-lea, cu o și mai
mare sărăcire a păturii țărănești, ba și cu nemulțumirea bo-
ierilor pământeni.

Întru apărarea domnilor fanarioți, trebuie să semnalăm
și câteva aspecte pozitive — și este meritul lui Nicolae Iorga
de a fi fost primul care a subliniat faptul. Unii dintre acești
domni fanarioți au fost oameni de cultură și s-au arătat dor-
nici de a introduce unele reforme în administrarea țării, în
special, de pildă, Grigore II Ghica și vărul său Constantin
Mavrocordat. Acesta din urmă, om de înaltă cultură și de
netăgăduită cinste, a domnit de zece ori (în ambele țări ro-
mâne) și s-a preocupat de soarta poporului. El e domnul care
a suprimat la noi șerbia. Mai întâi în Țara Românească, în
1746, apoi în Moldova, în 1749, după îndelungi sfătuiri cu
Adunările de stări, a decretat că țăranii care lucrau pe moșiile

altora nu mai erau legați de glie, și de asemeni a limitat nu-
mărul de zile de clacă la șase pe an în Țara Românească și
douăsprezece în Moldova (trebuie subliniat că în țările înve-
cinate — Transilvania, Polonia, Rusia, chiar și în Prusia
orientală, numărul zilelor de clacă urca uneori la mai multe
pe săptămână! De altfel, șerbia în aceste țări n-a fost desfiin-
țată decât în veacul următor). Trebuie însă adăugat că, prin
ușurarea controlului statului, peste capul boierimii, și conco-
mitent cu creșterea exigențelor bănești ale turcilor, reforma
a fost interpretată de dușmanii lui Mavrocordat ca o înăsprire
a regimului fiscal, și pesemne că la fel o vor fi interpretat
adesea și țăranii, care fugeau de recensământ, astfel încât
s-a putut crede multă vreme că populația țărilor, sub Mavro-
cordat, scăzuse efectiv la jumătate. De fapt, fusese numai
fuga de recensământ.

Constantin Mavrocordat a reformat și cinul boieresc: con-
form noii sale orânduiri, nu mai erau considerați boieri decât
dregătorii de diverse ranguri, de la Curte sau din țară, iar
dacă într-o familie nu se mai alegeau dregători două gene-
rații la rând, membrii acelei familii decădeau la rangul de
mazili, categorie mai puțin privilegiată, între boieri și moș-
neni (răzeși). Cu acest regim, boierimea a devenit mai de-
pendentă de domnie.

În orice caz, Constantin Mavrocordat, în cele zece domnii,
nu s-a îmbogățit. Ultima oară când i se dă domnia, în Mol-
dova, în 1769, din cauză că a început un nou război cu rușii,
iar Poarta are nevoie de un bun administrator, e atât de sărac,
încât sultanul îi dă mai multe pungi de bani ca să-și poată
pregăti plecarea! Mavrocordat sosește în Moldova, încearcă
să apere cu armată turcă granița, dar nu reușește, cade prizo-
nier și e omorât de un soldat rus, care-l lovește în cap cu
patul puștii. Comandantul rus, cam rușinat, i-a făcut totuși
o înmormântare domnească.

O generație după el, mai avem doi domni Mavrocordați, amândoi numiți Alexandru. Al doilea fuge în Rusia, în 1786, pe vremea Ecaterinei a II-a, și cu el încetează dinastia domnilor Mavrocordați. Fanarioții au început să trădeze Poarta! După „trădarea" Mavrocordaților, regimul fanariot mai durează vreo treizeci și cinci de ani, cu domni din familiile Moruzi, Ipsilanti, Hangerli, Șuțu, Caragea și Callimachi (aceștia de origine moldoveană, Călmașul, cu numele elenizat). Opresiunea, corupția, nedreptatea sunt din ce în ce mai stridente, mai greu de suportat — și de atunci se păstrează amintirea că toate nenorocirile țării vin de la regimul fanariot. La acreditarea acestei versiuni au contribuit în veacul următor și boierii pământeni, care încercau prin această afurisire retrospectivă să se spele de păcatul de a fi îndurat acel regim... Și uneori de a fi profitat de el.

Totuși, în acest răstimp se cuvine semnalată cel puțin o cârmuire mai umană în Țara Românească, cea a lui Alexandru Ipsilanti (1774–1782) care, împreună cu sfetnicul său, Ienăchiță Văcărescu, mare boier dar și mare învățat, a gospodărit bine țara în cursul unei domnii relativ lungi pentru acele vremi. De altfel, fanarioții au adus o tradiție de *evergeți*, adică de donatori pentru binele obștesc, în special pentru îngrijirea bolnavilor. În vremea lor s-au întemeiat mai multe spitale, gerate de *eforii* înzestrate cu întinse moșii — lucruri admirate de unii călători occidentali.

De semnalat de asemeni că în cursul a două dintre ultimele domnii fanariote, a lui Ioan Caragea în Țara Românească (1812–1818) — cel vestit din cauza ciumei din zilele lui! — și a lui Scarlat Callimachi în Moldova (1812–1819), s-au alcătuit primele două coduri de lege (*Condica de legi*) relativ moderne din țările noastre — întâiul, rămas apropiat de tradiția bizantină, al doilea, mai influențat de dreptul austriac.

Un alt aspect care trebuie subliniat este efortul în domeniul culturii. S-a constatat de curând că în epoca fanariotă s-au tipărit mai multe cărți în limba română decât în grecește. Pe de altă parte, cele două Școli Domnești, înființate dinainte la București și Iași, au devenit în epoca fanariotă instituții de învățământ superior la care au venit să studieze tineri din tot sud-estul european. Profesorii, mai toți greci, erau oameni învățați, școliți în universități apusene, iar unele cursuri s-au predat și în italiană sau franceză. Una dintre realizările cu importante consecințe a fost introducerea studiului limbii franceze, care devenise *lingua franca* — adică mijlocul general de comunicare — în Europa apuseană.

Un alt canal de penetrație a influenței franceze a fost, de la mijlocul secolului al XVIII-lea, instituția secretarilor francezi ai domnilor. Sub cuvânt că le trebuia în cancelaria lor un bun redactor în limba franceză, domnii fanarioți au început să aibă pe lângă ei secretari propuși de ambasadorul Franței la Constantinopol, dintre care unii au fost oameni de distinsă cultură, care au comunicat în Apus vești despre țările noastre; alții au rămas în țară și s-au amestecat cu boierimea noastră. Unii au fost poate și cei care au introdus francmasoneria la noi — fenomen despre care vom mai vorbi.

Războaiele austro–ruso–turce

Un lucru, în sfârșit, nu trebuie uitat pentru a înțelege starea economică precară reprezentată de veacul fanariot: acest regim a apărut guvernului turc ca o necesitate din cauza noului pericol pe care-l reprezenta pentru imperiul otoman subita agresivitate a puterilor creștine, în speță Austria și Rusia. Aduceți-vă aminte: 1. pasul uriaș pe care-l fac Habsburgii între asediul Vienei în 1683, când însăși capitala lor e în primejdie, și pacea de la Karlowitz, când dobândesc Ungaria și Transilvania; 2. tentativa lui Petru cel Mare, sprijinit de Dimitrie Cantemir, în 1711. Or, în toată epoca fanariotă războaiele între aceste trei puteri s-au ținut lanț, de cele mai multe ori pe teritoriul țării noastre, aducând de fiecare dată convoiul lor de mizerii, fără să mai vorbim de rechizițiile turcești.

Iată un „calendar" succint al războaielor austro–ruso–turce după pacea de la Karlowitz și încercarea neizbutită a lui Petru cel Mare din 1711:

— 1716–1718, război austro–turc, încheiat cu pacea de la Passarowitz (în sârbă Požarevac). Turcii cedează banatul Timișoarei *și Oltenia.* După ce au dobândit Banatul, care, ca toate fostele posesiuni otomane, era în mare parte depopulat, austriecii au purces la o intensă colonizare a ținutului în special cu germani din regiunea Suabiei, apoi cu germanofoni din Lorena (după ce au trebuit să cedeze, în 1738, acest ducat Franței — *recte* temporar socrului regelui Franței, Stanisław Leszczynski). Această populație de limbă germană și religie catolică a căpătat la noi denumirea generică de *șvabi.*

— 1735–1739, război austro–ruso–turc. Rușii înaintează în Ucraina către Marea Neagră; austriecii sunt mai puțin norocoși, iar prin pacea de la Belgrad trebuie să restituie Oltenia Țării Românești. În decursul a peste douăzeci de ani de ocupație, austriecii au introdus însă câteva reforme administrative, și în orice caz ne-au lăsat recensăminturi prețioase, pe care nu le aveam înainte, sub dominație turcă. Românii însă nu s-au împăcat bine cu stăpânirea austriacă — în afară de câțiva boieri „colaboraționiști". A existat o temere de a fi despărțiți de frații de dincolo de Olt, iar, în cercurile bisericești, o teamă de presiunea catolicismului — astfel încât pacea de la Belgrad, negociată pentru partea otomană de Ioan Vodă Mavrocordat, a fost bine primită.

— 1768–1774, război ruso–turc (deja pomenit în legă-
tură cu moartea lui Constantin Mavrocordat). Pacea se în-
cheie la Küciük-Kainardji. Rușii înaintează până la Bug și
obțin libertatea de navigație în Marea Neagră, precum și drept
de intervenție în treburile țărilor române. Boierii români se
folosesc de împrejurare ca să înainteze rapoarte politice la
Sankt-Petersburg, cu o serie de revendicări care sunt pre-
cursoarele programului politic al patrioților români din vea-
cul următor: revenirea la vechile orânduieli ale țării, domni
pământeni etc.

„Răpirea" Bucovinei (1775).
Pierdem pentru prima oară Basarabia (1812)

Din nefericire, pacea de la Küciük-Kainardji a avut și o
urmare neprevăzută și dramatică: Austria, ca preț al inter-
venției sale diplomatice, a obținut de la Poartă, în 1775, ce-
siunea unei porțiuni a nordului Moldovei, chipurile pentru
a-i ușura trecerea către sudul Poloniei, pe care-l căpătase
la o primă dezmembrare a Poloniei în 1771, porțiune ce ca-
pătă de acum numele de Bucovina (pădure de fag, în limbile
slave). Domnul Moldovei era atunci Grigore III Ghica. A
protestat la Poartă împotriva acestei ciuntiri a țării, contrară
înțelegerii tradiționale între puterea suzerană și țara „prote-
jată". A fost în zadar. Nu chiar în zadar, căci marele-vizir
a trimis un capugiu care l-a sugrumat pe Grigore Vodă în
palatul lui (1777).

Provincia Bucovina a fost bine administrată — ca toate
ținuturile guvernate de austrieci —, însă fiind prea puțin
populată, administrația a favorizat imigrarea rutenilor, deja
prezenți, dar în număr mic, astfel încât cu vremea ponderea
populației s-a schimbat în dauna românilor, cu atât mai mult

cu cât tot pe acolo se va scurge, după 1830, marea migrație evreiască din Galiția și Rusia.

Între 1787 și 1792, are loc un nou război austro–ruso–turc. Austriecii, care înaintaseră adânc în țările noastre, s-au retras subit din cauza problemelor ivite în Occident o dată cu Revoluția franceză (pacea de la Șiștov, august 1791). Rușii încheie la rândul lor pacea la Iași (ianuarie 1792). *Atunci atinge pentru prima oară Rusia țaristă granița Nistrului.* Vedeți deci că nu am fost dintotdeauna vecini cu rușii. Am fost vecini cu rutenii și, mai la răsărit, dincolo de stepe multă vreme pustii, cu cazacii, dar rușii moscoviți abia după Petru cel Mare au început să se apropie de Marea Neagră, și, în toate războaiele pe care le-am pomenit, de fiecare dată înaintează, ocupând ținuturi odinioară dependente de tătarii din Crimeea sau chiar direct de turci (Ucraina apuseană). Așa ajung pe rând la Nipru, la Bug, iar acum, în 1792, la Nistru. Ei ar fi vrut ca pasul următor să fie anexarea ambelor „Principate dunărene", cum ni se zice de-acum în cancelariile europene. Până atunci, din cauza ambițiilor rivale ale Austriei, rușii nu se încumetau să râvnească și la Țara Românească. Dar iată că, o dată cu războaiele Revoluției Franceze și ale lui Napoleon, Austria e reținută mai mult de evenimentele care au loc în Apus. Rusia profită de ocazie și dezlănțuie un nou război cu turcii, ocupând ambele principate timp de șase ani (1806–1812). Negocierile de pace tărăgănează luni și luni de zile — în cele din urmă, au loc la București în hanul lui Manuc, de curând construit de un negustor armean, figură de mare aventurier. Acum rușii se grăbesc, căci se vădește că Napoleon se pregătește să atace Rusia. Anglia, care e sufletul rezistenței antinapoleoniene, se străduiește din răsputeri să-i aducă pe ruși și pe turci la masa negocierilor. Și atunci, asistăm la o incredibilă greșeală a diplomației lui Napoleon: postul de ambasador al Franței la Constantinopol e deocamdată vacant, iar noul ambasador desemnat călătorește ca un crai și sosește când pacea e semnată (16/28 mai 1812)! Rușii au renunțat la Țara Românească, chiar și la jumătatea apuseană a Moldovei, *dar capătă Moldova dintre Prut și Nistru*, pe care o vor boteza Basarabia (nume purtat în Evul Mediu doar de extremitatea sudică a ținutului). Șase săptămâni mai târziu, „Marea Armată" a lui Napoleon intră în Rusia — dar diviziile rusești, care făceau față armatelor turcești de la Dunăre, sunt de-acum în drum spre Rusia și vor participa, pe râul Berezina, la dezastrul armatei napoleoniene în retragere.

De aproape două sute de ani, istoricii, diplomații, oamenii politici își pun întrebarea: cum au putut face turcii o pace atât de păguboasă cu numai câteva săptămâni înainte de atacul lui Napoleon contra Rusiei? Bineînțeles, chestiunea s-a pus îndată și la Constantinopol. Și s-a găsit pe loc un țap ispășitor în persoana marelui-dragoman Dimitrie Moruzi, fiu de domn fanariot și candidat la domnie, vinovat chipurile de a fi sfătuit încheierea păcii. Lucrul e poate adevărat. Știm însă astăzi, prin publicarea unor documente din arhivele otomane, că guvernul turc a avut atunci în mână toate elementele pentru a cântări alternativa: însărcinatul cu afaceri al Franței (locțiitorul ambasadorului) înmânase ministrului turc de externe o notă din partea guvernului napoleonian îndemnând stăruitor Poarta să nu încheie pacea, atacul împotriva Rusiei fiind iminent. Nota a fost îndelung discutată în Divan, cu sultanul, marele-vizir, toți „responsabilii" și, după matură chibzuință, s-a luat hotărârea de a semna îndată pacea, *o eventuală victorie a lui Napoleon* apărând acelor guvernanți turci, probabil pe drept cuvânt, ca *reprezentând o mai mare primejdie* pentru împărăția turcă decât vecinătatea Rusiei.

Așa a început drama Basarabiei, acum aproape două sute de ani. Să-i învinuim doar pe fanarioți?

Sunt și astăzi istorici care susțin că grupul de familii fanariote care vreme de sute de ani au uneltit în culisele puterii otomane — plătind adesea cu capul ambiția și îndrăzneala lor — au urzit un complot „cu bătaie lungă", în care scopul era să sape în ascuns puterea otomană până ar fi fost în măsură să reconstituie, sub conducerea lor, o împărăție creștină cu toate popoarele ortodoxe din regiune. Fapt e că grecii (toți grecii, nu numai fanarioții!), prea mândri de trecutul lor bizantin, au avut întotdeauna un complex de superioritate față de popoarele vecine, inclusiv, bineînțeles, românii, și era deci firesc să nu țină seama de interesele locale, regionale, deoarece numai ei (nu-i așa?) erau chemați să conducă toate națiunile ortodoxe. La perpetuarea acestei mentalități a mai contribuit și faptul că, la puțin timp după cucerirea Constantinopolului, în 1453, sultanul Mehmet chemase pe noul patriarh Ghenadie (care se opusese Uniunii de la Florența) și-i încredințase păstorirea tuturor creștinilor din fostul imperiu bizantin și din Balcani, astfel încât, în mod paradoxal, Biserica de la Constantinopol a avut mai multă influență politică sub turci decât în perioada anterioară.

Popoarele creștine se revoltă împotriva turcilor. Eteria și Tudor Vladimirescu (1821)

La începutul secolului al XIX-lea încep revolte de mai mare amploare printre popoarele creștine din Balcani. Imboldul a venit în parte de la Revoluția franceză, care trezise la mai toate popoarele setea de libertate și adusese noțiunea de egalitate socială.

Primii care se răscoală sunt sârbii, mânați pe rând de doi conducători ieșiți din țărănimea înstărită de crescători și negustori de porci — căci țara nu mai are nici aristocrație feudală, pierită o dată cu căderea statului medieval (în afara de cei ce s-au turcit sau au fugit, dintre care mulți la noi), deocamdată nici burghezie (care se va naște în mare parte printr-o imigrare aromână). Primul, Gheorghe Petrovici, poreclit Karagheorghe (Gheorghe cel Negru), se proclamă principe al sârbilor în 1808, dar e învins și, în cele din urmă, eliminat de un rival, Miloș Obrenovici, mai diplomat și mai șiret, care obține în 1817 o cvasiindependență, el devenind un fel de pașă, adică țara rămâne sub suzeranitate otomană, fără mari schimbări, plătind tribut, dar fără prezența trupelor turce. Miloș capătă în fața marilor puteri titlul de principe, Serbia peste care domnește e însă departe de a-i cuprinde pe toți sârbii. Miloș duce, aparent, o viață îmbelșugată de chiabur; în realitate, ca și pașalele cărora le succedă, cam confundă vistieria statului cu caseta lui particulară și cumpără întinse moșii în Țara Românească. Urmașii lui vor da mai mulți principi, apoi regi — dinastia Obrenovici, cu regine alese din boierimea română, Kescu, Catargi — alternând cu descendenții Karagheorghevici, care în 1903 vor rămâne singuri, măcelărind tot neamul Obrenovici.

Mai importantă pentru urmările de la noi din țară a fost revolta grecilor, care începe în 1821, concomitent în Grecia propriu-zisă și la noi, în Principate. De ce? Din cauza domnilor fanarioți și chiar a unor boieri români care au crezut că, aliindu-se cu grecii, vor ajunge să aibă mai multă libertate în Țara Românească și în Moldova. Asistăm deci la o dublă acțiune împotriva turcilor: în Grecia propriu-zisă (condusă de un descendent din domni fanarioți, Alexandru Mavrocordat, care a devenit celebru prin apărarea orășelului Missolonghi) și în țările române (unde vine din Rusia alt fiu de domn fanariot, Alexandru Ipsilanti).

Nu numai dintre boierii români s-au înscris unii în această „Eterie" grecească (< *Hetairia* „societate"), dar și din popor sau dintre moșneni, cum a fost cazul lui Tudor Vladimirescu. Tudor Vladimirescu este un personaj excepțional.

Mai întâi, ca tânăr, s-a înrolat voluntar în armata rusă. În timpul războiului din 1806–1812, care se desfășoară pe teritoriul țărilor noastre, Tudor Vladimirescu, împreună cu alte mii de români din toate clasele sociale, luptă alături de ruși și chiar capătă rangul de *parucik*, adică locotenent, cum s-ar spune astăzi, în armata rusă. El știe deci cum se luptă, cum se folosesc armele moderne, tunurile ș.a.m.d.

După pacea de la București din 1812 — catastrofală pentru Principate, după cum spuneam —, începe agitația și la noi și printre greci, și ne punem problema cum să scăpăm de dominația turcă. Tudor Vladimirescu este printre cei care visează la o luptă împotriva otomanilor, iar, atunci când izbucnește revoluția grecilor în 1821, se află alături de ei cu vreo opt mii de panduri, moșneni din Oltenia care, ca și el, fie luptaseră alături de ruși în război, fie se înrolaseră la noi în țară. Pentru prima oară după mai multe generații, oamenii se înrolau ca să constituie o pază împotriva incursiunilor unui fioros aventurier bosniac ajuns pașă de Vidin, Pasvantoglu, care devastase în mai multe rânduri Oltenia și chiar trecuse o dată Oltul, stârnind panică la București. (De pe vremea lui a rămas expresia populară: „Ca pe vremea lui Pasvante!")

Tudor Vladimirescu pornește din Oltenia spre București, la îndemnul unor mari boieri favorabili Eteriei, ca Grigore Brâncoveanu, Grigore Ghica, Barbu Văcărescu, care l-au însărcinat să ridice „norodul". Când se apropie însă de Capitală, mai toți boierii fug în Transilvania, la Brașov, de teama unei răscoale țărănești. Dar Tudor Vladimirescu este foarte disciplinat, păstrează o ordine chiar brutală în armata lui, așa încât pandurii sosesc la București fără să fi provocat dezordini. La București se întâlnește Tudor Vladimirescu cu comandantul armatei grecești care venea din Rusia, Alexandru Ipsilanti. Din păcate, ei nu înțeleg războiul în același fel; Ipsilanti voia o mare Grecie, care să se întindă până în țările noastre, pe când Tudor înțelegea să lupte numai pentru

români. Și aici se petrece altă dramă: Ipsilanti, care fusese
aghiotant al țarului, mințise într-un fel pe români, afirmând
că vor intra în război din nou și rușii. Dar iată că țarul îl
dezminte. De ce? Fiindcă puterile care-l învinseseră pe Na-
poleon în 1815, precum și Franța regală, formaseră ceea ce
se numea Liga Sfântă, pentru a se apăra împotriva revoluți-
ilor. Țarul nu mai îndrăznește să sprijine o revoluție greceas-
că, chiar dacă era îndreptată contra turcilor — ar fi însemnat
să nu-și respecte cuvântul dat membrilor ligii suveranilor
din Europa, care tocmai în acel moment sunt întruniți în
Congres la Laibach (Ljubljana) pentru a hotărî o intervenție
împotriva unei revoluții la Napoli! Țarul dezminte deci so-
lemn că ar avea de gând să sprijine revolta grecilor. Vestea
îi descumpănește pe toți eteriștii. Tudor Vladimirescu își dă
seama că revoluția este pierdută și intră în negocieri secrete
cu turcii. Cele două armate înaintează de la București, spre
vest, în paralel (cea a lui Ipsilanti trecând pe la poalele mun-
ților, cea a lui Vladimirescu prin câmpie), neștiind cum și
când să se unească în cazul unui atac al turcilor. Dar Ipsilanti
interceptează corespondența dintre comandantul turc de la
Dunăre și Tudor. Atunci grecii îl prind pe acesta în conacul
de la Golești și, după un simulacru de proces, îl ucid mișe-
lește și îi aruncă trupul într-un puț. Ne miră totuși faptul că
mica trupă de eteriști, care l-au luat pe Tudor de la Golești,
n-a întâmpinat nici o împotrivire din partea pandurilor. Ex-
cesiva lui severitate cu trupa — până la cruzime — poate
fi o explicație. În momentul arestării, atârnau spânzurați în-
tr-un pom, din ajun, tânărul Urdăreanu, frumos, zice-se, ca
un arhanghel, și un alt căpitan, amândoi iubiți de trupă.

Am mai putea trage și alt învățământ din jalnicul sfârșit
al lui Tudor Vladimirescu: Tudor, neam de moșnean din
nord-vestul Olteniei, dintr-o regiune de plaiuri unde nu era
nici un sat de clăcași, ci numai sate de țărani liberi, de moș-
neni, n-a avut alături de el în acțiunea revoluționară, totodată

națională și socială, nici un „intelectual" pământean. Nu se încropise încă în Principate o „burghezie" națională. Exista deja o pătură destul de largă de negustori și meseriași (mulți dintre ei însă străini) care-și trimiteau copiii la Școlile Domnești, dar ei nu aveau încă simțământul clar că formează o clasă, cu dreptul la revendicări și, încă mai puțin, la conducere. Politica era treaba boierilor. De altfel și Vladimirescu trebuie să fi avut convingerea că, dacă ar fi ajuns la putere, tot cu boierii trebuia să guverneze țara. Nu se ridicase oare și el la un mic rang de boierie? Nu-și zidise culă și nu se lăsase zugrăvit în biserica satului în straie boierești? Că a sperat să ajungă domn al Țării Românești mi se pare neîndoielnic. Purta ișlic alb, culoare rezervată domnului, și-i lăsa pe panduri să-i zică „Domnul Tudor". Exemplele lui Karagheorghe și Miloș Obrenovici în țara vecină l-au putut încuraja — dar, repet, n-a avut pământeni printre locotenenții lui. Dintre tovarășii lui mai apropiați, nici unul nu-i născut „pământean"! Episcopul de Argeș, Ilarion, e născut în Bulgaria; frații Macedonski sunt probabil sârbi, în orice caz balcanici; Farmache și Iordache Olimpiotul sunt aromâni, ca și comandantul arnăuților, serdarul Diamandi Giuvara.

După moartea lui Tudor, pandurii, rămași fără comandant, se împrăștie, unii continuă războiul alături de greci, alții se întorc la căminele lor. Turcii intră în țară, îi înving pe greci la Drăgășani („batalionul sacru" al „Mavroforilor" luptă eroic, până la ultimul, dar Ipsilanti fuge în Austria, unde va fi închis și va muri în captivitate).

Iată Principatele din nou ocupate și jefuite de turci pentru cel puțin un an, cu răzbunări, jafuri și crime. Și dacă au plecat după un an este fiindcă puterile occidentale i-au silit să plece de la noi.

Între timp, războiul continuase în Grecia continentală și în Peloponez, unde orășelul Missolonghi, apărat de Alexandru

Mavrocordat, opusese o lungă rezistență turcilor. Acest răz-
boi din Grecia, datorită prestigiului Greciei antice, s-a bucu-
rat în țările occidentale de un larg ecou și de multă simpatie,
atrăgând luptători voluntari din Franța, Anglia, Germania —
cel mai ilustru dintre ei fiind poetul englez Lord Byron, care
a și murit de friguri la Missolonghi. Văzând că nu răzbesc
singuri, turcii au chemat în ajutor pe noul bei al Egiptului,
Muhammad-Ali, de origine albaneză, care l-a trimis pe fiul
său Ibrahim cu o flotă și o întreagă armată. Atunci au inter-
venit, pentru prima oară împreună (suntem în 1827), Rusia,
Anglia și Franța — iar flotele lor reunite au distrus, la Na-
varino, flota turco-egipteană. Intervenția marilor puteri i-a
constrâns pe turci, în 1830, să acorde independență Greciei,
care în 1832 a devenit regat, cu un rege din familia regală
bavareză.

Aș vrea acum, în câteva cuvinte, să evoc rolul pe care
și aromânii l-au jucat în această redeșteptare a Greciei.

Soarta românității sud-dunărene.
Aromânii în Grecia și în diasporă

Am spus, când am vorbit despre pătrunderea masivă a
slavilor în întreaga Peninsulă Balcanică, începând din veacul
al VI-lea, că locuitorii de limbă latină care ocupau pe vremea
imperiului roman cam toată Iugoslavia contemporană plus
Bulgaria la nord de Haemus (Munții Balcani) și formau nu-
clee compacte mai la sud, în Macedonia, în special de-a lun-
gul fostului drum strategic de la Durazzo, pe malul Adriaticii,
la Constantinopol, s-au găsit din ce în ce mai strâmtorați,
mai izolați, înconjurați de o mare slavă către nord, iar mai
la sud amestecați cu grecii și albanezii. Cu vremea, s-au des-
părțit patru grupuri dialectale, cei din nordul Bulgariei și din
Serbia vorbind același dialect ca românii nord-dunăreni —

lingviștii îi zic dacoromâna. Dintre aceștia, s-au ridicat cei care au pornit revolta antibizantină de la sfârșitul secolului al XII-lea în frunte cu frații Asănești și au fost deci la originea renașterii politice a țaratului bulgar. Din ei, n-au mai rămas decât câteva comune în nord-vestul Bulgariei și în Serbia, în special în Valea Timocului.

De aceeași origine, probabil, sunt cele câteva comune din peninsula Istria, pe Coasta Adriatică, azi fiind numai câteva sute de vorbitori ai acestui dialect zis istroromân.

În împrejurimile marelui port Salonic (pe grecește Thessaloniki), căruia pe graiul românesc de acolo i se zice Săruna (dovadă că le-a fost transmis direct din latinescul Salona, și că de la ei, iar nu de la greci, au preluat numele și slavii — bulgari și macedoneni — care îi zic Solun), acolo se află un grup de localități unde se vorbește alt dialect românesc, denumit de lingviști meglenoromân.

În fine, gruparea cea mai compactă și mai numeroasă s-a aflat în tot Evul Mediu în regiunile muntoase ale Pindului, ale Gramostei și ale Olimpului. Ei sunt cunoscuți sub numele de aromâni sau mai corect armâni (cu toate că într-una dintre regiunile lor își zic și rumâni). Tuturor acestor latinofoni, vecinii slavi, iar mai apoi grecii și albanezii, le-au zis vlahi, ca și românilor nord-dunăreni.

A mai existat în Peninsula Balcanică și un al cincilea grup de vlahi, de-a lungul Coastei Adriatice și, mai cu seamă, la portul Dubrovnic, care a fost în tot Evul Mediu un mare centru comercial, reușind, chiar sub dominația otomană, să păstreze o anumită autonomie. Lingviștii contemporani consideră însă că acest dialect dalmatic, al cărui ultim vorbitor, din insula Krk, a murit pe la 1900, era mai curând un dialect al italienei decât al românei. Se vede din acest exemplu cât de înrudite sunt româna și italiana, încât s-a putut pune întrebarea dacă un anumit dialect aparține uneia sau alteia.

Asupra aromânilor trebuie să insistăm mai mult. Mai întâi, fiindcă au jucat un rol în istoria Balcanilor, apoi fiindcă mulți dintre ei au emigrat în România în ultimele două veacuri și au dat țării personalități ale vieții culturale și politice, în fine, fiindcă situația lor actuală și perspectivele lor de viitor sunt, în ochii noștri, îngrijorătoare.

Acest grup etnic, din cauza prea marii sale împrăștieri și din cauza lipsei de voință politică, n-a prezentat niciodată o reală unitate și un adevărat proiect politic. O singură dată, la sfârșitul secolului al XIV-lea și începutul secolului al XV-lea, avem o familie aromână, Buia Spata, care constituie un ducat în părțile Tesaliei și Epirului, adică în Albania și Grecia de nord, lângă Vlahia din Balcani — de unde confuzia cu Valahia nord-dunăreană, care a dat naștere unei lungi enigme cu privire la stema cu capete de negri, considerată, la Conciliul de la Konstanz (1414–1418), ca fiind a unui „rege" de lângă Valahia și care a indus în eroare mulți heraldiști și istorici români, printre ei și pe genialul Bogdan-Petriceicu Hasdeu (Hâșdău), care au crezut că era una dintre stemele Basarabilor. Enigma a fost rezolvată de curând de cercetătorul Constantin Rezachevici : era stema familiei Buia Spata din Balcani.

Sub turci, aromânii s-au bucurat de o relativă autonomie. Erau împărțiți în vreo douăsprezece „căpitănii", având în fruntea fiecăreia un „căpitan de armatoli*", răspunzător față de turci cu menținerea ordinii. În secolul al XVII-lea, o dată cu slăbirea autorității centrale la Constantinopol și cu o agresivitate crescândă a musulmanilor albanezi, asistăm la un început de revoltă printre aromâni : unii căpitani de armatoli se transformă în *clefți* — pe grecește bandiți sau haiduci —, dușmani ai puterii otomane. Documentele, dar și cântecele

---

* Armatolul era un fel de jandarm, recrutat de turci din rândul bărbaților creștini din imperiul otoman.

bătrânești, și aromânești, și grecești, îi pomenesc pe mai mulți dintre ei, de pildă Iani Bucovală, Iani Belu, Nicoló Giuvara, Panu Meitani; numele lor s-au regăsit uneori printre familiile emigrate apoi către țările române. Paralel cu aceste îndepărtate preliminarii ale revoluției grecești, asistăm la o remarcabilă înflorire a talentelor negustorești ale acestor vlahi. Un oraș în special a făcut faima lor, Moscopole, în Albania. Când acest centru prosper a fost distrus de musulmani, în special după un cumplit atac în 1789, moscopolitanii și alți aromâni din regiune s-au împrăștiat în Macedonia, în Serbia, în Ungaria, în țările române. În Serbia au constituit sâmburele viitoarei burghezii din Belgrad și din Serbia întreagă; la Viena și Budapesta, au dat generații de mari bancheri și industriași, Sina, Dumba, Darvari, Belu, Mocioni (Mocsony), probabil și Karajan. În țările române, aportul lor va fi și mai însemnat. E de ajuns să pomenesc, în Ardeal, pe poeții Octavian Goga și Ștefan Iosif, dar mai cu seamă frumoasa figură a renovatorului Bisericii ortodoxe, mitropolitul Andrei Șaguna, care era născut în Ungaria de nord din părinți aromâni stabiliți acolo de mai multe generații. Și predecesorul lui Șaguna, episcopul Moga, fusese aromân — din familia lui se trage și ascendența maternă a poetului și filozofului Lucian Blaga.

În timpul războiului grec de independență, aportul aromânilor a fost masiv. Unul din marii precursori ai revoluției a fost Constantin Rhigas Phereos Velestinlis (Riga Fereu din satul aromânesc Velestin), autorul cântecului denumit „Marseillaise a grecilor". Pătruns de ideile Revoluției Franceze, el visa la un mare stat condus de greci, dar înglobând pe toți creștinii din Balcani. Predat de austrieci turcilor, a fost executat la Belgrad în 1798. Celui mai vestit dintre căpitanii acelui război, Colocotronis, i s-a zis „regele vlahilor", fără ca să putem dovedi că el însuși, originar din Peloponez, era

vlah. În schimb, alt general, Coletti, mai târziu și prim-mi-
nistru, e cert că a fost aromân.

Pe măsură ce s-a dezvoltat regatul Greciei, într-o epocă
de intens naționalism în toată Europa, vorbitorii de aromână
s-au simțit din ce în ce mai marginalizați, dacă nu se lăsau
complet elenizați, renunțând la graiul strămoșesc. E adevă-
rat că de veacuri, și prin Biserică, și prin școală, cei mai ră-
săriți dintre ei erau de cultură greacă și țineau la acea țară
care fusese dintotdeauna a lor. Astfel, mai toți „vlahii" îmbo-
gățiți prin străinătăți, în bănci, industrie și comerț, ca Sina,
Maruzzi, Averoff și atâția alții au fost mari binefăcători (ever-
geți) ai Atenei și Greciei în general. Pentru cei rămași la va-
tră însă, exclusivismul național grecesc a fost din ce în ce
mai apăsător și a dus, către sfârșitul veacului al XIX-lea și
începutul celui de-al XX-lea, la grave și sângeroase ciocniri.

Interesul pe care România l-a arătat de la Cuza Vodă în-
coace, cu ministrul său Dimitrie Bolintineanu (el însuși de
origine aromână) acestor frați îndepărtați, a luat probabil o
cale greșită: s-au deschis și întreținut în regiunile locuite
de aromâni — mai întâi în Turcia, apoi în țările succesoare,
Grecia, Bulgaria, Albania — zeci de școli și licee, unde s-a
predat însă în româna noastră, nu în dialectul local, ceea ce
a produs un rezultat diametral opus celui dorit: absolvenții
școlilor românești, în loc să întărească comunitatea lor, s-au
dovedit inadaptabili mediului local și deci doar buni de emi-
grare în România!

Azi, după două războaie balcanice și două războaie mon-
diale, cu grave consecințe în toate domeniile, situația aro-
mânilor din Balcani e dramatică. Dacă nu se reușește să se
impună statelor din zonă, foarte curând, școli sau clase cu
predare în aromână, limba care a rezistat pe acele meleaguri
mai bine de două mii de ani se va stinge de tot, sub ochii
noștri.

V

Românii în faza modernizării

Domniile pământene în Principate

Revolta lui Tudor Vladimirescu, în ciuda tragicului ei
sfârșit, a avut totuși consecințe faste în Principate: turcii,
nemaiavând încredere în greci, au hotărât să asculte cere-
rea boierilor români de a li se da din nou un domn pămân-
tean. În 1822, începe deci la noi o nouă eră prin alegerea
a doi domni pământeni. De fapt, la început a fost o numire
de către sultan, dar o delegație de boieri din Țara Românească
și alta din Moldova veniseră cu propuneri, iar astfel sultanul
pune domn în Moldova pe Ioan Sandu Sturdza, coborâtor
dintr-o veche familie de boieri moldoveni, și în Țara Româ-
nească pe Grigore IV Ghica, a cărui familie, cum am spus,
era de îndepărtată origine albaneză, acum însă cu totul româ-
nizată prin înrudiri cu vechile neamuri boierești românești,
încât se găsea chiar în fruntea „partidei naționale". Începe
acum în țările noastre era modernizării.

Cu greu ne mai închipuim azi cum arătau oamenii și
locurile la începutul veacului al XIX-lea, adică spre sfârși-
tul epocii fanariote. Desigur viața la țară, mai cu seamă la
poalele munților, cu așezări mai numeroase de moșneni și
răzeși, era neschimbată de veacuri, urmând ritmul anotim-
purilor și muncilor la câmp, la vie sau la pădure. Portul ță-
ranilor, al bărbaților și al femeilor, se păstra cu sfințenie din
tată în fiu — sau mai bine zis de la mamă la fiică —, iar
călătorii străini observă toți, cu mirare, într-o țară atât de
năpăstuită și săracă, frumusețea broderiilor și curățenia că-
mășilor chiar și la cei mai săraci. La oraș însă, boierii, după

ei și negustorii mai avuți, apoi și târgoveții, umblă în straie
în stil oriental, după moda de la Constantinopol — Țarigrad
i se spunea în graiul popular, și așa ne-a rămas până azi în
cântecele bătrânești. De aceea, străinii apuseni, care popo-
seau mai mult la oraș, aveau la prima vedere, când veneau
din Apus, impresia de a se afla deja într-o provincie a impe-
riului otoman — sau, dacă veneau de la Constantinopol, de
a se afla încă într-o provincie turcească.

Dar deosebirea de Occident nu stătea numai în acest as-
pect exterior, al costumului oriental — uneori, chiar exagerat
de „exotic", cum a fost un timp calpacul, ca un dovleac uriaș
pe capul boierilor, destul de ciudat pentru un ochi occiden-
tal. Deosebite erau instituțiile, moravurile și vocabularul (care
nu era „internațional" decât față de lumea otomană sau de
moștenirea bizantină), și prin urmare mentalitățile. Deci când
deodată au început boierii, clericii și toți cei mai avuți și
cu carte să citească romane traduse din franțuzește ori ger-
mană, sau ziare venite de la Viena și Paris, apoi când nu s-a
mai putut opune turcul ca cucoanele noastre să se îmbrace
după moda apuseană, după ele luându-se și tinerii bărbați,
și când au putut unii dintre aceștia să călătorească și să în-
vețe în Apus, atunci s-a petrecut o adevărată revoluție cu
consecințe incalculabile în toate domeniile. Trebuie insistat
asupra profundei mutații care are loc la acel început de veac
și care se va prelungi în decursul mai multor generații, ca
să înțelegi chiar anumite probleme ale României de azi. În
general, se trece prea repede asupra acestei adânci schimbări
de acum o sută cincizeci-două sute de ani, ca și când ar fi
oarecum rușinos să arăți că pe-atunci mai făceam parte *din
altă lume* decât cea căreia îi aparținem acum.

Influența franceză dominantă

Deja în epoca fanariotă începe influența franceză la noi, fiindcă Franța avea pe-atunci un prestigiu enorm în întreaga Europă. Se vorbea franțuzește în sferele înalte, de la Lisabona la Sankt-Petersburg. La noi, marea cotitură se petrece în timpul ocupației rusești de la 1806 la 1812. Convinși de victoria finală a rușilor împotriva turcilor, tinerii boieri — și mai cu seamă boieroaicele! — au început să se îmbrace după moda apuseană, să danseze vals în loc să joace hora, și să învețe toți franțuzește, pentru că franțuzește se vorbea cu ocupantul rus! Ceea ce nu i-a împiedicat pe unii boieri bătrâni, mai iscusiți în politică, cum a fost marele-vornic Constantin Filipescu (deportat în cele din urmă la capătul Rusiei), să urzească intrigi împotriva rușilor și în favoarea turcilor, pe care-i considerau de-acum ca o pavăză necesară contra expansionismului rusesc.

Când românii încep să călătorească în Occident, căutând sprijinul unei puteri străine împotriva rușilor sau a austriecilor, se îndreaptă fatalmente spre francezi. Nu doar pentru că Franța părea să rămână puterea cea mai mare, cu toată căderea lui Napoleon, dar mai cu seamă pentru că limba franceză se înrudește cu româna, aparținând amândouă familiei limbilor romanice. Așa începe la noi o extraordinară influență pașnică din partea unui neam străin, astfel încât limba noastră, cea pe care o vorbim în fiecare zi, cuprinde, în mare măsură, cuvinte de origine franceză, unele tranzitate prin italiană, care seamănă mai mult cu româna, altele preluate direct din latină. Prin faptul că tinerii intelectuali români (chiar cei care nu învățaseră în străinătate) vorbeau limba franceză, ei ne-au furnizat aproape toate cuvintele moderne. Trebuia să schimbăm cuvintele venite pe linie turcească sau grecească, pentru noul nostru sistem de administrație, pentru drept, politică, economie. Astfel, ispravnicul a devenit

prefect, a chivernisi s-a zis de-acum a administra, zapciii
au fost înlocuiți cu jandarmii (fr. medievală: *gens d'armes*,
fr. modernă: *gendarme*), vistieria a devenit ministerul finan-
țelor etc. În mod fatal, trebuia să împrumutăm asemenea
cuvinte dintr-o limbă străină, iar aceasta a fost franceza. Și
această influență nu s-a șters, a rămas în limbă și a pătruns
în felul nostru de a gândi și a trăi. Noi nu ne mai dăm sea-
ma cât de mare a fost influența franceză în veacul al XIX-lea
și chiar până la mijlocul veacului al XX-lea. Toată societa-
tea românească, toți intelectualii vorbeau franțuzește. Bo-
ierimea vorbea franțuzește acasă.

Sunteți șocați? Nedumeriți? Nu e cazul. Este un feno-
men universal: când o limbă se impune ca limbă de cultură,
e vorbită de aristocrațiile altor țări fără complexe. Dacă citiți
Război și pace de Lev Tolstoi, veți vedea cum dialogurile
intime ale acelor ruși care-l învinseseră pe Napoleon sunt
împănate cu fraze franțuzești. Mai surprinzător: Frederic
cel Mare, geniul militar și făuritorul puterii prusace la sfâr-
șitul secolului al XVIII-lea, strămoșul împăraților germani
de la 1870 la 1918, era atât de îndrăgostit de limba franceză,
în care făcea și versuri, încât a spus butada că el nu vorbește
în germană decât cu grăjdarii! Dar iată un exemplu și mai
revelator (și prea puțin cunoscut): Caesar, marele Caesar
al cărui nume a devenit sinonim cu împărat, el, adevăratul
fondator al imperiului roman, când s-a prăbușit străpuns de
douăzeci și trei de lovituri de pumnal, văzându-l printre uci-
gași pe Brutus, fiul soției sale, a rostit acele cuvinte care ne
mai tulbură adânc, după două mii de ani: „Și tu, fiul meu!" —
dar le-a spus pe grecește, dovadă că vorbea grecește acasă!

Acestea fiind zise, vă mai supără ideea că elitele noastre
vorbeau, până nu demult, franțuzește?

Așadar, în momentul când începem să preluăm științele,
filozofia, dreptul, în general cultura Occidentului, lucrurile
se schimbă radical și relativ brutal la noi în țară, oarecum

sub presiunea străinătății, în urma războaielor duse de austrieci și ruși împotriva turcilor. Am fost un teatru de război, războaiele au adus multe nenorociri la noi în țară, dar în cele din urmă au adus și posibilitatea de a ne dezbăra de dominația otomană.

Ocupația rusă din 1828–1834. *Regulamentele Organice*

Ne aflăm din nou în fața unui fenomen ciudat: rușii, în timpul cât ocupă Principatele după încă un război (1828–1829), care se termină cu pacea de la Adrianopol (septembrie 1829), vor impune în Principate un fel de nouă constituție, statute de guvernare numite „Regulamentele Organice". Iată ironia: rușii, aflați sub un regim autocrat, fără libertăți, fără parlament la ei în țară, vor impune în Principate un regim relativ mai liberal decât al lor. Apărând și în Rusia, pe ia începutul secolului al XIX-lea, mișcări liberale, guvernatorul rus numit în Principate, generalul Pavel Kiseleff (al cărui nume îl păstrează o șosea din București), un conte relativ liberal, împreună cu cei din jurul lui, s-a gândit să experimenteze în Principatele Române un regim ceva mai liberal decât în Rusia și în orice caz mai liberal decât cel pe care turcii îl impuseseră Principatelor. Să ne înțelegem asupra cuvintelor. Când zic liberal, aceasta nu înseamnă că era de-acum democratic. Regulamentele erau foarte aristocratice — în parlament, apăreau doar boieri mari și mai mici —, dar se inspirau după unele modele europene: se ținea seama de independența justiției, iar parlamentul era separat de executiv; iată deci aplicat, pentru prima oară la noi în țară (e drept, cam șchiop), principiul lui Montesquieu din veacul al XVIII-lea: separarea puterilor; executivul, legislativul și judiciarul trebuie să fie separați, independenți unul de altul, pentru ca o țară să poată fi cârmuită într-un mod oarecum liberal, adică ferită de despotism și arbitrar. Acest principiu apare pentru prima oară în Regulamentele Organice.

Soarta țărănimii, în schimb, se înrăutățește în urma Regulamentelor Organice. În 1829, prin pacea de la Adrianopol, turcii sunt siliți să liberalizeze navigația pe Marea Neagră și pe Dunăre, forțați bineînțeles de ruși, dar și de englezi, căci englezii dominau mările și voiau să liberalizeze comerțul. De la o zi la alta, libertatea comerțului în Principatele noastre face ca boierimea, care poseda majoritatea pământurilor, să se intereseze de o exploatare mai intensivă, ca să producă grâne pentru export. Până atunci, țăranul putea să cultive într-o oarecare libertate pământul boierilor, boierul era silit să dea cel puțin două treimi din moșia lui țăranilor, care o cultivau cum voiau și îi dădeau boierului o cincime, o pătrime sau o treime, dar dijma nu ajungea la jumătate din recoltă. Din momentul când boierii nu mai sunt siliți să dea grâul turcilor la preț redus, ci îl pot vinde francezilor sau englezilor, pe Dunăre, țăranii încep să fie mult mai exploatați de marii proprietari decât erau înainte de epoca Regulamentelor Organice. Iată cum progresul își are și reversul lui. Prima constituție românească reprezintă embrionul unei legislații de tip occidental, dar, pe de altă parte, înrăutățește soarta țăranilor în așa măsură încât, mai târziu, unii gânditori socialiști vor spune că avem de-a face cu o epocă de neoiobăgie. Degeaba era țăranul liber (nu mai exista șerbie la noi de la mijlocul secolului al XVIII-lea, am pomenit mai sus despre reforma lui Constantin Mavrocordat), faptul că era silit să folosească pământul boierului și să-i dea jumătate din munca efectuată cu mâna, cu plugul și cu boii lui, a făcut ca situația țărănimii să se degradeze. Iar aceasta în contextul în care, datorită îmbunătățirii condițiilor de igienă și a progreselor medicinei (vaccinul împotriva variolei —

căreia i se spunea „altoi de vărsat" — se introdusese la începutul veacului), populația la sate a crescut mult în secolul al XIX-lea.

Pe plan politic, aplicarea Regulamentelor Organice a însemnat și o intervenție permanentă în treburile țării a reprezentanților ruși la București (până în 1834, generalul conte Pavel Kiseleff, apoi consulii ruși de la București și Iași), în așa măsură, încât cele două Principate deveniseră practic țări aflate sub protectorat rusesc. Situația domnilor, Mihai Vodă Sturdza (1834–1849) în Moldova, Alexandru Ghica (1834–1842) și Gheorghe Bibescu (1842–1848) în Țara Românească, a fost extrem de grea, mereu învinuiți de liberalii dinăuntru că nu rezistă destul presiunilor rusești, și de consulii ruși că cedează prea mult opoziției dinăuntru. În Țara Românească în special, Alexandru Ghica s-a confruntat în Adunarea legislativă cu o puternică opoziție, de tendință antirusă. Unul dintre șefii acestei opoziții, Ion Câmpineanu, a și plecat în Occident, pentru a trezi interesul marilor puteri în problema românească și e de mirare cum a putut fi primit în audiență de prim-miniștri apuseni, Lord Palmerston la Londra și Adolphe Thiers la Paris. Aparținând unei familii boierești de prim-rang, înrudit cu Cantacuzinii și cu Cantemireștii, el a fost introdus în cercurile occidentale de prințul Adam Czartoryski, fruntaș al emigrației poloneze și fost consilier al țarului. Altă explicație a relativului succes al lui Câmpineanu au fost legăturile sale cu masoneria.

Întors în țară, a fost închis un timp — ca și tânărul Mitică Filipescu, primul nostru doctor în drept de la Paris și care, cu toate că aparținea uneia dintre cele mai puternice familii boierești din Țara Românească, poate fi considerat, prin proiectul său politic, ca primul om politic cu idei socialiste din țara noastră. Filipescu a murit în închisoare. O dată cu el, fusese închis și tânărul Nicolae Bălcescu, care va juca un

rol de frunte în Revoluția de la 1848. În închisoare se îmbol-
năvește el de tuberculoza („oftica" i se zicea pe atunci) care-l
va doborî de tânăr.

Mai abil și mai iubit de ruși, Sturdza s-a menținut mai
mult pe tron. Cu toate slăbiciunile de care toți trei domnii
au fost învinuiți, se poate spune, obiectiv, că în timpul gu-
vernării lor ambele principate au făcut progrese mari în do-
meniul economic și în domeniul cultural. S-au clădit orașe
întregi, ca Brăila (privită, o vreme, de străini drept mai fru-
moasă decât Bucureștii), Alexandria (după numele lui Ale-
xandru Ghica); s-au deschis drumuri, s-au pavat și iluminat
cele două capitale. La Iași, Mihai Vodă a inaugurat o univer-
sitate (Academia Mihăileană) și a întreținut un teatru fran-
cez. Comerțul în ambele Principate a luat avânt, ca urmare
a clauzelor tratatului de la Adrianopol, care liberalizase co-
merțul pe Dunăre și Marea Neagră și *suprimase monopolul*
turcesc pe cereale și vite. Atunci a început să se închege cu
adevărat o burghezie românească, din negustorime și din
mica boierime. O consecință neprevăzută a fost și imigrarea
din ce în ce mai masivă în Moldova a evreilor din Galiția,
Polonia și Rusia, atrași de o nouă piață comercială în stare
oarecum „virgină".

Revoluția de la 1848 în Principate — neizbutită în Moldova, victorioasă timp de trei luni în Țara Românească. Rolul francmasoneriei

Iată-ne ajunși la revoluția de la 1848. Trebuie spus mai
întâi că în toată Europa, după căderea lui Napoleon, între
1815 și 1848 se petrec modificări adânci în ordinea econo-
mică și socială. Industria ia avânt la început în Anglia, iar
Franța urmează, la rândul ei, modelul englez. (Deschid aici
o paranteză, pentru a veni în întâmpinarea celor ce se simt

umiliți că facem apel la străini pentru dezvoltarea țării noastre — născându-se astfel un complex de inferioritate. În Franța, marea Franță care avea o întârziere de câteva zeci de ani față de Anglia în privința dezvoltării industriale, statisticile arată că în 1848, momentul izbucnirii revoluției, se aflau 60 000 de „cooperanți" englezi! Francezii au avut nevoie de acești ingineri și muncitori englezi ca să înceapă să se industrializeze la rândul lor, să construiască uzine, căi ferate ș.a.m.d. Vedem deci că nu e o înjosire ca, pe măsură ce adopți metode și tehnici noi, să fii pentru un timp ucenicul unui străin.) Dezvoltarea industrială creează noi probleme grave în toate statele occidentale. În 1848, se răscoală populația pariziană împotriva regelui burghez, cum i s-a zis lui Ludovic-Filip, care nu știuse să facă din vreme reforme mai democratice și lăsase puterea capitaliștilor, de data asta de origine mai mult burgheză decât aristocratică.

Revoluția din 1789 din Franța avusese aspecte populare și momente sângeroase, dar în cele din urmă a adus la putere o altă clasă, burghezia, în locul aristocrației. În 1848, asistăm la o încercare de a răsturna și burghezia de la putere, o încercare populară. Interesant este că tinerii noștri studenți de la Paris sunt entuziasmați de această revoluție populară, cu toate că în majoritatea lor erau fii de boieri; de pildă, frații Golescu, și mai cu seamă frații Brătianu se pare că au luat parte la luptele de stradă alături de populația răsculată a Parisului. Ei sunt ucenicii revoluției din Franța și o importă în țările noastre, în Țara Românească și în Moldova.

Aici trebuie să spunem câteva cuvinte despre o problemă care nu se prea discută în cărțile noastre de istorie: rolul jucat de o societate secretă, francmasoneria, în aceste revoluții, atât în cea din 1789 în Franța, cât și în cea de la 1848, la noi. Tineretul nostru, aflat în Franța sau în alte țări occidentale, nu se putea simți atras de conservatori — prea puțin preocupați de un principat considerat provincie turcă. În

schimb, liberalii, doritori să răspândească ideile de demo-
crație și libertate și în țările din răsăritul și sudul Europei,
au captat interesul acestor tineri români. Ceea ce a făcut ca
cei mai mulți dintre ei să se înscrie în lojile masonice.

Ce era masoneria? Este un lucru destul de greu de expli-
cat, fiindcă multă vreme masoneria s-a acoperit cu un văl
de mister. În Evul Mediu, cei care clădeau vestitele cate-
drale și care învățau din tată în fiu sau de la maestru la uce-
nic secretele construcției au creat societăți secrete pentru
ca numai ei să cunoască tainele meseriei. Și pe franțuzește
franc-maçon înseamnă „zidar liber". Ei formau companii
care se plimbau în toată țara și clădeau la comandă ce li se
cerea, dar nu voiau să destăinuie decât după o ucenicie foarte
lungă secretele meseriei lor. Acest cuvânt de francmason a
fost preluat pe la începutul secolului al XVIII-lea de un pas-
tor anglican care înființează o nouă societate secretă. So-
cietatea nu avea drept scop nici zidăria, nici arhitectura, ci
dărâmarea unei societăți mult prea dominate de aristocrație
și de Biserica catolică. S-au născut deci, mai întâi în Anglia,
apoi foarte repede s-au răspândit pe continent, societăți se-
crete care aveau scopul, pe de o parte, de a slăbi puterea
Bisericii prea voluntare a catolicilor (care controla în mare
măsură educația copiilor și avea o influență prea puternică
asupra guvernelor), iar, pe de altă parte, de a distruge mono-
polul aristocrației asupra guvernelor. Se pare că masoneria
a jucat un rol important în izbucnirea Revoluției franceze
de la 1789. Este o chestiune controversată, dar cred că e
multă dreptate în această teză, de n-ar fi decât o singură do-
vadă: toate caietele de doleanțe — cerințele de reformă adre-
sate, din toate provinciile Franței, regelui Ludovic XVI —
se asemănau ca și când ar fi fost scrise de aceeași mână se-
cretă, iar singura explicație plauzibilă este că toate au fost
redactate în lojile masonice și apoi preluate de deputății Stării

a Treia*, care ajung la Paris. Același lucru se repetă la noi în 1848. Acești tineri români care studiaseră la Paris, aproape toți (avem dovezi acum, de când s-au deschis arhivele masoneriei) au fost recrutați pentru a intra în masonerie și au venit ca masoni la noi în țară. Revoluția de la 1848, ca și Unirea Principatelor de la 1859, a fost opera tinerilor masoni.

Adevărul trebuie spus, dacă este dovedit prin documente. Ce s-a întâmplat mai târziu? Masoneria a devenit oarecum o societate de sprijin reciproc și de acaparare a puterii; extrema stângă a preluat, în mare parte, conducerea masoneriei, mai cu seamă în Franța, și au intrat în masonerie foarte mulți evrei, dornici, pe această cale, să spargă ostracizarea ce-i lovea de veacuri. Unii dintre ei, venind la noi, au încercat să forțeze țările române să acorde imediat cetățenia română evreimii care intrase după 1830 în principatele noastre, mai cu seamă în Moldova. De-atunci s-a născut un fel de reacție negativă împotriva masoneriei, o reticență a intelectualilor români, fiindcă ei au avut impresia că se încerca să li se forțeze mâna în direcții care nu mai corespundeau intereselor naționale ale momentului, așa cum le vedeau ei.

Când izbucnește revoluția la Paris, în februarie 1848, unii dintre tinerii noștri, cum sunt frații Brătianu, se află la Paris. Se întorc la noi în țară, unde domneau, la București, Gheorghe Bibescu, iar, la Iași, Mihai Sturdza, și încep să comploteze pentru a răsturna aceste guverne sau pentru a impune domnului reforme democratice. În martie 1848, se pregătește un complot în Moldova, dar este descoperit și imediat înăbușit de Mihai Vodă Sturdza. Unii sunt închiși, alții reușesc să fugă în străinătate, astfel încât revoluția din Moldova este neizbutită din capul locului. În Țara Românească în

---

* Adică burghezia și poporul. Din Starea Întâi făcea parte aristocrația, iar din Starea a Doua clerul.

schimb, unde exista de altfel o burghezie mai dezvoltată de-
cât în Moldova, tineretul revoluționar reușește să mobilizeze
populația, să meargă până și la sate cu câțiva revoluționari
ieșiți din păturile țărănești, cum a fost Popa Șapcă. Începe
o adevărată revoluție, cu proclamația de la Islaz (9 iunie
1848); se întinde apoi la București, unde impune domnului
Bibescu o proclamație pentru a face schimbări, pentru a or-
ganiza alegeri, cerând de asemenea suprimarea rangurilor
boierești etc. Vodă Bibescu, dându-și seama că exista riscul
unei intervenții străine pentru a înăbuși această mișcare, după
două zile abdică și pleacă în străinătate.

Timp de trei luni va rezista un guvern condus de acești
tineri revoluționari, dintre care citez câteva nume. Am po-
menit deja de Ion Câmpineanu, din generația precedentă.
Avem apoi pe nepotul său, Ion Ghica, frații Golescu, Nicolae
Bălcescu, Christian Tell, Ion Eliade Rădulescu, generalul
Magheru. Guvernul a încercat imediat să ia măsuri radicale.
De pildă decretează libertatea țiganilor, care veacuri de-a
rândul trăiseră într-o situație subalternă, jignitoare, erau mal-
tratați, bătuți, asta explicând multe dintre mentalitățile lor.
Nu este vina lor, ci a veacurilor de durere și înjosire pe care
le-au îndurat. Au fost eliberați în principiu în 1848, dar după
înăbușirea revoluției măsura n-a apucat să fie aplicată. În-
cepuseră însă câțiva boieri, cum au fost Ion Câmpineanu
sau Mihai Vodă Sturdza, să-i elibereze pe propriii lor țigani;
mânăstirile și-au dat seama că robia nu corespundea cu mi-
lostenia creștină și i-au eliberat și ele — așa încât prin anii
1850 nu mai rămâneau decât vreo 5 000 de robi țigani în
Țara Românească și tot atâția în Moldova, numai robi parti-
culari, la boieri, pentru care făceau toate meseriile prin casă,
erau bucătari, lemnari, fierari, potcovari, spoitori etc. Dar
și lăutari! Eliberarea lor totală n-a început decât în 1856.
Pare de neînchipuit ca în veacul al XIX-lea să mai fi existat
încă robi la noi, dar gândiți-vă că Statele Unite ale Americii

au mai așteptat încă șase-șapte ani pentru a-i dezrobi pe negri. În domeniul acesta am fost înaintea SUA!

Au apărut atunci alte dificultăți: cum să fie țiganii inserați în viața normală a țării, să devină proprietari de pământ, să practice liber meserii. Libertatea de principiu nu rezolva toate problemele.

Să ne întoarcem la momentul 1848, când s-a decretat libertatea țiganilor. Cum guvernul nu a durat decât trei luni, planurile lui au rămas literă moartă. De pildă, s-au dus timp de săptămâni discuții între proprietarii de pământ (să le spunem boieri — dar nu mai erau toți boieri vechi, ci și nou îmbogățiți, târgoveți, burghezi) și țărani, în privința împroprietăririi. Iar aici, lucrurile au fost oprite. O asemenea revoluție nu putea fi admisă de Rusia, care s-a înțeles cu Turcia, puterea suzerană și, pentru prima oară de comun acord, au intrat în țară, rușii dinspre nord, turcii dinspre sud, și au înăbușit revoluția în septembrie–octombrie 1848. Au ocupat țara, fiecare câte o jumătate. Până și Bucureștii au fost împărțiți în două, cum a fost Berlinul împărțit, după al doilea război mondial, între ruși și occidentali. Iată deci această mare speranță a noastră înăbușită. Capii revoluției, mai toți, cei care n-au fost luați de ruși și deportați în Siberia, au putut fugi, unii în Turcia, dar cei mai mulți în Franța. Astfel a început o propagandă intensă, care a schimbat în timp perspectiva guvernelor occidentale privind Principatele Române.

1848 în Ardeal: ungurii și românii — în tabere opuse

Trebuie să vorbim acum și despre ce s-a întâmplat în acest răstimp în Transilvania. Acolo lucrurile au stat altfel. Revoluția începuse și în Ungaria. Unii dintre revoluționarii din principate, mai cu seamă Nicolae Bălcescu, ar fi vrut să ne aliem cu ungurii, fiindcă dușmanul nostru, al tuturor, în gândul lui, era Rusia. Din păcate, ungurii, reprezentați mai ales de aristocrația lor, au avut alte scopuri naționale. Nobilimea maghiară, chiar de pe vremea Mariei Tereza, era foarte puternică și forma o mare parte din armata austriacă. Așa se explică cum a reușit Revoluția ungară să țină piept austriecilor timp de un an. S-a crezut chiar că vor forma o Ungarie liberă. Austriecii au continuat însă lupta contra lor și i-au chemat în ajutor pe ruși.

Între timp, românii din Transilvania ar fi spus ungurilor: noi suntem alături de voi pentru a lupta împotriva împărăției, cu condiția să ne acordați, în Transilvania, egalitate în drepturi. Ungurii n-au acceptat, ba au mers, dimpotrivă, mai departe: au proclamat în 1848 unirea Transilvaniei cu Ungaria. Până atunci, sub dominația împăratului, cu toate că puterea era în mâna Dietei maghiare, Ardealul reprezenta o unitate aparte. Românii n-au putut admite unirea cu Ungaria — ar fi devenit minoritari în unitatea administrativă nou creată. Degeaba s-a dus Nicolae Bălcescu să discute cu Kossuth, pentru a face legătura între Kossuth și Avram Iancu, șeful revoluționarilor români. Nu s-a putut ajunge la o înțelegere, așa încât țăranii români, în jurul lui Avram Iancu, au luat armele împotriva ungurilor, deci în alianță cu stăpânul de la Viena. Același lucru s-a întâmplat și cu croații, așa încât două mari minorități din împărăția austriacă, croații și românii, se aliază cu guvernul central de la Viena împotriva revoluționarilor unguri. Iar când, în fine, maghiarii înțeleg că interesul lor e să se alieze cu românii și semnează cu Bălcescu o înțelegere conform căreia acordă românilor egalitate de drepturi în Transilvania, e prea târziu. Armata rusă intră în Ardeal condusă de generalul Paskievici, iar armata ungară este nimicită.

Deși înfrântă, Revoluția maghiară din 1848–1849 a servit ulterior ungurilor. Austriecii nu i-au răsplătit pe croați, pe sârbi și pe români care îi ajutaseră împotriva ungurilor, nu le-au acordat drepturi suplimentare, în schimb, după mai puțin de douăzeci de ani, văzând că această împărăție nu mai poate rezista condusă doar de austrieci, au creat în 1867 o uniune austro-ungară, adică au dat ungurilor autoritate asupra jumătății de răsărit a imperiului, ceea ce a fost o nenorocire pentru minoritățile din zona ungară. S-a reconstituit într-un fel coroana Ungariei din Evul Mediu, iar ungurii, care nici măcar nu erau majoritari în zona lor de stăpânire, au avut astfel autoritate asupra slovacilor, românilor, rutenilor din Ucraina subcarpatică și asupra unei părți a croaților și sârbilor; pe când austriecii, în partea apuseană a imperiului, păstrau, în plus față de Austria propriu-zisă, Boemia (Cehia), sud-vestul Poloniei, Bucovina și o parte din Croația. Acesta a fost „compromisul" de la 1867, care a primit denumirea de „Dubla Monarhie", cu două capitale, Viena și Budapesta, două parlamente, două guverne, numai externele, armata și câteva administrații fiind comune. Pentru românii transilvăneni a fost o nenorocire, fiindcă maghiarii au încercat să maghiarizeze prin tot felul de mijloace populațiile minoritare.

Aici aș mai deschide o paranteză. Am spus deja că, după pacea de la Adrianopol, evreii imigrează cu zecile de mii în Moldova. Un fenomen asemănător se petrece la aceeași epocă în Ungaria. Reacțiile românilor și ungurilor vor fi însă diferite. La noi nu exista o burghezie, iar reacția a fost, așa-zicând, aceea a unei scoici care se închide. Noi vorbeam românește, ei vorbeau idiș, iar timp de zeci de ani românizarea lor a decurs foarte lent. Așa se face că, la mulți dintre români, a apărut sentimentul că exista o comunitate de alt neam printre ei. Ungurii, în schimb, au avut dibăcia să-i maghiarizeze pe evrei și să le acorde imediat cetățenia. Explicația

ține de interesul lor național. La recensământ, doar adău-
gând populația evreiască celei maghiare, au ajuns ungurii
să fie majoritari în propria lor țară. Rezultatele acestor reacții
diferite se simt și azi. Deși la sfârșitul ultimului război mon-
dial guvernul pronazist ungar i-a predat germanilor pe evrei,
care au ajuns să fie exterminați în camerele de gazare, totuși,
în mare parte, evreimea internațională simpatizează mai cu-
rând cu Ungaria decât cu România.

Principatele între 1848 și 1859.
Preliminariile Unirii.
Războiul Crimeii (1854–1856)

Să ne întoarcem la Muntenia și Moldova după momentul
1848. Iată amândouă țările ocupate de ruși și de turci timp
de câțiva ani. Guvernul revoluționar n-a durat deci decât trei
luni și s-a instalat un regim de genul celui din epoca Regu-
lamentelor Organice. Însă diaspora română de la 1848, atât
la Constantinopol, cât și la Paris, a jucat un rol decisiv, iar
când, în 1854, izbucnește un nou război în Balcani (pe care
l-a declanșat Rusia, sub pretextul apărării unor drepturi ale
creștinilor din Palestina), puterile occidentale, în special
Anglia și Franța, nu mai acceptă să lase Rusia să se extindă
în Balcani și să închidă eventual strâmtorile de la Constan-
tinopol. Și iată că izbucnește războiul unei coaliții — Anglia
(regina Victoria), Franța (Napoleon III) și Piemontul (nu-
cleul viitorului regat al Italiei), în alianță cu Turcia — îm-
potriva Rusiei. Rușii sunt obligați să evacueze Principatele,
pe care le ocupaseră; Principatele sunt ocupate în schimb
de Austria, care se declară neutră, iar războiul se poartă în
Rusia, în peninsula Crimeea, unde flota franco-engleză de-
barcă trupe. Luptele durează doi ani (1854–1856) și sunt
foarte grele pentru aliați, dezavantajați de marea distanță

față de bazele lor — apoi, în afara turcilor, ostașii coaliției nu prea știau de ce se bat atât de departe de patrie. Apar și grave epidemii, iar sistemul sanitar e aproape inexistent. (Crucea Roșie se va naște câțiva ani mai târziu, din inițiativa unui tânăr elvețian, Henri Dunant, îngrozit de spectacolul văzut în cursul altui război dus de Napoleon III, în 1859, de data asta împotriva Austriei, pentru unificarea Italiei.)

Spre norocul aliaților, între timp moare țarul Nicolae I, iar succesorul lui, Alexandru II, este mai înțelegător, își dă seama că n-are interes să continue războiul foarte costisitor cu aceste două mari puteri occidentale și încheie pace la Paris, în 1856, unde, pentru prima dată, de veacuri, Rusia cedează teritorii. Puterile occidentale îi silesc pe ruși să restituie principatului Moldovei sudul Basarabiei. Iar aceasta nu pentru a face dreptate țărilor române, ci pentru a împiedica Rusia să controleze gurile Dunării. Paradoxul face ca noi să fi căpătat numai cele trei județe din sudul Basarabiei unde românii erau minoritari, pentru că timp de veacuri otomanii aduseseră acolo turci și tătari. Partea cu populație majoritar românească a Basarabiei, adică centrul și nordul, rămânea Rusiei.

Unirea Principatelor (1859)

Este totuși un moment favorabil țărilor noastre, fiindcă Rusia cedează, iar reprezentanții marilor puteri se întrunesc la Paris în 1858 și hotărăsc să permită Principatelor Române să se unească (propaganda tineretului nostru în Occident aducea acum roade), însă cu condiția să aibă doi domnitori și numai câteva instituții comune la Focșani; era o combinație federală destul de ciudată. Dar noi am știut să profităm de această ocazie. Tot prin hotărârea occidentalilor se organizează în Țara Românească și Moldova două așa-numite *adunări ad-hoc*, pentru alegerea Domnului. Din păcate, alegerile sunt trucate în Moldova de caimacam (*caimacam* însemna pe turcește locțiitor domnesc numit de sultan), Nicolae Vogoridi, un fanariot de origine bulgărească. Românii se plâng lui Napoleon III al Franței care, cu greu, o convinge pe regina Victoria a Angliei să facă presiuni asupra sultanului ca alegerile să fie anulate. Sultanul acceptă, sub presiunea militară a Franței și Angliei, și alegerile reîncep în Moldova, iar de data aceasta dau o majoritate covârșitoare unioniștilor.

Iată-ne în ianuarie 1859: alegeri mai întâi la Iași, apoi la București. E aici un exemplu minunat de inteligență a clasei noastre politice de-atunci. Cei de la Iași, după multe tergiversări, aleg pe un om aproape necunoscut, colonelul Alexandru Ioan Cuza. S-a scris în anumite cărți că a fost ales fiindcă era și el mare mason. Am consultat persoanele cele mai competente, care au căutat prin documentele masoneriei de la Paris, deschise recent (s-a căutat de pildă în loja care fabrica, așa-zicând, pe masonii români). Cuza n-a fost găsit, așa încât îmi cer și eu iertare pentru că, într-o carte franțuzească, am repetat același lucru pe care l-am citit într-o carte de istorie a masoneriei. Nu s-a dovedit până acum că ar fi fost mason Cuza. Dar un lucru este cert, tinerii unioniști care i-au propus candidatura și care l-au votat erau, mai toți, masoni. El a fost creația masonilor la început. Vom vedea mai târziu că tot masonii l-au răsturnat după șapte ani!

Iată-l pe Alexandru Ioan Cuza, domnitor al Moldovei, la 5 ianuarie 1859. Ce vor face bucureștenii? Aici, după cum am spus, încă de la 1848 exista și o mișcare populară în mâna revoluționarilor, ca de pildă frații Brătianu, care văzuseră cum se face o revoluție la Paris și știau să apeleze la mase. Poporul manifestă violent și silește parlamentul la 24 ianuarie/5 februarie 1859 să-l aleagă tot pe Alexandru Ioan Cuza, domnitorul Moldovei. Am pus astfel Europa în fața unui fapt împlinit: alegerea aceluiași domn în cele două

principate. A fost nevoie de vreo trei ani de discuții diploma-
tice grele și de ajutorul lui Napoleon III, un fel de naș la
făurirea României, pentru a se admite, în fine, că avem un
singur domnitor, cu condiția ca situația să dureze numai pe
timpul domniei lui, de șapte ani. După vreo trei ani ni s-a
permis ca această țară, care se numea la început „Principa-
tele Unite ale Valahiei și Moldovei", să se numească „Ro-
mânia". Numele țării noastre este deci recent. De la numele
de român am fabricat în 1862 un nume: România. De ase-
menea în epoca aceea, deja din 1848, se alege steagul —
de fapt un amestec al unor steaguri mai vechi ale voievozilor
din Muntenia și Moldova. Albastru, galben, roșu a devenit
steagul țării noastre, sper, pentru totdeauna.

Domnia lui Cuza

Deși nu era pregătit să fie domn, iar alegerea sa a părut
mai curând surprinzătoare, Cuza s-a dovedit un domnitor
remarcabil. De o bunătate și de o cinste rare, în scurta sa
domnie de șapte ani a făcut în România mari reforme. Întâi
de toate a încercat să facă un lucru la care se opunea statul
rus (care în general favoriza Bisericile din Orient): secula-
rizarea bunurilor mânăstirești. Cu veacurile, domnii români,
și mulți dintre boieri, credeau că se împacă de-a pururi cu
Dumnezeu, înainte de moarte, făcând daruri mari bisericilor
de la muntele Athos, de la Locurile Sfinte din Palestina sau
de la Sfânta Ecaterina din Egipt, la Muntele Sinai. Și, încetul
cu încetul, s-a ajuns la situația în care o șeptime din pămân-
tul arabil al țării, sub formă de moșii ale unor mânăstiri zise
„mânăstiri închinate" (Sfântului Munte, de pildă), era de-
dicată acestor mânăstiri străine, care avuseseră cu vremea,
din epoca fanariotă, dreptul să trimită un egumen de-ai lor
la fiecare mânăstire pentru a ține socotelile și a veghea ca,

după ce se păstrau cele de folosință traiului călugărilor lo-
cului, tot restul, venitul agricol al acestor imense întinderi
de pământ, toți banii aceia să plece la Muntele Athos, în
Palestina sau în Egipt. Demult se spunea în cercurile mai
înaintate și mai liberale că e inadmisibil ca atâta parte din
averea țării să plece an de an în străinătate, chiar pe motive
religioase. Se încercase o primă dată oprirea acestei „he-
moragii", imediat după revoluția de la 1821 (administrator
al bunurilor mânăstirești fusese atunci, în Moldova, tatăl lui
Vasile Alecsandri); dar, după puțini ani, sub presiunea gu-
vernului rus, ai noștri au trebuit să renunțe. Acum însă, sub
Alexandru Ioan Cuza, cu Mihail Kogălniceanu ca prim-mi-
nistru, se ia această hotărâre în ultimele zile ale lui decem-
brie 1863, profitându-se de faptul că la acel moment, ca
urmare a Războiului Crimeii, Rusia nu mai este aceeași mare
putere nestăvilită: parlamentul votează *Legea secularizării
bunurilor mânăstirești* — am zice astăzi „naționalizarea".
Bineînțeles că mânăstirile străine, lovite de această măsură,
precum și toți grecii de la Athos și de aiurea au protestat,
au asmuțit pe ruși și toate marile puteri, dar guvernul lui
Cuza n-a cedat. S-au dus tratative ca să-i despăgubim în bani,
punând la dispoziție o sumă de 50 de milioane de franci-aur
— sumă destul de importantă la acea vreme —, dar „târ-
gul" a fost respins cu obstinație, așa că în cele din urmă nu
s-a plătit nimic. (Foștii beneficiari nu ne-au iertat nici azi.
Când am fost eu însumi la Muntele Athos, mi s-a spus, din
surse de toată încrederea, că și astăzi egumenii greci mai
trag nădejde că li se vor restitui bunurile „mânăstirilor închi-
nate", pe care, chipurile, „le-am furat" acum o sută cinci-
zeci de ani!)

Secularizarea n-a lovit însă numai bunurile mânăstiri-
lor închinate, ci toate bunurile mânăstirești și bisericești din
țară, ceea ce a avut consecințe grave asupra independenței
Bisericii. Preoții și monahii de ambele sexe s-au găsit dintr-o

dată salarizați de stat. Şi mai grav: s-au luat măsuri guvernamentale ţinând de canoanele Bisericii, de pildă fixarea unei vârste minime pentru intrarea în călugărie, care a fost rezervată de-atunci numai bătrânilor şi invalizilor — măsuri cu caracter vădit anticlerical, probabil de inspiraţie masonică.

Secularizarea i-a permis lui Cuza să procedeze la o primă distribuire de pământuri ţaranilor, nu însă înainte de a fi silit — ca să treacă Legea agrară — *să dizolve parlamentul.* S-au împărţit atunci vreo 2 milioane de hectare la peste 500 000 de familii de plugari. Cum însă cu vremea s-a înmulţit populaţia rurală, iar lotul de pământ ce se dăduse fiecărei familii era în orice caz prea mic, situaţia ţărănimii n-a fost ameliorată substanţial de reforma lui Cuza.

Mai importantă, din punctul de vedere al consecinţelor, a fost adoptarea codurilor moderne în legislaţia românească. Luând ca exemplu în mare parte Franţa şi Belgia, s-au elaborat coduri moderne: cod civil, cod penal, precum şi legi privind învăţământul modern, alfabetul latin etc. Poate că nu toată lumea ştie că de-abia din 1863 se scrie la noi în ţară cu caractere latineşti. Înainte scriam la fel ca bulgarii, sârbii sau ruşii, cu litere chirilice, ceea ce dădea impresia în Occident că eram un popor din altă familie decât cea neolatină. De mult se vorbea de o schimbare de alfabet, însă bătrânii nu voiau să înveţe un nou alfabet. S-a procedat aşadar treptat în timpul domniilor lui Mihai Sturdza şi Grigore Ghica în Moldova, şi Alexandru Ghica, Gheorghe Bibescu şi Barbu Ştirbei în Muntenia: s-au introdus cu încetul litere latineşti printre literele chirilice în actele publice şi prin publicaţii timp de peste douăzeci de ani. I s-a zis mai târziu, oarecum ironic, „alfabetul de tranziţie". Obiceiurile vechi nu se leapădă cu una, cu două! Sub Cuza Vodă s-a luat hotărârea definitivă şi s-a adoptat alfabetul latin şi la noi — ortografia fiind schimbată de mai multe ori până azi.

O altă hotărâre de mare însemnătate s-a luat sub domnia
lui Cuza: alegerea Capitalei Țării Românești, București, drept
Capitală a Principatelor Unite. În primii trei ani după dubla
alegere a lui Cuza, fuseseră două guverne deosebite, la Iași
și la București. Dar când Principatele Unite s-au prefăcut
în „România", cu un singur guvern, trebuia și o singură ca-
pitală. Oamenii noștri politici de atunci, atât de înțelepți și
de îndrăzneți, n-au avut totuși curajul — politic și mai cu
seamă economic! — de a crea o nouă Capitală în orășe-
lul-graniță Focșani. Și au ales deci Bucureștii. De ce? Mai
întâi fiindcă București era un oraș mai mare, de două-trei
ori mai populat decât Iașii; era un centru comercial mai im-
portant, între Turcia și Austria, decât Iași, aflat într-o poziție
excentrică. În fine, și mai cu seamă (uitați-vă pe hartă), de
când pierduserăm Moldova dintre Prut și Nistru, Iașiul, care
înainte se afla cam în mijlocul Moldovei, acum se afla la
doar 15 kilometri de granița rusă — cum este și astăzi față
de granița cu noua „Republică Moldova". Bucureștiul era
deci mai departe de Rusia, puterea de care ne temeam.

Detronarea lui Cuza

Dacă această domnie de șapte ani a lui Cuza a fost atât
de înțeleaptă și de benefică cum am spus, vă veți întreba
„dar de ce a fost răsturnat?", „de ce a fost adus un domn
străin?". Aici trebuie să dau câteva explicații. Mai întâi, exis-
ta totuși în țară o partidă care găsea că reformele lui Cuza
veneau prea repede, că nu eram pregătiți să acceptăm toate
aceste legi în stil occidental; apoi unii mari proprietari s-au
temut că va merge mai departe cu împărțirea pământurilor
către țărani; pe urmă, viața privată a principelui Cuza era
criticată. Dar, mai cu seamă, de multe zeci de ani intrase în
mentalitatea acestor șefi politici pe care i-am avut în veacul
al XIX-lea că țara noastră nu va căpăta un statut de țară cu

adevărat liberă, independentă și de stil occidental decât în ziua când va avea un rege sau un principe dintr-o dinastie străină, pentru a înceta luptele dintre diversele familii mari de la noi, între Ghica sau Bibescu, Cantacuzino sau Mavrocordat. Și dorința de a avea un principe străin era unul dintre punctele care apărea nelipsit în doleanțele pe care ai noștri le prezentau marilor puteri ca să explice care erau năzuințele poporului român.

Cuza se angajase să nu stea în scaun decât șapte ani și să favorizeze alegerea unui domn străin. Se împlineau acum șapte ani, iar Cuza nu făcuse aparent nici un gest, nici un pas către găsirea și alegerea unui domn străin. Acesta a fost argumentul major pentru care oameni politici din tabere diferite au făcut un fel de coaliție, lucru care a mirat pe toată lumea. S-au apropiat conservatorii cei mai de dreapta (pentru a vorbi în termeni moderni) de liberalii cei mai de stânga (frații Brătianu și C. A. Rosetti) și li s-a spus, în mod peiorativ, „monstruoasa coaliție". Adevărul este că *această coaliție a fost realizată de masoni*. S-a creat chiar o lojă masonică specială pentru răsturnarea lui Cuza, în care au intrat și conservatori, și liberali, și s-a pregătit o lovitură de stat cu complicitatea comandanților unor unități militare. În noaptea de 11/23 februarie 1866, au pătruns în palat un grup de ofițeri cu pistolul în mână și l-au silit pe principele Cuza să-și semneze abdicarea. Cuza s-a purtat extrem de elegant, a iscălit, a plecat a doua zi spre Austria și niciodată n-a făcut vreo plângere sau vreo încercare de revenire, repetând mereu că și el dorise venirea unui principe străin. A murit în exil, relativ tânăr, în 1873.

Cum s-a ales un domn străin în 1866

Guvernul provizoriu, grabnic constituit a doua zi sub președinția lui Ion Ghica (omul de la 1848, apoi de mai multe

ori prim-ministru pentru scurtă vreme, căci nu știa să fie
om de partid; iar la bătrânețe s-a revelat, în scrisorile lui
către Vasile Alecsandri, ca unul dintre marii noștri proza-
tori), oferă coroana României principelui Filip de Flandra,
al doilea fiu al regelui Belgiei, care însă refuză. Nu-l interesa
să domnească peste o țară din Răsăritul Europei, încă vasală
a Turciei! Ne aflam deodată într-o situație dramatică: „pu-
terile garante", care nu consimțiseră Unirea din 1859 decât
pentru durata domniei lui Cuza, puteau profita de ocazie ca
să denunțe acordul — se știa că nici Turcia, nici Austria,
nici Rusia nu vedeau cu ochi buni eventuala instalare în Ro-
mânia a unei dinastii străine. Ion Ghica trimite atunci grab-
nic la Paris, ca „agent al guvernului provizoriu", pe Ion
Bălăceanu pentru a-i cere lui Napoleon III un principe străin.
Bălăceanu e ales fiindcă-l întâlnise o dată pe împăratul Fran-
ței pe câmpul de război de la Solferino, în 1859, trimis fiind
de Cuza.

Iată versiunea lui Bălăceanu. (Vă povestesc aici un lucru
încă inedit, pe care îl cunosc din memoriile lui Bălăceanu,
care, din diverse motive, n-au fost încă publicate, iar eu am
avut norocul să obțin o copie de la o nepoată a lui Bălăceanu,
o baronesă franțuzoaică, decedată între timp.) Ministrul fran-
cez de externe îl primește pe Bălăceanu foarte rece: „Cine-i
acest agent al unui guvern revoluționar care a răsturnat pe
un protejat al împăratului? Nu vrem să-l primim." Bălă-
ceanu reușește, prin manevre de culise, să fie totuși primit
de împărat. Îi cere mai întâi iertare pentru răsturnarea lui
Cuza, explicându-i motivele, și îi spune apoi: „Maiestate,
românii vă cer să ne dați un domn." Napoleon III, luat prin
surprindere, a cerut răgaz să se gândească. A solicitat pe doi
dintre mareșalii lui, care au refuzat. Trec peste amănunte.
Săptămânile se scurgeau în disperare. Bălăceanu cerea sfa-
turi în dreapta și în stânga. După sugestia unui ziarist de
origine italiană, Ubicini, mare simpatizant al românilor —

scrisese articole și cărți în favoarea cauzei noastre —, merge s-o vadă pe „Madame Cornu", soția unui pictor francez, fata unei foste cameriste a mamei împăratului — copilărise cu acesta, când erau în exil. Republicană fiind, era supărată acum că Napoleon III se proclamase împărat! — dar păstrase cu el legături prietenești, ca acelea din copilărie, care nu se sting. Doamnei Cornu, după o vreme, i-a venit ideea să-l propună pe tânărul Carol de Hohenzollern, nu fiindcă era rudă (foarte depărtată) cu regele Prusiei Wilhelm de Hohenzollern, viitor împărat al Germaniei, ci fiindcă se întâmpla a fi nepotul lui Napoleon III pe linie maternă! Cele două bunici ale lui Carol erau franțuzoaice și rude apropiate cu familia lui Napoleon. Doamna Cornu s-a dus la Napoleon III și i-a zis: „Maiestate, de ce nu-l propuneți pe nepotul dumneavoastră Carol de Hohenzollern, care-i locotenent în armata prusacă?" Napoleon III a primit această idee cu toate că miniștrii lui nu erau de acord să se propună un german, dar lui Napoleon III i-a plăcut foarte mult ideea de a propune o rudă a lui și l-a îndemnat pe Bălăceanu să ia legătura cu familia Hohenzollern și cu cancelarul Prusiei, Bismarck. A venit apoi Ion Brătianu, șeful partidului liberal, și de asemenea a insistat pe lângă familia Hohenzollern, care la început nu prea era dispusă să accepte propunerea. Când zic familia, mă refer la tatăl principelui Carol — căci la ei domnea încă un sistem patriarhal; iar tânărul locotenent de douăzeci și șase de ani stătea pe un taburet la picioarele tatălui său când s-a dus Bălăceanu să-l vadă pe bătrânul prinț Anton de Hohenzollern. În sfârșit, acesta convine să-l trimită pe Carol în România, unde avusese loc un plebiscit pentru ca tot poporul să-l accepte. A urmat o adevărată aventură a sosirii în România, fiindcă ne găsim într-un moment de extremă tensiune între Prusia și Austria (care nu devenise încă Austro-Ungaria). Era cât pe ce să izbucnească războiul — care a și izbucnit câteva zile mai târziu. Carol de Hohenzollern nu îndrăznea să vină pe față în România, traversând toată împărăția austriacă, fiindcă risca să fie arestat. Atunci, sub un nume fals, a luat un pașaport elvețian și, însoțit de un prieten și de nepotul lui Bălăceanu (stagiar într-o școală militară în Franța), s-a urcat pe un vapor care călătorea pe Dunăre (pe vas se găsea și Ion Brătianu) și a ajuns în țară la 10 mai 1866.

Iată-ne deci cu un suveran de origine străină, rudă înde-părtată a regelui Prusiei, rudă mai apropiată cu împăratul Franței. De-acum, istoria României intră într-o nouă fază.

Interesul de a avea o monarhie de origine străină

Pe cei care nu înțeleg de ce e nevoie de monarhie, și mai cu seamă de ce e nevoie de un monarh de origine stră-ină, îi invit pur și simplu să privească harta Europei și să urmărească toate monarhiile care mai există astăzi : aproape nici una nu este originară din țara unde domnește. În Spania avem un Bourbon de origine franceză, în Anglia și în Belgia regii sunt de origine germană, în Suedia sunt de origine fran-ceză, în Norvegia de origine daneză; numai în Danemarca mi se pare că regii sunt de origine daneză — fără a ține sea-ma că, la fiecare generație, prin căsătorie se înrudesc cu fa-milii domnitoare străine. Vedeți deci că nu are importanță originea, fiindcă, o dată ce regii preiau puterea, țara devine un fel de moșie a lor și, în scurt timp, devin mai patrioți de-cât autohtonii. Pentru a da un exemplu *a contrario*, singura țară din Europa noastră contemporană care avea o monarhie autohtonă a fost Iugoslavia, cu un rege sârb — și nu i-a pur-tat noroc. Acest rege sârb, în loc să-și respecte cuvântul dat în 1918 când s-a creat „Regatul Sârbilor, Croaților și Slo-venilor", l-a transformat într-un „regat al Iugoslaviei" aflat, în exclusivitate, în mâna sârbilor. Dacă ar fi fost un rege de origine străină, ar fi știut să țină echilibrul între sârbi, croați, sloveni, bosniaci musulmani, albanezi, într-un cuvânt, între toate popoarele conlocuitoare. Iată deci explicația pentru care era un lucru normal în veacul al XIX-lea să ai un domn de origine străină, care însă știa să apere interesele noii sale țări ca și cum ar fi fost țara lui de origine.

Carol I domnitor

La numai patru ani de la urcarea pe tronul României a lui Carol I, izbucnește războiul între Prusia și Franța. Or, el, deși rudă cu Napoleon III, era totuși neamț, crescut în Germania, fost ofițer prusac — și în sufletul lui a ținut partea Germaniei. Cum românii simpatizau cu Franța, s-au ivit atunci fel de fel de mișcări ostile, a apărut o tendință foarte serioasă de răsturnare a lui Carol. Simpatia pentru împărăția germană, domnul mai întâi, apoi regele Carol a purtat-o toată viața și a împins țara noastră către o înțelegere cu Germania și cu Austro-Ungaria.

Trebuie să constatăm că această lungă domnie de patruzeci și opt de ani, cea mai lungă din istoria României, cu un an mai lungă decât a lui Ștefan cel Mare, ne-a fost benefică. În acest răstimp, țara noastră a făcut un salt înainte uimitor. Poate că, dintre toate țările moderne, numai Japonia a făcut un salt comparabil cu cel al României de la mijlocul veacului al XIX-lea și până la primul război mondial. Din punct de vedere economic s-au făcut progrese uriașe, dar, bineînțeles, nu se putea ca într-o singură generație să ajungem la nivelul țărilor occidentale. Mai toate căile ferate din vechiul regat datează de pe vremea regelui Carol. S-au construit șosele, au apărut uzine, a început exploatarea petrolului; am fost a doua țară din lume, după SUA, în privința industriei extractive a petrolului.

În planul politicii interne, regele Carol a fost iscusit, a
știut să păstreze echilibrul între cele două mari partide care
s-au creat, Partidul Liberal (al Brătienilor) și Partidul Con-
servator — echilibru politic asemănător celui din Anglia.
Votul nu era universal, ci cenzitar — numai cei ce plăteau
impozit erau admiși să aleagă — sistem care ne apare azi
ca nedemocratic, dar nu trebuie uitat că acest sistem func-
ționa aproape peste tot în Europa, cu deosebirea că la noi
era mai restrictiv din cauza gradului de analfabetism și a
concentrării bogăției în anumite straturi ale societății. Apoi
electoratul nu era încă educat, nu înțelegea că de el depindea
schimbarea, așa încât, la fiecare alegere, partidul desemnat
de rege pentru a forma guvernul obținea majoritatea în ale-
geri. Regele Carol, după împrejurări, a reușit să mențină al-
ternanța: trei-patru ani un partid, trei-patru ani celălalt. O
singură dată au stat liberalii la putere aproape doisprezece
ani (1876–1888), cu Ion Brătianu ca președinte — în afară
de o întrerupere de două luni, când s-a aflat în fruntea guver-
nului fratele lui, Dumitru Brătianu. Ion Brătianu, fără îndo-
ială cel mai mare om politic al nostru din veacul al XIX-lea,
a adus cele mai importante înnoiri din punct de vedere eco-
nomic — sistemul bancar, sistemul industrial, toate acestea
datează din vremea președinției lui.

Războiul de independență (1877)

În 1876, se ivesc în Peninsula Balcanică mișcări ale popu-
lațiilor creștine împotriva dominației turcești, în Muntenegru,
în Bulgaria, în Serbia, iar toate mișcările sunt reprimate în
mod sălbatic de turci. Europa este indignată de aceste masa-
cre, dar nu reacționează decât o singură țară, care avea în-
totdeauna interesul să intervină în Balcani luând ca pretext
aceste revolte, și anume Rusia. În primăvara lui 1877, Rusia

ne dă un adevărat ultimatum: „vom trece prin țara voastră ca să atacăm Turcia". Domnul Carol, primul său ministru Ion Brătianu și ministrul de externe Mihail Kogălniceanu se găseau într-o dilemă. S-au sfătuit și și-au dat seama că nu pot decât accepta această trecere a rușilor, cerându-le în schimb, dacă ne luau ca aliați, ca noi să căpătăm independența față de imperiul otoman. La început, rușii au fost dispre-țuitori, „n-avem nevoie de armata voastră, noi vă promitem că nu ne atingem de granițele voastre când trecem prin Ro-mânia". Și a început să se scurgă marea armată rusă prin țara noastră.

Rușii au trecut Dunărea, însă după câteva săptămâni s-au izbit de o rezistență turcă atât de dârză, mai cu seamă la ce-tatea Plevna (pe bulgărește, Pleven), apărată de un general turc de valoare, Osman Pașa, încât în cele din urmă ne-au cerut să trecem Dunărea cu mica noastră armată de 35 000 de oameni, care începuse să fie bine organizată deja de pe vremea lui Cuza de către generalul Ion Florescu, iar acum era comandată de Carol, fost ofițer în armata prusacă. Și, rețineți acest lucru, este prima oară că țările române, care, începând cu vremea lui Mihai Viteazul, fuseseră silite să aibă doar ostași mercenari și să nu mai participe direct la nici un război (în afară de aventura lui Dimitrie Cantemir din 1711), este prima dată după sute de ani când putem să ne afirmăm prezența militară și mândria națională. Războiul din 1877 reprezintă deci revenirea românilor pe plan euro-pean într-un război internațional. Și s-a luptat atât de curajos armata noastră, încât independența, pe care am proclamat-o chiar în ajunul intrării noastre în război (la 9 mai 1877), a trebuit să ne fie recunoscută după ce Turcia a capitulat.

Înaintarea rușilor către Constantinopol după căderea Plev-nei este atât de rapidă, încât Turcia capitulează, iar în orășe-lul San Stefano de pe malul Mării Marmara (azi, Yeșilköy) se semnează un prim tratat între ruși și turci, prin care se crea o Bulgarie mare, de la Dunăre la Marea Egee, și se prevedea un drept al rușilor de intervenție în toate treburile creștinilor din imperiul otoman. La vestea acestui tratat între turci și ruși, marile puteri europene s-au speriat. Bismarck, cancelarul noului imperiu german, omul cel mai influent din Europa după ce Prusia învinsese Franța în 1870–1871, convoacă un congres internațional la Berlin, neadmițând această pace directă între Turcia și Rusia. Și are loc (iunie–iulie 1878) un congres internațional, care încearcă să mărginească libertatea fiecărei mari puteri de a face orice, în caz de victorie, împotriva altei puteri. La acest congres de la 1878 sunt invitați și românii, dar sunt „ținuți în anticameră". Ion Brătianu și Kogălniceanu nu au fost admiși în sala unde s-a discutat decât o dată, ca să expună punctul de vedere al țării. La discuții, au participat numai reprezentantul Rusiei, prințul Gorceakov, cel al Turciei, apoi Bismarck, inițiatorul congresului, Disraeli, primul-ministru britanic, ministrul de externe francez Waddington și reprezentantul Austro-Ungariei, contele Andrássy (la puțini ani după ce se crease dubla monarhie austro-ungară, ministrul de externe al acestei monarhii era un mare aristocrat ungur). Deci iată marile puteri întrunite în 1878 la Berlin ca să-i silească pe ruși să revină, să se modifice tratatul inițial de la San Stefano și să nu se creeze o mare Bulgarie până la Marea Egee (o Bulgarie „clientă" a Rusiei!). Noi, românii, ceream, bineînțeles, să ni se recunoască independența și să nu ni se ia din nou sudul Basarabiei, cum voiau rușii.

Dar iată că marile puteri, mai cu seamă la îndemnul cancelarului Bismarck, care era în termeni foarte buni cu un mare bancher evreu din Germania, condiționau recunoașterea independenței de acordarea cetățeniei române tuturor evreilor din țară, în bloc. Ion Brătianu și Kogălniceanu n-au vrut să accepte această condiție, considerând că masa de imigranți a evreilor din Moldova, relativ recent sosită, nu era încă destul de asimilată și, în orice caz, reprezenta în gândul lor, dacă primea egalitatea de drepturi, o piedică pentru dezvoltarea burgheziei române autohtone. (Am spus mai sus cum au reacționat ungurii [vezi *supra*, pp. 193–194] și mă întreb acum dacă n-am fi făcut mai bine să urmăm exemplul lor!) Reprezentanții noștri n-au cedat, acceptând doar ca evreii să poată fi naturalizați individual, de la caz la caz. S-a adoptat deci un articol cam ambiguu, iar Brătianu și Kogălniceanu s-au întors în țară fără a avea certitudinea că independența noastră va fi recunoscută. Din fericire, același Ion Bălăceanu despre care am pomenit mai sus, fiind trimisul nostru la Viena, a reușit să obțină recunoașterea guvernului austro-ungar, care avea interesul de a fi primul care să aibă legături politice *și comerciale* cu România. Austro-Ungaria a fost deci întâia țară care a recunoscut independența României, și încetul cu încetul celelalte puteri s-au văzut obligate să recunoască la rândul lor independența, cu toate că nu îndeplineam *ad litteram* condițiile pe care ni le pusese Congresul de la Berlin. Vedeți ce greu ne-am născut noi ca stat, ce lupte diplomatice a trebuit să ducem, după ce ne bătuserăm în război pentru a ne cuceri independența.

La Berlin, în 1878, nu s-a discutat numai despre acordarea independenței României, s-a vorbit, bineînțeles, și despre granițele țării.

Rușii au insistat să recapete sudul Basarabiei, care ne fusese acordat în urma păcii de la Paris din 1856, pentru a se afla din nou la gurile Dunării, iar în compensație ni se dădea Dobrogea, care de fapt, de sute de ani, nu mai aparținea Țării Românești. Brătianu și Kogălniceanu au fost indignați de pierderea Basarabiei de sud, dar n-au avut nimic de făcut. A trebuit să cedăm în fața presiunii marilor puteri, deci în 1878 pierdem pentru a doua oară sudul Basarabiei, în schimb dobândim cele două județe din Dobrogea, cu portul Constanța, provincie unde populația românească nu se mai găsea decât pe malurile Dunării, înspre mare și spre sud fiind majoritari turcii, tătarii și bulgarii. A început, încetul cu încetul, colonizarea Dobrogei.

VI

România contemporană
Carol I, rege al României

Trei ani după 1878, în 1881, Domnul Carol ia titlul de
rege — fapt acceptat de toate puterile, ceea ce ne ridica, din
punct de vedere protocolar, la rang de egalitate cu celelalte
monarhii din Europa. Este un moment crucial pentru statutul
nostru internațional.

În ciuda imperfecțiunilor sistemului de vot cenzitar, de-
spre care am vorbit (p. 206), s-a ajuns la un regim destul de
echilibrat, liberalii guvernând mai mult decât conservatorii,
dar regele Carol a fost destul de iscusit pentru a ști când era
momentul să-i înlocuiască pe liberali și să dea din nou pu-
terea conservatorilor, sau invers. Iată câteva nume de poli-
ticieni care merită reținute : printre liberali trebuie negreșit
să-i cităm pe Ion C. Brătianu și pe C. A. Rosetti care, cu
toate că era de origine boierească, era foarte la stânga, de
fapt era republican, nu îndrăznea s-o spună deschis, dar știm
din scrisorile lui și din anumite mărturii că ar fi preferat re-
publica. După moartea lui I. C. Brătianu, președinte al Par-
tidului Liberal a fost un Sturdza, deci un om provenit din
marea boierime, dintr-o familie care dăduse Moldovei doi
domni. În Partidul Liberal n-au fost deci numai burghezi,
cum s-a spus multă vreme, au fost și boieri, sau boiernași.
Dar, în general, e drept să se spună că Partidul Liberal a fa-
vorizat burghezia născândă, adică a reprezentat partidul celor
care voiau să se îmbogățească făcând din România o țară
mai modernă, cu industrii și cu un comerț mai dezvoltat,
pe când Partidul Conservator era susținut mai mult de marii

proprietari agricoli. Printre președinții Partidului Conservator trebuie să-l citâm pe Lascăr Catargiu (un bulevard din București îi poartă numele). Trebuie să recunoaștem că a fost un excelent guvernant și că, după ce liberalii luau câteodată măsuri prea pripite de modernizare a țării, venea un guvern conservator și, printr-o administrare mai severă, stabiliza situația. Lascăr Catargiu a rămas un model de om integru și bun organizator. Despre el se povestește că regele Carol i-a cerut o dată să ia nu știu ce măsură pe care Catargiu nu o găsea potrivită, iar atunci, cu accentul lui moldovenesc, Catargiu i-a răspuns: „Aiasta nu se poate, maiestate!" (Aș fi vrut să i se fi spus la fel și lui Ceaușescu, din când în când, de către oamenii care erau sub ordinele lui. Pe vremea aceea, oamenii noștri politici aveau mai mult curaj.) Mai citez printre șefii conservatori pe marele moșier Gheorghe Cantacuzino, zis „Nababul", pe generalul Manu, pe Petre Carp și, mai târziu, pe Titu Maiorescu, marele critic literar, cel care crease Junimea, în fine un conservator mai democrat, Take Ionescu, care va juca un rol însemnat în timpul primului război mondial și imediat după aceea; vedeți deci că exista și atunci un amestec al intelectualilor de seamă în politică. Și Maiorescu, și Eminescu, și Caragiale au fost conservatori!

În schimb, ideile socialiste își fac o apariție mai timidă în publicistică sau prin agitație socială, și aproape nulă în Parlament, în afară de integrarea în Partidul Liberal a unor personalități cu opțiuni categoric prosocialiste. Într-o țară cu o industrie incipientă, deci cu o clasă muncitoare urbană foarte redusă, socialismul de inspirație marxistă nu putea pătrunde decât încet și marginal, și era de altfel în concurență cu un curent zis „poporanist", partizan mai mult al dezvoltării unei agriculturi mici și mijlocii. În această privință, numele a doi teoreticieni și luptători politici, ambii veniți din Rusia, sunt de reținut: „poporanistul" Constantin Stere, mic boier basarabean — care va juca un rol politic și după război —, și marxistul, spirit ascuțit, Dobrogeanu-Gherea. Disputa dintre partizanii unui efort axat pe dezvoltarea industriei ca imperativ absolut în vederea intrării României în rândul națiunilor moderne și cei care puneau accentul pe ocrotirea agricultorilor mici și mijlocii (care a dus la formula ușor ironică: „România e o țară eminamente agricolă"!) s-a dus nu numai la nivel doctrinar, dar și, într-o oarecare măsură, la nivel parlamentar, între cele două mari partide conservatorii favorizând mai mult latura agricolă — întâlnindu-se, paradoxal, pe acest teren cu populiștii și viitorii țărăniști, pe când liberalii erau categoric sprijinitori ai dezvoltării industriale.

Începe înflorirea culturală a României

Fiindcă am pomenit de Titu Maiorescu, e momentul să facem un scurt popas în domeniul cultural, căci am vorbit numai despre politică, economie, războaie, schimbări în legislație, dar n-am spus nimic despre viața culturală. Or, în această a doua jumătate a veacului al XIX-lea asistăm la o bruscă înflorire a culturii românești.

Când adopți un nou model de cultură, cum a fost cazul românilor la începutul veacului al XIX-lea, îți trebuie în general două-trei generații ca să „mistui", să „rumegi" — pentru a vorbi popular — această nouă cultură. Iată cazul rușilor, de pildă. Petru cel Mare decretează occidentalizarea țării prin ucaz, în 1700, dar va trebui să așteptăm o sută douăzeci de ani ca să apară prima mare creație în stil nou, poeziile lui Pușkin; și mai bine de o sută cincizeci de ani ca să apară Dostoievski și Tolstoi și marea muzică rusă. La noi, lucrurile au mers mult mai repede, putem spune chiar că din prima generație avem scriitori de mâna întâi, cum au fost

Negruzzi sau câțiva dintre poeții de la mijlocul veacului, care sunt deja remarcabili, ca Vasile Alecsandri sau Grigore Alexandrescu. Totuși, marea înflorire are loc în a doua jumătate a veacului, când se cristalizează cea mai frumoasă limbă românească — cu toate neologismele necesare, alese —, și totuși autentică, elegantă, echilibrată între tradiție și modernism: Eminescu, bineînțeles, în rândul întâi, apoi mulți alții — poeți sau prozatori — Coșbuc, Vlahuță, Ion Creangă, Ion Ghica, Odobescu, Caragiale — apar la urmă și romancieri, Slavici, Delavrancea, Duiliu Zamfirescu. Apoi, în generația următoare, mari poeți — Arghezi, Bacovia sau Ion Barbu. Trebuie subliniat că în a doua jumătate a veacului al XIX-lea s-au împlinit condițiile pentru înflorirea marii culturi române. Începem să avem pictori de nivel european, ca Grigorescu sau Andreescu; apar la noi sculptori și muzicieni — pentru ca în secolul următor geniul lui Brâncuși și cel al lui Enescu să fie universal recunoscute. Se vede dar că pentru asimilarea culturii occidentale a fost nevoie doar de una sau două generații ca să ne situăm la nivelul celor din Vest. Iată un fenomen care ține de miracol — și care trebuie subliniat.

În ce privește rolul diverselor culturi apusene (franceză, italiană, germană, engleză) în această „aculturare" a noastră, spre sfârșitul secolului — observați coincidența cu venirea la domnie a lui Carol I! — cultura germană începe să intre în concurență cu influența franceză, mai cu seamă în poezie și filozofie. Cel puțin trei dintre marii noștri creatori, Eminescu, Caragiale și Maiorescu, sunt mai apropiați de cultura germană decât de cea franceză. De asemeni filozoful Vasile Conta. Și să nu-i uităm pe marii precursori din Școala ardeleană, de formație aproape exclusiv germană, însă cu vii simpatii pentru „limba soră", italiana.

Elanul creator va continua viguros și în prima jumătate a secolului al XX-lea, atingând chiar — în perioada dintre cele două războaie mondiale — o extraordinară intensitate și diversitate în mai toate domeniile științei și artei. În medicină, mai cu seamă, dăm câțiva savanți de reputație europeană — dar, încă o dată, trebuie să evit enumerarea, știind că n-aș putea să nu comit grave omisiuni. Și vom ajunge deodată la momentul istoric când comunismul produce un fel de paralizie în evoluția noastră atât de promițătoare, o relativă stagnare a creativității națiunii noastre. Din acel moment, creativitatea nu se mai poate manifesta decât în domenii limitate, mai puțin vulnerabile față de tirania dogmatismului politic, ca poezia și muzica — sau se regăsește la talente refugiate în străinătate, ca un mare număr de artiști plastici sau ca scriitorii și filozofii Mircea Eliade, Eugen Ionescu, Emil Cioran și Ștefan Lupașcu.

Să revenim, după această digresiune, la domnia regelui Carol I. Un alt aspect pozitiv, vizibil încă astăzi, este progresul arhitectonic și urbanistic al Capitalei. De la Carol I avem mai tot centrul modern al Bucureștiului: bulevardul Carol, bulevardul Elisabeta (azi și Kogălniceanu), Calea Victoriei, aproape tot ce vedeți e clădit pe vremea regelui Carol, cele mai frumoase monumente mari, clădiri administrative: pe Calea Victoriei, Poșta Mare (azi, Muzeul de Istorie), în față, Casa de Economii și Consemnațiuni (CEC); Ministerul Agriculturii (poate cea mai frumoasă clădire), Universitatea, Palatul de Justiție, pe cheiul Dâmboviței, fostul Palat al Parlamentului, din curtea Mitropoliei. În cartierul băncilor, câteva clădiri impunătoare, Banca Națională, Banca Chrissoveloni, Banca Marmorosch-Blank etc. Calea Victoriei și bulevardul Carol — bulevardul Elisabeta au fost axele în jurul cărora s-a redesenat Capitala țării. Apoi, bogătașii și-au făcut case mai mult sau mai puțin arătoase și elegante, semănând cu ce se construia pe atunci la Paris și Viena. Mai vedeți câteva din ele pe bulevardele Lascăr

Catargiu și Ana Ipătescu și pe străzile limitrofe, pe bule-
vardul Dacia și în jurul parcului Ioanid. De asemeni, câteva
mici palate luxoase în sus de Calea Victoriei — toate acestea
dând atunci călătorului care venea din Orient impresia (oare-
cum exagerată) că Bucureștiul era „Micul Paris". Orașele
de provincie sunt cam neglijate, în afară de Iași — care, cu
mijloace proprii, avea ambiția să-și mențină rangul de fostă
Capitală: clădirea Universității și Palatul Administrativ sunt
mai arătoase decât echivalentele bucureștene! (La nord de
Carpați continua, ca mai înainte, stilul dominant în toată
împărăția austriacă, solemn, dar uneori greoi.)

O umbră mare în tablou: chestiunea agrară

În viu contrast, trebuie să evocăm acum fațeta cea mai
sumbră a epocii Carol I: încetineala cu care s-a abordat ches-
tiunea reformei agrare.

Populația rurală se înmulțea (aveam, înainte de al doi-
lea război mondial, rata de natalitate cea mai înaltă din Eu-
ropa... dar și cea mai ridicată rată de mortalitate infantilă!),
iar puținul pământ ce-i fusese împărțit sub Cuza era insufi-
cient. Majoritatea trăia deci din ce lucra, în dijmă sau pe
plată, la marele proprietar vecin. Chestiunea „învoielilor
agricole" revenea sporadic în discuțiile Parlamentului, cu
rezultate uneori cu totul nemulțumitoare pentru țărani. Ei
reprezentau încă, la începutul secolului al XX-lea, peste
80% din populația țării — dar un milion de țărani proprietari
nu-și împărțeau decât circa 3 300 000 de hectare (și mai
erau peste o zecime dintre ei care nu posedau nimic), pe
când alte 3 000 000 de hectare erau proprietatea a 6 500 de
mari proprietari. Desigur, disproporția pare monstruoasă —
dar și printre acești 6 500 de mari proprietari deosebirile
erau enorme, căci, dacă ar fi existat o anumită egalitate, am

fi avut proprietăți medii de circa 450 hectare, ceea ce nu e încă *foarte mare proprietate* (*latifundiu*). În realitate, doar câteva sute de proprietăți se întindeau pe mii de hectare.

Dar România nu era un caz izolat. Același lucru se întâmpla în Rusia, în Polonia și Ungaria, în epoca în care la noi se înfăptuise deja reforma din 1918–1920. Proporțiile latifundiilor în acele țări erau mult mai mari decât la noi: dacă la noi cele mai întinse moșii aveau vreo 10 000 de hectare, în aceste trei țări vecine întinderea marilor proprietăți depășea sute de mii de hectare, județe întregi. (Contele Mihály Károlyi, care va fi în 1919 președinte provizoriu al unei republici ungare socialiste, poseda peste 100 000 de hectare!)

Chiar dacă acest sistem era atunci normal în toată Europa răsăriteană, rezultatul la noi, la nivel individual, era dezastruos și s-a ajuns la o nemulțumire din ce în ce mai acută în toată țărănimea. La dezechilibrul între mica și marea proprietate, mai trebuie adăugat și alt fenomen agravant: de când tratatul de la Adrianopol din 1829 deschisese în țările noastre marele comerț cu țările apusene, și noi deveniserăm — aș zice: peste noapte — mari exportatori de cereale, am spus deja că relațiile dintre țărani și proprietarii de latifundii se deterioraseră; aceștia din urmă nu mai lăsau mari porțiuni din proprietățile lor la libera dispoziție a plugarului, ci căutau să impună, în condiții mai avantajoase, culturi cerute la export: grâu, rapiță etc. În al doilea rând, posibilitatea călătoriilor în Occident, ca și subita proliferare a unor profesiuni liberale pe care proprietarul de pământ era ispitit să le exercite au provocat în același timp *creșterea sistemului arendășiei*. Până și boierii moldoveni, care până atunci avuseseră reputația de a sta mai mult la țară decât la oraș (și la Curte!), au devenit „absenteiști". Or, arendașul, adesea străin de sat, și uneori chiar de neam, deținător al unui contract de scurtă durată și fără garanții de stabilitate, se arăta un „patron" mult mai dur și mai neînduplecat cu țăranul decât fusese boierul. Arendașul a devenit cu vremea *dușmanul natural al țăranului*. Nu e deci de mirare că primele violențe exercitate de țăranii răsculați vor fi împotriva unor mari arendași.

O primă gravă revoltă are loc în 1888. Una și mai gravă și dramatică a izbucnit în 1907 — inspirând și marea literatură (Rebreanu, Panait Istrati) — și s-a întins ca focul pe o miriște uscată, pornind din nordul Moldovei și ajungând până în Oltenia, încât statul s-a crezut în pericol. Conservatorii, aflați la guvernare, au cedat puterea liberalilor și aceștia au făcut ce nu îndrăzniseră să facă conservatorii: au folosit armata și tunurile ca să oprească marșul țăranilor asupra Capitalei. A fost o tragedie. S-a vorbit de 12 000 de morți. Chiar dacă cifra e exagerată (n-a fost chip să se obțină niciodată un raport integral — și integru!), șocul a fost adânc în toate păturile sociale. Dar s-au deschis ochii clasei politice. S-au luat imediat, și în anul următor, câteva măsuri de protecție a țăranului și de limitare a arendășiei — și, mai cu seamă, în programul Partidului Liberal la alegerile din 1913 a figurat reforma agrară, adică transferarea unei însemnate părți a marii proprietăți către țărani. Și s-ar fi făcut poate chiar de-atunci reforma, dacă n-ar fi izbucnit în august 1914 primul război mondial. Între timp au apărut însă conflicte chiar lângă noi.

Cele două războaie balcanice (1912–1913).
Pacea de la București și anexarea Cadrilaterului

La începutul lui octombrie 1912, izbucnește un nou război în Balcani, de astă dată între o alianță balcanică (Bulgaria, Grecia, Serbia, Muntenegru) și Turcia. Rusia nu intervine. În 1904–1905, suferise o surprinzătoare și umilitoare înfrângere din partea Japoniei, care cu patruzeci de ani înainte se trezise dintr-o lungă izolare medievală și — după un formidabil efort de modernizare — izbutise, spre mirarea lumii întregi, să învingă pe mare și pe uscat una dintre marile puteri europene. Neprevăzuta înfrângere în Extremul Orient avusese grave repercusiuni interne în Rusia, în 1905, cu rebeliuni pe navele din Marea Neagră și mișcări revoluționare în muncitorime — prevestitoare ale Revoluției din 1917.

Micile țări din Balcani, de data asta nesprijinite de marea țară protectoare, se luptau singure împotriva imperiului otoman îmbătrânit, fiindcă nici una dintre ele nu atinsese încă granițele pe care le considera „naturale".

Acest prim război balcanic împinge granița turcă foarte aproape de Constantinopol, dar, abia terminat războiul — care, spre mirarea Europei întregi, e câștigat de aceste mici țări împotriva Turciei —, se ivește imediat zâzania între cei patru învingători. Bulgarii, cel mai bine organizați din punct de vedere militar, un popor foarte ordonat, foarte disciplinat, având instructori germani, s-au crezut în măsură să reclame grecilor și sârbilor regiuni pe care aceștia le râvneau. De pildă, bulgarii voiau o ieșire la Marea Egee, lângă Salonic, sau chiar Salonicul, ținuturi pe care grecii le considerau moștenire istorică, pe lângă faptul că visau de-acum să redobândească și Constantinopolul, și, dacă ar fi dat Bulgariei acces la Marea Egee, drumul către Constantinopol le-ar fi fost tăiat. Bulgaria ar mai fi vrut și toată Macedonia, sub cuvânt că limba macedoneană este mult mai apropiată de limba bulgară decât de limba sârbă, ceea ce este adevărat. Și astfel, izbucnește al doilea război balcanic în 1913, iar dintr-o dată mica Bulgarie îi învinge și pe sârbi și pe greci. Atunci, România intervine ca un fel de a patra putere care să restabilească echilibrul, alături de greci și sârbi împotriva bulgarilor. Intervenția noastră în 1913 a fost o simplă plimbare militară, bulgarii fiind luați prin surprindere. Nu a existat nici o rezistență, românii nu au avut de dat lupte împotriva bulgarilor, iar aceştia capitulează în faţa atacului tripartit al grecilor, sârbilor şi românilor. Pacea se încheie la Bucureşti, Titu Maiorescu fiind preşedintele Consiliului de Miniştri. E un moment când României i se pare că devenise o putere importantă care joacă rolul de arbitru în Balcani.

Mă adresez tinerilor de astăzi cu o libertate de spirit care în general nu se găseşte în cărţile de istorie. Ni se spune că tot ce s-a făcut în trecut a fost bine. Şi e impresionant să notăm astăzi că, atunci, aproape unanimitatea clasei politice a aprobat acea acţiune a guvernului român — reiese din discursurile epocii, din memorii şi din alte documente că singurul regret al liberalilor era „că nu erau ei la putere" ca această „glorie" să se răsfrângă asupra lor! Eu cred că s-a făcut rău în 1913 când nu ne-am mulţumit numai să îi împiedicăm pe bulgari de a obţine hegemonia în Balcani, dar le-am cerut şi o porţiune de teritoriu în Dobrogea, unde de altfel nu erau majoritari nici bulgarii, nici românii, ci turcii şi tătarii. Pentru România, nu era indispensabilă această mărire a Dobrogei, pentru Bulgaria era vitală din punct de vedere agricol şi fiindcă ţara era mai mică. Ne-am făcut prin aceasta duşmani din oameni care au fost întotdeauna alături de noi în cursul istoriei. Eu cred că preluarea Cadrilaterului de la bulgari în 1913 a fost o greşeală politică. Am plătit-o foarte scump în 1916, când i-am avut pe bulgari împotriva noastră, şi chiar până astăzi au rămas urme dureroase. Totuşi, trebuie să adaug că era prevăzută o contraparte. Obţinerea Cadrilaterului era legată de ideea de a-i aduce acolo pe vorbitorii de limbă română, pe aromâni şi pe meglenoromâni, cei vorbind dialecte româneşti şi aflaţi în Balcani. Era însă un proiect prost înjghebat şi, după părerea mea, chiar imoral, fiindcă noi am fi luat aromâni din Grecia sau din Albania pentru a-i aşeza într-o parte a Bulgariei, sau într-o regiune ce s-ar fi cuvenit Bulgariei. De fapt, proiectul nu s-a putut realiza decât la o scară foarte redusă, câteva mii de familii, iar tragedia pe care am trăit-o în 1940 ne-a silit să retrocedăm Cadrilaterul și să-i mutăm grabnic pe imigrați în alte zone ale țării. Să fim cinstiți: aducerea unui număr de aromâni în Cadrilater a fost un eșec politic grav — *nici aromânii n-au fost mulțumiți*, întrucât noi, în schimbul acestui „târg", am renunțat să-i forțăm pe ceilalți semnatari ai tratatului de la București să accepte *un articol care să asigure ocrotirea vorbitorilor de dialect românesc acolo unde se aflau.*

Poate fi „obiectiv" istoricul contemporaneității?

Constat deodată că nu m-am ținut de cuvânt, nu mi-am respectat angajamentul, luat implicit în scurta prefață, de a fi nepărtinitor; nu m-am putut împiedica de a „lua poziție", de a exprima o părere critică asupra unei decizii politice din trecutul nostru recent. Să vă cer iertare? Nu. Fiindcă știu că voi mai „recidiva" de câteva ori până vom ajunge la epoca prezentă. Atunci să încerc să mă justific.

Când te apropii de perioada cu adevărat contemporană, adică de cea trăită de oameni dintre care unii mai sunt în viață, perspectiva se schimbă. Închipuiți-vă că în 1913, când se petreceau aceste evenimente, tatăl celui care așterne pentru voi aceste rânduri era om matur și a fost mobilizat. De asemeni în 1916, și a murit sub uniformă în 1918. Eu însumi, copil în brațele mamei, am străbătut Rusia în toamna lui 1917, în plină revoluție bolșevică. Atunci, evenimentele parcă ar prinde altă coloratură, altă dimensiune. Te simți direct implicat. Nu mai poți *doar povesti*, ești tentat *să și judeci*. Pasiunea istoricului de a reînvia trecutul și de a-l explica se împletește cu preocuparea politică a omului implicat în viața țării și îngrijorat de viitorul ei. În contemporaneitate, istoricul nu se poate abține — orice ar zice — de a fi și om

politic, adică cetățean preocupat de soarta cetății, căci asta
înseamnă în greaca antică *politika*, anume știința și arta de
a guverna cetatea (*polis*). Și, de când a apărut scrierea isto-
rică, curiozitatea de a cunoaște și înțelege trecutul s-a născut
din dorința de a ști mai bine cum să te călăuzești în prezent,
cum să-ți alegi viitorul. Mă veți ierta deci dacă uneori, evo-
când momente de grea cumpănă, când se putea alege o cale
sau alta, nu mă voi putea împiedica de a *depăși narațiunea*,
pentru a exprima și o *judecată de valoare* (căci voi avea sim-
țământul de a mă afla eu însumi în situația celui ce trebuie
să ia hotărârea).

Considerații asupra întregii perioade 1914–1991: „Războiul de șaptezeci și șapte de ani"

Ajungem la marea încleștare mondială care începe în
1914. Și aici veți fi iarăși mirați pentru că voi spune lucruri
care nu se găsesc în cărți, adică păreri ale mele, personale.
Vi s-a vorbit despre primul război mondial (1914–1918) și
despre al doilea război mondial (1939–1945), cam cu aceiași
participanți, doar configurația este alta, ca și cum ai juca șah
și ai pune piesele ba într-o parte, ba în alta. Pe urmă, vi s-a
vorbit despre Războiul rece de după 1945. Ei bine, eu cred
că în veacul al XXI-lea istoricii vor numi perioada care în-
cepe la 1914 și se termină cu prăbușirea imperiului sovietic,
în 1991, „războiul de șaptezeci și șapte de ani", așa cum se
vorbește despre Războiul de o sută de ani dintre Franța și
Anglia, în Evul Mediu, de Războiul de treizeci de ani, răz-
boiul religios din Germania, în secolul al XVII-lea, sau de
războiul din Peloponez, în Antichitatea greacă. Și aici, a
fost doar un război. Ultimul dintr-o lungă serie. Un război
între marile puteri europene la origine, pe urmă adăugân-
du-se America și Japonia, dar și ele fac parte de acum din

civilizația occidentală. Vedeți deci, dacă priviți istoria în lungă durată, de îndată ce a înflorit civilizația occidentală, prin epoca Renașterii, s-a născut în același timp, pe rând, ambiția fiecărui mare popor de a fi el acela care domină Europa. A început Carol Quintul, care era, ca rege al Spaniei, bogat prin aurul și argintul din America de curând descoperită, și era, în același timp, împărat în Germania; dar s-a izbit de Franța, pe-atunci țara cea mai bogată și cea mai populată din Europa, și n-a putut înfăptui „Europa unită", după cum a vrut. Astfel, acest război de hegemonie asupra Europei a început pe la 1520; Spaniei îi va lua locul Franța, de la Ludovic XIV până la Napoleon, care încearcă să facă din Europa o Europă franceză. Din veacul al XIX-lea, germanii încearcă, la rândul lor — începând cu Bismarck (victoria împotriva Franței în 1870) și până la căderea lui Hitler —, să obțină hegemonia asupra Europei. Această ultimă încleștare a marilor puteri pentru dominația asupra civilizației noastre pare să se termine în 1945, o dată cu prăbușirea Germaniei, dar suntem doar la jumătatea drumului. Toate puterile mari din trecut, Spania, Franța, Anglia, Germania, Italia, Austro-Ungaria, sunt la pământ. În picioare au rămas cele două mari puteri exterioare, cele mai periferice: Rusia pe de o parte, SUA pe de alta. A fost un moment pe care cineva mai vârstnic, cum sunt eu, l-a trăit cu înfrigurare din 1945 până în 1989: care din acești doi uriași va fi învingătorul, cine va domina civilizația noastră? Din fericire, au învins americanii, acea construcție artificială care era imperiul sovietic prăbușindu-se de la sine. Și-avem acum, de la 1991, o singură mare putere mondială (în orice caz, hegemonică asupra civilizației occidentale) care sunt SUA. Iată cum văd eu, în perspectivă largă, ce s-a petrecut de la 1914 încoace.

Primul război mondial (1914–1918)

Marile puteri din Europa se grupaseră de câțiva ani, sim-
țind că trebuie să izbucnească ceva, mai cu seamă din cauza
dorinței Germaniei de a fi hegemonică în Europa. Se for-
maseră două mari blocuri: în centrul Europei, Germania
și Austro-Ungaria (li se zicea „Puterile Centrale"), cărora
li se alăturaseră prin tratate Italia și România.

În vest, Franța și Anglia se apropiaseră, după lungi dispute
datorate rivalităților coloniale, și formau așa-zisa „Înțelegere
cordială" (*Entente cordiale*). Anglia (să-i zicem de-acum
Marea Britanie) deținea supremația absolută asupra mărilor,
în schimb avea o armată puțin numeroasă, formată exclusiv
din voluntari. Apoi, pentru a avea cât de cât șanse împotriva
Puterilor Centrale, alianța cu Rusia era indispensabilă, pen-
tru a le prinde „în clește". Dar apropierea între Rusia țaristă,
cu regimul cel mai despotic din Europa, și Franța, singura
țară mare din Europa cu regim republican, era dificilă. De
asemeni, între Marea Britanie și Rusia erau serioase rivalități
de influență în Asia: în Afghanistan, India, China, Japonia
(flota japoneză care a scufundat flota rusească la Tsushima
în 1905 fusese construită și instruită de englezi!). Așadar,
în 1914 „Aliații" nu erau încă uniți.

Și iată că în iunie 1914 se întâmplă un accident: un pa-
triot sârb îl omoară la Sarajevo pe principele moștenitor al
Austro-Ungariei, Franz Ferdinand. De ce la Sarajevo? Fiind-
că austriecii, la pacea din 1878, de la Berlin, luaseră Bosnia
de la turci. Austria căuta ca, înaintând încetul cu încetul,
să-și întindă dominația asupra tuturor sârbilor. Iredentiștii
sârbi de la Belgrad susțineau, dimpotrivă, dorința sârbilor
din celelalte părți ale Austriei, Ungariei și Bosniei de a se
uni cu Serbia. Așa se explică mișcarea patriotică secretă
care-l ucide pe Franz Ferdinand la Sarajevo, în 1914. Aceas-
tă dramă, acest atentat politic ar fi putut rămâne minor dacă

s-ar fi ajuns la o înțelegere, dacă ar fi putut fi prinși și condamnați vinovații. Fapt este însă că sârbii n-au acceptat unul dintre punctele unui ultimatum pe care l-a adresat guvernul austro-ungar, anume n-au acceptat ca ancheta asupra ucigașilor să fie condusă de polițiști austrieci în Serbia. Ei aveau impresia că prin aceasta se știrbește independența țării. Fiind susținuți de ruși, cu care aveau un tratat, au rămas fermi pe poziție. Rusia le-a promis că-i ajută, Germania a declarat că sprijină Austro-Ungaria și astfel rușii procedează la o mobilizare generală (la ei, din cauza întinderii imperiului și rețelei limitate de căi ferate, mobilizarea dura mai multe zile). O dată pornită mobilizarea generală a Rusiei, ordonă mobilizare generală și Germania, așa încât trece la mobilizare și Franța — și iată cum, printr-o înlănțuire fatală, la începutul lui august 1914 izbucnește cel mai mare război de până atunci.

Germanii, convinși de superioritatea lor militară, au crezut că vor câștiga în câteva săptămâni, în Franța mai întâi, și că se vor întoarce apoi contra Rusiei. Spre surpriza lor însă, s-au izbit de o rezistență neașteptată în Franța, ajutată de Anglia, un război pe care credeau că-l câștig în patru săptămâni a durat mai bine de patru ani și s-a terminat cu prăbușirea Germaniei.

Pentru a înțelege rostul nostru în acest război, trebuie să ne amintim de momentul 1877–1878, când rușii, pasămite aliați cu noi, ne-au furat o provincie. Din teamă față de Rusia, am făcut din alianța cu Austro-Ungaria și Germania, la îndemnul regelui Carol, dar și cu complicitatea lui Brătianu, un fel de axă a politicii noastre externe. Am semnat un tratat cu Austro-Ungaria, la care pe urmă s-au aliat Germania și Italia, și am încheiat un acord, care a rămas însă secret la noi în țară. Doar, de fiecare dată când se schimba un guvern, primul-ministru era pus la curent de rege cu acest tratat, pe care-l ținea în seiful său. Marele public n-a știut că

eram legați de Austro-Ungaria și Germania pentru ca, în caz
de război, să luăm partea lor. De ce s-a ținut secret? Fiindcă
regele Carol nu putea ignora solidaritatea care exista la noi
față de românii din Transilvania și că cea mai mare dorință
a noastră era să se-ntregească țara cu Transilvania. Bine-
înțeles, era și problema Basarabiei, legată de ruși, dar parcă
în inima românului atârna mai puțin greu decât problema
transilvană. A doua zi după izbucnirea războiului din 1914,
regele Carol își adună guvernul și un Consiliu de Coroa-
nă — organism excepțional de consultare, alcătuit de foști
prim-miniștri și câteva personalități civile și militare — și
scoate tratatul: noi trebuie să intrăm în război alături de
Puterile Centrale. Fiul lui Ion Brătianu, Ionel Brătianu, care
era de-acum șeful Partidului Liberal și prim-ministru, și
majoritatea membrilor guvernului și ai Consiliului de Co-
roană (în afară de fostul prim-ministru conservator Petre
Carp) se opun categoric intrării în război alături de Puterile
Centrale și împotriva Rusiei. Regele Carol, cu durere în su-
flet, acceptă neutralitatea României. A fost adânc afectat de
faptul că nu și-a putut ține cuvântul față de împăratul Aus-
triei și împăratul Germaniei, iar după câteva săptămâni a
și murit, în septembrie 1914. Lui Carol I îi succedă un nepot
al lui (Carol I nu avusese decât o fată, care murise la o vâr-
stă fragedă, iar regina Elisabeta — Carmen Sylva, după
numele ei de poetă — n-a mai putut avea copii). Carol îl
adoptase pe fiul unui frate mai mare al lui, îl adusese în țară
la o vârstă matură, iar acesta învățase românește. El va fi
regele Ferdinand I, cel mai bun rege pe care l-am avut. Se
urcă deci pe tron în 1914. Este căsătorit cu o prințesă pe ju-
mătate englezoaică, pe jumătate rusoaică, viitoarea regină
Maria, nepoată de fiu a reginei Victoria a Angliei și nepoa-
tă de fiică a țarului Alexandru II. Femeie cu mult cap poli-
tic și foarte energică. În mare parte sub influența ei, dar și
fiindcă își dă seama care este adevăratul interes al poporului

român, regele Ferdinand își calcă pe inimă, el, născut și crescut în Germania, devine mai român decât mulți români și hotărăște, în august 1916, să intre în război împotriva propriei sale patrii de origine.

România în război

După lungi negocieri, în august 1916, Ionel Brătianu încheie cu francezii, englezii și rușii un tratat deocamdată secret, în care ni se promit Transilvania, Banatul și Bucovina (luată de austrieci în 1775). O dată acceptat acest plan de către aliați, românii intră în război la 28 august (15 august pe stil vechi) 1916. Trecem munții, intrăm în Transilvania, la început, cum nu era apărată, pătrundem destul de adânc, suntem primiți cu flori și urale de românii din Transilvania, însă germanii aduc imediat divizii de pe alte fronturi, cu doi dintre mareșalii lor cei mai de vază, Mackensen pe de o parte, Falkenheim pe de alta, iar mica noastră armată, prost pregătită, prost înarmată, este de la început respinsă peste Carpați, în Muntenia; pe frontul de sud, la Turtucaia, suferim din partea armatelor bulgare și germane o teribilă înfrângere. Încetul cu încetul, pierdem toată Muntenia într-un adevărat dezastru militar, cu toată rezistența pe văile Jiului și Prahovei, până ce suntem respinși, la sfârșitul anului 1916, la granița dintre Muntenia și Moldova. Dar în acel moment se petrece o schimbare. Mai întâi, vine iarna, francezii reușesc să ne trimită prin Rusia armament și instructori, iar în timpul iernii armata română se reface, astfel încât în primăvara și în vara lui 1917 putem rezista în mod victorios pe linia Focșani–Nămoloasa–Galați. Uitați-vă pe hartă! Veți vedea că între Muntenia și Moldova, adică de la cotul Dunării și până la cotul Carpaților, este o regiune destul de strâmtă, deluroasă, unde s-au săpat șanțuri și s-a putut organiza apărarea. Și când, în iunie 1917, germanii încearcă ori să vină din Transilvania prin pasul Oituz, ori să atace de la sud, la Mărăști și Mărășești, sunt opriți de armata română și de bruma de armată rusă de pe acel front. Sunt victorii frumoase ale armatei noastre. Din păcate, vor fi oarecum fără viitor.

În Rusia, se întâmplau, de mai multe luni, evenimente extrem de grave. Deja mișcarea revoluționară, căreia i se va zice bolșevică, minase imperiul rus după aproape trei ani și jumătate de război, un război foarte dur, al cărui scop ostașii nu-l înțeleg și care face milioane de victime. Comunismul, cu un șef genial, Lenin, adus de germani, într-un vagon camuflat, din Elveția în Finlanda, în 1917, reușește să infiltreze spiritul de revoltă în toată armata, în muncitorimea rusă. Marele imperiu țarist începe să se clatine. Chiar ostașii care se luptă la Mărășești, alături de români, de multe ori fug, lasă arma și îi îmbie și pe români să dezerteze, fiindcă n-are rost să se bată, zic ei, pentru capitaliști. Cu toate că i-am oprit pe germani pe linia Focșani–Nămoloasa–Galați, iată-ne, în toamna anului 1917, în fața unei Rusii aproape complet paralizate, și cu riscul de a ne regăsi între două focuri.

Deja în martie abdicase țarul. Cu un guvern socialist în frunte cu Kerenski, se spera un fel de regim democratic, dar nu s-a putut opri descompunerea. Bolșevicii, deși minoritari, reușesc să ia puterea în Rusia la 7 noiembrie 1917 (25 octombrie pe stil vechi, de unde expresia „Revoluția din Octombrie"). Și încep imediat negocieri între guvernul bolșevic din Rusia și Germania. Situația micii Românii, care se reducea deocamdată la Moldova, cu tot guvernul refugiat la Iași, aflată între puterea germană și cea austro-ungară la apus și revoluția bolșevică la răsărit, devenise disperată. În momentul acela, Ionel Brătianu își dă seama, sau crede, că am pierdut războiul, cedează locul celor care sunt dispuși să facă pace cu Germania, mai întâi mareșalului Averescu, unul dintre eroii războiului, dar care consideră, pe plan militar, că războiul ar fi pierdut și că deci, la fel ca rușii, trebuie să facem pace cu Germania. Am semnat armistițiul la 9 decembrie 1917 (rușii semnaseră armistițiul la Brest-Litovsk cu patru zile înainte). Apoi, după mai multe luni de negocieri, președinte al guvernului fiind conservatorul Alexandru Marghiloman, am semnat pacea la București, la 7 mai 1918.

Voi vorbi iarăși în nume personal. În toate cărțile noastre de istorie, scrie că eram absolut siliți să încheiem pacea de la București, o pace foarte dureroasă pentru români: pierdeam Dobrogea, în favoarea Bulgariei, și o întreagă zonă de munte în favoarea Austro-Ungariei; tratatul cuprindea și alte clauze extrem de dure pentru țara noastră, făcând din ea o adevărată colonie economică a Puterilor Centrale. Or, exista o mică minoritate printre oamenii noștri politici (dau numai două nume: regina Maria și Take Ionescu) care era de părere să nu cedăm și, dacă tot trebuie să ne retragem, atunci să ne retragem în Rusia cu mica noastră armată care era încă întreagă, se luptase bine. Nu era un plan nebunesc, poate că am fi influențat chiar viitorul război civil dintre albi și roșii, din Rusia, în favoarea albilor. Pe de altă parte, în momentul când noi semnam pacea de la București, americanii intrau deja în război și, după numai câteva săptămâni de la semnarea păcii noastre, soarta războiului se va întoarce în favoarea aliaților occidentali. Am semnat deci o pace în 1918, cu doar câteva săptămâni înainte ca balanța să se încline de partea aliaților. Din iulie 1918, pe frontul de vest mai întâi, apoi pe frontul de sud, la Salonic, unde era o armată internațională sub comandă franceză, începe dărâmarea celor două imperii centrale; imperiul austro-ungar capitulează la 3 noiembrie 1918, iar Germania la 11 noiembrie.

În momentul când armata franceză înaintează de la sud, cu viitorul mareșal Franchet d'Esperey, reluăm și noi armele, la începutul lui noiembrie 1918, așa încât ne-am găsit din nou alături de aliați abia la sfârșitul războiului.

Dificile negocieri de pace la Versailles

Pacea de la București din 7 mai 1918 ne-a îngreunat foarte mult sarcina la negocierile generale de pace care vor începe la Palatul Versailles de lângă Paris. Aici, iarăși manualele noastre de istorie prezintă lucrurile de cele mai multe ori inexact: se insinuează că Franța și Marea Britanie n-au mai vrut să respecte semnătura dată în august 1916, înainte de intrarea în război. E oarecum adevărat, dar uităm să precizăm motivul: din punct de vedere juridic, ni se aducea învinuirea că *noi nu respectaserăm înțelegerea din august 1916*, care prevedea clar interzicerea de a încheia o pace separată, ceea ce noi am făcut. Condițiile dramatice în care ne aflaserăm în noiembrie 1917 nu au fost considerate un motiv suficient ca să justifice capitularea noastră. Aliații puneau în paralel atitudinea Serbiei care, *ocupată integral în 1915*, nu făcuse totuși pace, ci își retrăsese armata prin Albania până la Adriatică, unde fusese îmbarcată pe nave engleze și franceze pentru a fi din nou trimisă pe front, la Salonic. Delegația noastră la tratativele de pace s-a găsit deci într-o situație foarte dificilă pentru a-i convinge pe Aliați să respecte clauzele acordului din 1916. La care s-a adăugat și o dispută privitoare la granița dintre noi și sârbi în Banat, preferința fiind dată exigențelor sârbești. În fine, românii erau foarte reticenți în a accepta formulele propuse pentru garantarea drepturilor minorităților. Ionel Brătianu a părăsit conferința, lăsând altor partide sarcina de a isprăvi negocierile.

Marea Unire din 1918

Dar *pe teren*, lucruri mari se împliniseră. A existat în acel moment istoric o împrejurare extraordinară, anume că de-o parte, din cauza revoluției bolșevice, Basarabia a putut mai întâi să se desprindă de ansamblul rusesc, iar apoi Sfatul Țării de la Chișinău să voteze, la 27 martie (9 aprilie) 1918, unirea cu România; de cealaltă parte, după prăbușirea Dublei Monarhii, Marea Adunare Națională a Românilor din Transilvania, Banat și Crișana să voteze la 18 noiembrie (1 decembrie) unirea cu România. Consiliul Național din Bucovina făcuse același lucru cu trei zile anterior. Astfel, în chip aproape miraculos, se întregise țara și spre răsărit, și spre apus.

În timpul lungilor negocieri de la Versailles (1919–1920), a intervenit încă un eveniment neprevăzut: în Ungaria, în martie 1919, preia puterea un guvern comunist în frunte cu Béla Kun. Prăbușirea țării era desigur dramatică, dezastru militar, teritoriu redus la mai puțin de o treime, astfel încât Ungaria devenise terenul ideal ca să prindă comunismul răspândit în lumea întreagă de Moscova, după victoria revoluției în Rusia.

Guvernul Béla Kun nu se mulțumește să ia pe plan intern toate măsurile pentru instalarea comunismului, dar în iulie 1919 îndrăznește să lanseze armata ungară într-un atac pentru a încerca să reia Transilvania de la români și, după unele surse, să facă joncțiunea cu trupele bolșevice de pe Nistru. Atunci armata română intră în Ungaria și, cu toate că franco-englezii ne interzic să înaintăm mai departe, de astă dată nu ascultăm de marile puteri și mergem să ocupăm Budapesta (4 august 1919). Ungurii onești recunosc și azi că ne datorează salvarea de comunism în 1919, și că datorită șederii noastre timp de trei luni la Budapesta s-a putut instala un guvern ungar relativ democratic, cu amiralul Horthy în fruntea statului, ca regent, adică șef provizoriu al statului în lipsa regelui (fiindcă românii, slovacii, sârbii și croații nu permiseseră acestei Ungarii să redevină regat sub coroana fostului împărat Carol, care succedase în 1916 unchiului său, Franz Joseph). Ocupăm deci Budapesta și împiedicăm în acest fel apariția comunismului în centrul Europei timp de douăzeci și ceva de ani. E un lucru pe care trebuie să îl ținem minte, o realizare a guvernului de atunci al lui Ionel Brătianu.

Înfăptuirea României Mari, dintr-o dată, în decembrie 1918, reprezintă împlinirea unui vis secular al românilor de a se afla împreună din Banat până la Nistru. Această Românie Mare e o țară care se naște cu dificultăți uriașe — trebuiau să se adune și să se gospodărească împreună oameni care nu s-au aflat niciodată sub aceeași cârmuire. Ceea ce-i unește pe toți românii este faptul de a vorbi aceeași limbă. Am mai spus că suntem poate singura țară din Europa, în afară de micile țări, al cărei sentiment național este exclusiv întemeiat pe faptul că vorbim aceeași limbă „de la Nistru până la Tisa". Lucru care nu se-ntâmplă în alte țări unde sentimentul național s-a clădit de veacuri, încetul cu încetul, în jurul unei istorii comune. La noi, cimentul este limba. Iar părerea mea este că această unire pe care am făcut-o în 1918 a fost excepțional de bine reușită. Văzând ce greutăți au avut cehii și slovacii ca să păstreze o singură țară sau drama celor din fosta Iugoslavie (nu numai acum, ci în întreaga perioadă interbelică), atunci trebuie să recunoaștem că această unire a românilor s-a realizat în mod miraculos. Un singur exemplu: Ionel Brătianu avea un prestigiu imens și se bucura și de deplina încredere a regelui Ferdinand (cei treisprezece ani cât au fost împreună la putere au reprezentat unul dintre marile momente de împlinire ale istoriei noastre). Înțelegând Ionel Brătianu că era nevoie de un ardelean ca să cimenteze unirea și ca să ne reprezinte la Paris când ni se făceau dificultăți din cauza păcii de la București, a acceptat un prim-ministru ardelean, pe Vaida-Voievod. La tratatul de la Trianon s-a dus deci să negocieze un ardelean, nu un om de la București. Prin urmare, am fost extrem de liberali în sensul acesta, am reușit să unim în mod foarte concret cele patru-cinci provincii care fuseseră înainte despărțite.

Pacea cu Ungaria nu s-a semnat la Versailles, în marele palat al „Regelui-Soare", cum i s-a zis lui Ludovic XIV, ci în palatul Trianon, din același parc, abia la 4 iunie 1920, din cauza nesfârșitelor discuții care au avut loc privitor la graniță, la asigurarea drepturilor minorităților etc. În decembrie 1919, semnaserăm pacea cu Austria (Bucovina) și cu Bulgaria (Dobrogea), la Saint-Germain și, respectiv, la Neuilly (tot în apropierea Parisului).

Situația internă la începuturile României Mari. Reforma agrară

Țara aceasta, dublată ca întindere, cu provincii care nu mai fuseseră împreună în trecut decât pentru o foarte scurtă perioadă (1600–1601) — „Vechiul Regat", Banatul, Transilvania, Maramureșul, Bucovina, Basarabia —, *cu minorități naționale reprezentând 28% din populație*, punea probleme extraordinar de grele.

Problema minorităților, adică a garanțiilor pe care trebuiau să le dea minorităților noile state create sau reconstituite, precum Cehoslovacia ori Polonia, sau considerabil mărite, ca România ori viitoarea Iugoslavie, fusese una dintre cele care au prelungit cel mai mult negocierile de la Versailles.

A urmat dificultatea punerii în practică a angajamentelor luate, problemă care continuă să fie actuală după optzeci de ani. Să nu uităm situația din 1918: după întregirea țării

și către nord, și către vest, și către est, dacă-i adunăm pe
toți minoritarii rămași înlăuntrul granițelor țării, unguri, ger-
mani, ucraineni, găgăuzi, bulgari etc., de asemeni dacă adău-
găm pe aceia dintre evrei, armeni sau țigani care doreau să
aibă o reprezentare proprie în Parlament, atunci un cetățean
din patru nu era de origine etnică română. Să nu uităm gra-
vitatea acestei probleme cu care s-a găsit deodată confrun-
tată România Mare.

Reforma agrară se afla în programul Partidului Liberal
chiar dinaintea izbucnirii războiului. În plin război, în aprilie
1917, regele Ferdinand, pentru a-i încuraja pe ostașii țărani,
făcuse o proclamație conform căreia, după ce războiul va fi
fost câștigat, se vor împărți pământurile marilor moșii, așa
încât guvernele postbelice erau absolut obligate să pună în
practică reforma făgăduită solemn de însuși regele țării. Aici,
trebuie subliniat că această reformă agrară, începută în 1918
și încheiată în 1922, este cea mai mare reformă agrară făcută
vreodată în lume de un guvern burghez sau, în orice caz,
de înșiși proprietarii terenurilor agricole. În toată istoria uni-
versală pe care am cercetat-o, am găsit un singur precedent,
în China, în veacul al X-lea, dar aici am avut de-a face cu
o revoluție, iar efectele au fost de scurtă durată. Dacă privim
istoria Europei, întâlnim, bineînțeles, confiscarea bunurilor
în timpul Revoluției ruse, însă aceasta nu s-a făcut pentru
a împroprietări pe țărani, ci pentru a înființa colhozuri. O
hotărâre revoluționară de împărțire a pământului în mod
pașnic, cum am făcut-o noi, într-un parlament în care aproa-
pe toți cei care au votat această lege erau proprietari de pă-
mânt, este un lucru unic în istorie.

S-a ajuns deci ca țara noastră, între cele două războaie,
să aibă o distribuție a proprietăților asemănătoare cu cea
care exista în Franța sau în Suedia, adică circa 20% din pă-
mânturi să aparțină celor care au peste 50 de hectare, iar

restul să aparțină unor proprietari mici sau foarte mici. Se poate reproșa că rezultatele, din punct de vedere economic, n-au fost bune. E drept, n-a fost destul timp pentru a apărea efectele benefice ale reformei; dimpotrivă, primele rezultate au fost proaste: dacă pe marile proprietăți se putuse cultiva grâu pe suprafețe întinse, cu munca relativ forțată a țăranului, România rămânând un mare exportator de cereale, după război am devenit o țară care abia mai putea exporta. Din punct de vedere cantitativ, producția a scăzut, în parte și din cauza lipsei de mijloace a micilor proprietari și a ignorării tehnologiei agricole moderne. Pe de altă parte, cum eram o națiune prolifică, loturile de pământ împărțindu-se între copii de la prima generație, putem spune că, în preajma celui de-al doilea război mondial, situația micilor agricultori nu era prosperă. Trebuie adăugat însă că „la jumătatea drumului", între 1929 și 1931, s-a produs cea mai mare criză economică mondială înregistrată de la începuturile erei industriale. Începută în Statele Unite sub forma unei crize bursiere (provocată, paradoxal!, de supraproducție), s-a propagat vertiginos pe toată planeta — dovadă că de pe atunci economia era mondială. Prețurile agricole, și la noi, au scăzut brutal la mai puțin de jumătate (copil fiind, am trăit momentul!), astfel încât producătorul nu s-a mai putut ridica peste nevoile sale strict alimentare. Nici una dintre reformele plănuite de liberali sau de Partidul Național-Țărănesc (realizarea unui sistem de cooperative țărănești sau ajutorarea bancară pentru modernizare) nu s-a putut înjgheba la vreme înainte de izbucnirea celui de-al doilea război mondial.

Viața politică în perioada interbelică.
Partide vechi și noi

După primul război mondial, au apărut noi partide, iar Partidul Conservator a dispărut de pe scena politică, în mare parte pentru că regimul liberal al lui Ionel Brătianu a luat acele importante hotărâri — sufragiul universal și împărțirea pământului —, reforme democratice care schimbau componența parlamentului. Partidul Conservator dispare, o parte dintre oamenii săi politici fiind recuperați de noul partid averescan, partidul format în jurul mareșalului Averescu, unul dintre eroii noștri în timpul războiului. A intrat în politică pe la sfârșitul războiului și s-ar putea spune că rămășițele Partidului Conservator trec în partidul acesta averescan, care însă n-a izbutit niciodată să aibă un impact important în țară — n-a guvernat decât atunci când a binevoit Ionel Brătianu să-i lase locul! În primii ani de după război, cei mai puternici sunt liberalii și averescanii; nu peste mult timp însă, Partidul Național transilvănean, condus de Iuliu Maniu, se asociază cu noul Partid Țărănesc, condus de Ion Mihalache, din Muntenia. Așa s-a născut Partidul Național-Țărănesc. „Național" însemna că provenea din Partidul Național din Transilvania, care luptase, împotriva ungurilor, pentru emanciparea românilor, iar acum se alia cu un partid țărănesc care se afla pe eșichierul politic mai la stânga — voia o și mai radicală reformă agrară, și în orice caz punea accentul pe aspectele sociale. Această uniune național-țărănistă a devenit încetul cu încetul cel mai mare partid din toată România, întrecând Partidul Liberal. Alternanța, care înainte de 1914 se făcea între conservatori și liberali, se va face de-acum între Partidul Liberal și Partidul Național-Țărănesc. Iată cum Partidul Liberal devine un fel de partid conservator față de Partidul Național-Țărănesc!

O dramă se întâmplă în 1927, când în același an mor regele Ferdinand și Ionel Brătianu, cel mai mare cap politic al României în veacul al XX-lea. De-acum încep nenorocirile țării. Regele Ferdinand, îndemnat pare-se de Ionel Brătianu, îl dezmoștenise pe fiul său, moștenitorul normal al tronului, principele Carol, fiindcă amândoi aveau impresia că nu era vrednic să devină conducătorul țării. Carol făcuse un lucru inadmisibil: în 1918 părăsise țara ca să se căsătorească ilegal din punct de vedere dinastic în Rusia, la Odessa, cu iubita lui, Zizi Lambrino, aparținând unei familii de boieri din Moldova. Această acțiune nesăbuită îi păruse lui Ionel Brătianu (și avea dreptate!) un foarte prost semn privitor la maturitatea sa. În 1927, când moare regele Ferdinand, principele Carol este deci, în mod legal, dezmoștenit, tronul trecând direct la fiul său, Mihai, care nu are decât șase ani. Moartea neprevăzută și tragică a regelui Ferdinand pune țara într-o foarte grea situație: un rege minor și o regență formată din trei persoane nepregătite politic, anume Patriarhul țării Miron Cristea — aveam Patriarhie din 1925 —, președintele Curții de Casație și principele Nicolae, frate mezin al lui Carol. Dar în 1930, date fiind dificultățile economice și politice în care se zbate țara, apare o tendință din ce în ce mai vădită la marele public și chiar în sânul partidelor politice: „să-l rechemăm pe principele Carol". Iar principele Carol dă, împreună cu câțiva complici, o lovitură: vine în țară pe neașteptate, cu avionul, la 6 iunie 1930, într-un moment când Iuliu Maniu este președintele guvernului. Maniu are slăbiciunea de a demisiona pentru a lăsa Parlamentul să hotărască, iar Carol este recunoscut de Parlament ca rege al țării. Micul rege trebuie să cedeze locul tatălui său, și iată-ne în 1930 cu începutul domniei regelui Carol II, Maniu revenind la putere după câteva zile.

Ne este acum foarte greu, mai cu seamă pentru oameni de vârsta mea, care am trăit acele vremuri, să fim total nepărtinitori și să știm să deosebim ce-a fost bun de ce-a fost rău în domnia regelui Carol II. Omul era inteligent și cult, iar opțiunile lui de politică externă s-au dovedit mai târziu corecte. În schimb, era lipsit de moralitate și de capacitatea de a-și înfrâna pasiunile, așa încât s-a lăsat înconjurat curând de un grup de profitori și afaceriști, căruia opinia publică

i-a dat numele (provenit din istoria Spaniei) de „camarila"
regală.

Ca să înțelegeți însă mai bine drama pe care a trăit-o
țara în timpul domniei regelui Carol II, trebuie să încerc mai
întâi să descriu pe scurt situația politică la noi și în Europa.

Situația politică în Europa anilor '30.
Ascensiunea partidelor de extremă dreaptă

Aspectul cel mai stringent era la acea epocă ascensiunea
mișcărilor de extremă dreapta în mai toată Europa. Aceste
mișcări apăreau, pe de o parte ca reacție împotriva bolșe-
vismului, pe de alta datorită discreditării în care căzuse în
multe țări regimul parlamentar, privit ca ros de corupție și
incapabil să pună capăt crizei economice. Riscul de a vedea
ivindu-se în toate țările ceva asemănător experienței Béla
Kun din Ungaria, sau ceva în genul situației din Germania,
Spania (unde exista un puternic partid comunist) sau Italia
de la începutul anilor '20, a făcut să se nască mai peste tot
mișcări de coloratură naționalistă promovând suprimarea
regimului parlamentar multipartid și guvernarea unui partid
unic, anticomunist. Primul exemplu îl avem din 1922 în Ita-
lia, cu venirea la putere a lui Benito Mussolini, fondatorul
mișcării fasciste (nume provenind de la „fasciile" din istoria
Romei antice). Vom vedea apoi apărând regimuri autoritare
în țări mai aproape de noi: în 1926 în Polonia, dictatura ma-
reșalului Pilsudski (se pronunță Piusudski); în 1927 prelua-
rea puterii de către regele Alexandru în „Regatul Sârbilor,
Croaților și Slovenilor", pe care el îl va boteza „Iugoslavia"
în 1929.

În 1933 — eveniment cu urmări mult mai grave — preia
puterea în Germania Adolf Hitler în fruntea Partidului Na-
țional Socialist, în germană *Nazional Sozialismus*, de unde

prescurtarea *Nazi* care a dat termenul „nazism". (Nu e lipsit de interes să precizez că Hitler a fost învestit cancelar de președintele Republicii Germane de atunci, mareșalul Hindenburg, după ce partidul său obținuse majoritatea relativă în alegerile parlamentare.)

În 1936, se instaurează dictatura generalului Metaxà în Grecia. Tot în 1936 începe un lung și sângeros război civil în Spania, care va ține trei ani, între guvernul de Front popular socialist-comunist și naționaliștii generalului Franco, în cele din urmă învingător — aflându-se în fruntea statului ca dictator până la moartea sa, în 1975. Așadar, să nu-l acuzăm pe regele Carol II că a impus o dictatură în 1938 — suntem totuși ultima țară din această parte a Europei care trece la un regim dictatorial și am avut în perioada interbelică un regim relativ mai democratic decât oricare dintre vecinii noștri. Chiar și în Europa apuseană, într-o țară cu tradiție democratică precum Franța, în ajunul războiului, vreo două-trei mișcări de extremă dreapta căpătaseră o pondere politică neașteptată.

Mișcarea legionară (Legiunea Arhanghelului Mihail, Garda de Fier)

La noi, cel mai simptomatic dintre partidele de extremă dreaptă a fost mișcarea legionară. Dat fiind că și astăzi ideologia acestei mișcări mai atrage simpatii, trebuie să încerc să spun ce a fost mișcarea legionară. Și e foarte greu de explicat. Mai întâi, să nu credeți, cum spun adversarii mișcării legionare, că a fost de la bun început o copie a nazismului sau a fascismului. Mișcarea legionară a fost o mișcare autohtonă, născută din grupări studențești anticomuniste, între care una era condusă de Corneliu Zelea Codreanu. La un moment dat însă, se întâmplă un lucru grav în cariera lui

Corneliu Codreanu: într-un proces în care era acuzat de un prefect ce se purtase într-adevăr foarte urât cu studenții pe care-i arestase (bătăi, procedee cu totul detestabile și condamnabile — asemenea comportament exista și înaintea epocii comuniste, dar la o scară infinit mai mică), Corneliu Codreanu scoate revolverul și-l ucide pe-acest prefect. De la uciderea, pe vremea lui Cuza, a șefului conservatorilor, Barbu Catargiu (nu s-a lămurit nici până astăzi cine a fost asasinul, dar e evident că oamenii care erau de partea lui Cuza Vodă l-au omorât pe cel ce se opunea reformelor domnitorului), de la 1863 și până la acest asasinat nu s-a petrecut în țara noastră nici o crimă politică — ceea ce contrasta cu „obiceiurile" din Balcani. Asta este marea învinuire care se aduce legionarilor: *au introdus în moravurile politice românești ceva ce nu făcea parte din tradiția noastră.*

Atunci au început să fie prigoniți într-adevăr acești tineri care voiau schimbări adânci în țară și în moravurile politice ale acesteia. Codreanu — achitat de un tribunal popular după uciderea prefectului — creează împreună cu câțiva apropiați, într-o atmosferă mistic-religioasă, Legiunea Arhanghelului Mihail, care se va numi mai apoi și Garda de Fier. Ce voiau ei? Ziceau că vor să curețe țara de moravurile politice murdare, să înlăture influența pernicioasă și cosmopolită a evreilor și a masonilor; se voia întoarcerea la un trecut popular, mitic, folosind uneori expresii care ni se par acum de o mare naivitate („Să facem o țară ca soarele sfânt de pe cer" etc.). Codreanu, numit de partizanii săi doar „Căpitanul", umbla prin sate în port național, uneori călare pe un cal alb, ca în basme. Era, în toată purtarea lor, un parfum arhaic — dar în acele momente de mare criză economică și de nedumerire politică, cu un foarte ridicat procent de șomaj printre tinerii intelectuali, entuziasmul lor oarecum copilăresc a fost atât de contagios, încât după puțin timp se poate spune că o mare parte a tineretului studențesc, dar și preoți, meseriași, muncitori se leagă de această mișcare legionară.

Lumea de astăzi, mai cu seamă sincerii democrați, nu mai înțelege cum oameni de calitatea intelectuală a filozofului Nae Ionescu, de calitatea lui Mircea Eliade, a lui Emil Cioran, și a atâtor altora de mare valoare intelectuală și morală s-au putut lăsa entuziasmați de această mișcare. Din punct de vedere social, chiar dacă inițiatorii proveneau din straturi apropiate de popor, recrutarea ulterioară a atins toate straturile sociale, și s-au găsit printre militanții de frunte ai mișcării un număr impresionant de persoane purtând nume „istorice": Cantacuzino, Ghica, Sturdza, Manu etc. A existat un fel de orbire colectivă. Numai târziu — mult mai târziu, după experiența războiului — ne-am dat noi seama că orice mișcare presupunând un partid unic duce în mod fatal la crimă. Cu atât mai mult, în contextul lumii de azi, reînvierea mișcării legionare apare ca o anacronică și primejdioasă aberație.

În 1933, după victoria lui Hitler în alegerile din Germania, legionarii s-au pregătit de alegerile din țară cu un program atât de violent fascist, antisemit și antioccidental, încât liberalul I. G. Duca, însărcinat de regele Carol să organizeze alegerile, a crezut de cuviință să interzică participarea la alegeri a Gărzii de Fier. Trei săptămâni mai târziu, era asasinat în gara Sinaia de trei legionari. Un asasinat și mai greu de justificat va avea loc în 1936, când o echipă de zece legionari (studenți în teologie!) îl împușcă, pe patul său de spital, pe disidentul legionar Mihai Stelescu, ciopârțindu-i apoi trupul cu topoarele și dănțuind în jurul cadavrului (unii etnologi au văzut în această scenă abia credibilă o reminiscență a ritului antic al Cabirilor!). Totuși, succesul Legiunii sporește, mai cu seamă când o grupă de voluntari din Legiune merge în Spania să lupte în rândurile „franchiștilor", iar doi dintre ei, Moța și Marin, mor în luptă.

Înmormântarea lor solemnă, la București, în ianuarie 1937, revelă lumii amploarea luată de mișcare. Apoi, în alegerile din decembrie 1937, primul-ministru desemnat de regele Carol, liberalul Gheorghe Tătărescu, în mod cu totul excepțional, nu reușește să câștige alegerile (obținând doar 36% din voturi în loc de cele 40 de procente necesare — după lege — pentru a deține majoritatea în Parlament).

Instaurarea dictaturii regale

Acest insucces electoral se datora în parte unui „pact de neagresiune electorală" între național-țărăniștii lui Iuliu Maniu și partidul „Totul pentru țară" (eticheta electorală a Legiunii). Rezultatul a fost că regele a adus la guvern doi lideri de mici partide de extremă dreaptă (dar nu din Legiune): poetul Octavian Goga și profesorul A. C. Cuza, șeful unui partid axat exclusiv pe antisemitism.

S-ar zice că regele Carol i-a adus la putere numai ca să compromită extrema dreaptă și, cu prilejul unei noi crize (economico-financiare, plus presiune externă), să dizolve Parlamentul și să instaureze dictatura regală (februarie 1938), inventând apoi, la sfârșitul anului, un partid unic, cu totul artificial, „Frontul Renașterii Naționale".

Față de toate dictaturile pe care le-am cunoscut mai târziu, s-ar părea azi că dictatura regală a fost mai puțin dură decât cele ce vor urma: scurta experiență legionară, dictatura generalului Antonescu, apoi, mai cu seamă, cei patruzeci și cinci de ani de regim comunist. De altfel, Carol II, un an-doi după venirea pe tron, a avut norocul de a profita de o restabilire a situației economice mondiale, care a avut repercusiuni favorabile și asupra țării noastre, astfel încât anii domniei lui au fost o epocă de relativ progres economic și o perioadă de mari construcții în București; se fac de asemeni primele drumuri asfaltate din țară. Din păcate, acest *boom* economic a fost umbrit de suspiciunea în legătură cu profiturile ilicite obținute de anturajul regal, profituri ilicite de care era acuzată și amanta regelui, foarte impopulară, Elena Lupescu, pentru care regele divorțase de regina Elena (din familia regală a Greciei).

Să revenim la soarta legionarilor în timpul dictaturii regale. Aici a făcut regele Carol un lucru absolut inadmisibil pentru un suveran — și chiar pentru orice guvernant: s-a „dezbărat" de persoana „charismatică" a lui Codreanu prin asasinat. S-a montat (pe când regele era în vizită oficială la Hitler, în noiembrie 1938) o pretinsă evadare din închisoarea unde Codreanu fusese închis după un proces politic, și a fost sugrumat împreună cu toți cei care-i executaseră pe I. G. Duca și pe Stelescu. Suprimarea „Căpitanului" și arestarea principalilor fruntași ai mișcării au dus la dezorganizarea Legiunii și la propulsarea la rangul întâi a unui mediocru complotist, Horia Sima. Zece luni după asasinarea lui Codreanu, la câteva săptămâni de la izbucnirea celui de-al doilea război mondial (septembrie 1939), are loc răzbunarea legionarilor: asasinarea primului-ministru Armand Călinescu; după care oamenii regelui Carol au reacționat cu metode cvasimedievale: atentatorii executați pe loc și lăsați cu zilele să putrezească în stradă, sute de execuții oarecum la întâmplare, în provincie. Se pornește cu furie „spirala" violenței.

Pactul Ribbentrop–Molotov (23 august 1939). Izbucnește al doilea război mondial

O dată cu instaurarea dictaturii regale, ne apropiam de izbucnirea celui de-al doilea război mondial, pe care omenirea îl vedea apropiindu-se din an în an de la venirea lui

Hitler la putere, în 1933. În 1936, reocupase Renania, pro-
vincie germană de graniță, pe care tratatul de la Versailles
o decretase „demilitarizată"; în martie 1938, ocupase Aus-
tria (*Anschluss*), considerând-o germană; la 29 septembrie
în același an, după o încordată criză politică între Axa Ber-
lin–Roma pe de o parte și francezi și britanici pe de alta,
aceștia din urmă acceptaseră, prin acordul de la München,
dezmembrarea Cehoslovaciei, considerându-se încă nepre-
gătiți pentru o confruntare militară (Germania anexează cam
o treime din teritoriul Cehiei, zis al Munților Sudeți, cu
densă populație germană, Ungaria primește sudul Slovaciei,
iar Polonia regiunea Teschen); la 15 martie 1939, Hitler in-
vadase și restul Cehoslovaciei. Cehia devenea protectorat
german, iar Slovacia, amputată de partea ei de sud și de Ru-
tenia subcarpatică, cedate Ungariei, devenea (teoretic) inde-
pendentă. Nici de data asta anglo-francezii nu reacționează.

Mica înțelegere (Cehoslovacia–România–Iugoslavia),
care de la înființarea ei în 1920 nu ajunsese să fie niciodată
o reală putere militară, era de-acum un vis al trecutului, iar
țara noastră, în fața acestei înaintări nestăvilite a celui de-al
III-lea Reich (titlul pe care îl luase Germania hitleristă, adi-
că „al treilea imperiu"), se văzuse silită să semneze un tra-
tat comercial care făcea din noi un client cvasiexclusiv al
Germaniei.

Lumea află cu stupefacție că Germania și Uniunea Sovie-
tică, pe care toți le credeau dușmani de moarte, semnaseră,
la 23 august 1939, un pact de neagresiune. (Se va afla mai
târziu că prevedea împărțirea Poloniei și autorizarea dată de
germani Uniunii Sovietice de a reocupa Basarabia.) A rămas
cunoscut sub numele celor doi miniștri de externe: Pactul
Ribbentrop–Molotov. Nu va trece decât o săptămână, și Ger-
mania, la 1 septembrie 1939, invadează fără preaviz Polonia,
cu un aparat militar formidabil. Pretextul era recuperarea
portului Danzig (Gdansk), majoritar german, și a coridorului

care-l despărțea de Germania. Franța și Marea Britanie, respectând tratatul de garanție ce le lega de Polonia, declară război Germaniei la 3 septembrie 1939. Așa a început al doilea război mondial, care va ține mai mult decât primul și va face *zeci de milioane de victime.*

Francezii și britanicii nu sunt însă în măsură să atace imediat Germania, din cauza inferiorității lor aeriene și a existenței unor fortificații betonate de-a lungul întregii granițe germane (Linia Siegfried). Germania poate duce un război-fulger în Polonia care, după o rezistență eroică, atacată și de la răsărit de sovietici, e împărțită la 28 septembrie între cei doi agresori.

Germania apare deodată ca o putere de neînvins. Ce ar fi trebuit să facem noi, românii, în această configurație politică? Primiserăm și noi garanții din partea Franței și a Marii Britanii, dar ce valoare mai aveau?

La 10 mai 1940 pornește atacul Germaniei împotriva franco-britanicilor, ocolind fortificațiile franceze (Linia Maginot) prin violarea neutralității olandeze și traversarea Belgiei de la nord spre sud. Oarecum neprevăzut, Franța se prăbușește în câteva săptămâni.

Ultimatumul sovietic (26 iunie 1940). Diktat-ul de la Viena (30 august 1940)

Consecințele pentru noi sunt imediate. La numai o săptămână după armistițiul francez din 17 iunie 1940, România primește o notă ultimativă din partea URSS: ni se cerea să cedăm imediat Basarabia și Bucovina de nord. A fost un moment extraordinar de dramatic. Regele Carol II, nemaiavând parlament, este silit să-și adune cel puțin un Consiliu de Coroană — instituție veche pe care o scoate din nou la lumină. Consiliul de Coroană adună în grabă douăzeci și unu de membri. Avem treizeci și șase de ore ca să răspundem acestui ultimatum. Cum putem apăra 650 de kilometri de graniță împotriva unei puteri de 20 de ori mai mare decât România? S-a telefonat imediat ministrului de externe german pentru a interveni pe lângă ruși ca să începem negocieri. Dar în acel moment germanii și rușii sunt aliați. Hitler ne spune să cedăm imediat. Atunci, la o a doua întrunire a Consiliului de Coroană, câteva ore mai târziu, din 21 de membri numai șase au mai fost de părere să rezistăm orice ar fi, printre ei Nicolae Iorga și un basarabean, istoricul Ștefan Ciobanu!

Și acum mă întreb, după atâtea zeci de ani, acum, când cunoaștem ce a urmat, și de asemeni care a fost clauza secretă din Pactul Ribbentrop–Molotov (care cuprindea acordul dat sovieticilor de a înainta până la Prut), mă întreb dacă nu acești șase oameni au fost cei care au avut dreptate. Oare n-ar fi fost mai bine în ziua aceea să spunem că rezistăm? Pierdeam războiul în opt zile, mureau câteva zeci de mii de oameni, dar germanii ar fi intrat în țara noastră, pentru că n-ar fi admis — e un calcul pe care îl puteau face și oamenii politici de atunci — să-i lase pe ruși să pună mâna pe petrolul de la Ploiești, din moment ce pregăteau un război împotriva URSS. Lucrul acesta se știa, îl scrisese Hitler în cartea lui, *Mein Kampf*, cu ani în urmă. E clar deci că, dacă noi îi lăsam pe germani să ne ocupe restul țării, am fi avut exact aceeași situație ca Polonia, adică în tot timpul războiului am fi fost ocupați de cele două mari puteri agresoare, dar rămâneam cu onoarea nepătată. Există un principiu de la care n-aveam voie să ne abatem: nu cedezi un petic de pământ fără să tragi un foc de armă. Aceasta a fost, după părerea mea, marea eroare politică pe care am făcut-o în ultimii cincizeci de ani. Noi trebuia să ne batem în 1940 împotriva rușilor, chiar de n-ar fi durat decât opt zile. Căci, după ce am cedat Basarabia și nordul Bucovinei rușilor, a trebuit să cedăm și nordul Transilvaniei. Au bătut cu pumnul în masă germanii, iar noi am cedat ungurilor jumătate din Transilvania (*Diktat*-ul de la Viena) și Cadrilaterul bulgarilor, prin urmare am pierdut în câteva luni o treime din țară fără să tragem un foc de armă!

Repet convingerea mea: trebuia să ne batem, mai întâi fiindcă *trebuia* să ne batem; apoi fiindcă, judecând *a posteriori*, putem estima că, în ipoteza în care ne-am fi apărat, urmările ar fi fost mai puțin catastrofale pentru țară. Am fi pierdut infinit mai puțini oameni decât am pierdut apoi în două campanii, una în Rusia până în Caucaz și la Stalingrad, cealaltă în Apus până la Praga, dar mai cu seamă am fi dat lumii o imagine mult mai nobilă, ceea ce e de *importanță vitală pentru tine însuți*. Din clipa cedării noastre la 27 iunie 1940, s-ar zice că toate ne-au ieșit rău și că am dat tuturor prilej de a ne judeca rău: sârbii și grecii, vechii noștri prieteni și aliați, ne pot învinui că am autorizat pe germani să folosească teritoriul nostru pentru a-i ataca pe la spate; aliații noștri occidentali tradiționali nu ne iartă că ne-am aliat apoi cu Germania pentru a recuceri Basarabia și Bucovina; rușii nu ne iartă că noi, mică putere, am îndrăznit să pătrundem în „Sfânta Rusie" până pe malurile Volgăi; germanii pot nutri un adânc resentiment pentru „trădarea" noastră de la 23 august 1944! Cu alte cuvinte, facem figură proastă în ochii tuturor din cauza unei singure greșeli fatale săvârșite în ziua de 27 iunie 1940.

Mi se răspunde întotdeauna că asemenea argumentări n-au nici o valoare. Nu poți rescrie istoria, nu poți „ghici" ce ar fi fost „dacă"... E drept. Dar istoricul n-are la îndemână alt mijloc de a *judeca* valoarea unei *hotărâri* trecute decât imaginând în chipul cel mai rațional cu putință ce s-ar fi întâmplat în ipoteza luării unei hotărâri diferite. (Această operațiune mintală se numește în filozofia anglo-saxonă

„închipuire a unor condiții contrare faptelor întâmplate" —
counterfactual conditions.)

Generalul Antonescu
și „Statul Național-Legionar"

Să revenim la fapte: după această triplă și umilitoare
ciuntire a țării, regele Carol a trebuit să abdice și să fugă
în străinătate, și a venit la putere generalul Antonescu. Om
dur, dârz, cinstit, dar care nu putea face guvern decât cu
Legiunea, cu ce rămăsese din ea — ceea ce a condus, în
1940, la „Statul Național-Legionar", cu generalul Antonescu
în fruntea guvernului, iar jumătate din guvern format din
legionari.

A trebuit bineînțeles să ne aliem cu germanii, chiar să
le îngăduim să aducă trupe în România, chipurile pentru a
ne instrui armata — de fapt, mai cu seamă, ca să pregătească
de la noi invazia Balcanilor și războiul împotriva rușilor.
Iar după foarte puține luni, generalul Antonescu nu s-a mai
putut înțelege cu legionarii, care s-au comportat inadmisibil,
creând o poliție politică paralelă; s-au dezlănțuit cu violen-
ță împotriva evreilor și, sub pretextul românizării, au preluat
averile lor și le-au împărțit între ei. Au omorât o serie în-
treagă de foști miniștri (60 de foști miniștri și demnitari uciși
la Jilava, în noiembrie 1940). Cel mai mult a impresionat
uciderea marelui istoric Nicolae Iorga (noiembrie 1940),
iar din clipa aceea a fost clar că generalul Antonescu a ho-
tărât să se despartă de legionari. La sfârșitul lui ianuarie '41
are loc un fel de război civil care durează două zile, în care
armata, de partea lui Antonescu, îi învinge pe legionari.
Aceasta o dată ce Antonescu se asigurase de neutralitatea
germanilor — care, după câteva luni de observare a situației
interne de la noi, ajunseseră la concluzia că în ajunul declan-

șării unui război în Rusia le era mai de folos disciplina militarului Antonescu decât haosul legionar. Unii legionari fug în Germania, restul sunt ori internați în lagăre, ori închiși, ori fișați pentru a fi, într-un fel sau altul, îndepărtați mai târziu, de pildă prin trimiterea în linia întâi pe front, când vom intra în război, ceea ce se va și întâmpla. Este sfârșitul dominației legionare la noi.

Dictatura lui Antonescu s-a arătat și mai nemiloasă față de alte categorii politice, sociale sau etnice. După începerea războiului împotriva Uniunii Sovietice, sub cuvânt că populația evreiască din Basarabia și Bucovina de nord se arătase în general favorabilă ocupației sovietice și avuseseră loc chiar acțiuni criminale împotriva armatei române, Antonescu a luat hotărârea să deporteze *toată* populația evreiască din Basarabia și Bucovina dincolo de Nistru. La care s-au adăugat, fără explicații, unele grupuri de evrei din restul țării și un număr însemnat — care nu-i bine lămurit nici azi — de țigani. În total, această deportare în masă e evaluată la circa 150 000 de oameni, aruncați literalmente în pustiu, fără structuri de primire prevăzute. Fiind zonă de război și cunoscând purtarea brutală a armatei germane în înaintarea ei, evaluarea definitivă a numărului morților și dispăruților e cvasiimposibilă. Această teribilă măsură e astăzi *imputată ca o crimă nu numai lui Antonescu și guvernului său, ci întregii noastre națiuni.* Eu unul pot mărturisi că n-am avut pe atunci nici cea mai mică cunoștință despre această tragedie.

Trebuie adăugat că, în anii următori, mareșalul și-a modificat atitudinea față de minoritatea evreiască. În anii 1942–1943, cu toate insistențele repetate ale guvernului german de a-i preda pe evreii noștri, a refuzat permanent, ba a și favorizat salvarea unor evrei din Occident sau din Transilvania de nord ocupată de unguri. Guvernul ungar, în schimb, în primăvara 1944, a cedat cererilor naziste, predând pe toți evreii din Transilvania de Nord, iarăși circa 150 000, dintre care puțini au supraviețuit. Gestul lui Antonescu din 1943 e însă puțin cunoscut în Occident, și, chiar când e cunoscut, nu șterge fapta din 1941.

Războiul din răsărit (iunie 1941)

Germania a atacat Rusia la 22 iunie 1941, iar noi ne-am aflat alături de germani. Și eu am fost pe linia frontului din prima zi. Eram toți tineri, plini de avânt la gândul de a șterge rușinea din anul precedent și de a redobândi Basarabia și Bucovina. Noi am crezut că, alături de armata germană, va fi un război ușor de câștigat; a fost, dimpotrivă, un război dramatic, căci Antonescu (avansat mareșal la începutul ostilităților) nu s-a mulțumit să redobândească Basarabia și Bucovina de nord și să se oprească la granițele țării, cum au făcut finlandezii; el a vrut să meargă mai departe alături de germani, în speranța că, dacă câștigă războiul, fiind aliații lor fideli, ni s-ar fi retrocedat cel puțin o parte din Transilvania de nord. Cu această greșeală politică, simplu rămășag, am mers înainte și am ajuns cu trupele noastre până la Stalingrad, pe Volga și în Munții Caucaz. Iar când s-a întors soarta armelor, când la Stalingrad a avut loc acea dramatică încercuire a armatelor germane (inclusiv a diviziilor române), am suferit cea mai mare înfrângere militară din toată istoria noastră. Am pierdut sute de mii de oameni, morți, răniți, degerați, prizonieri. O tragedie națională care n-a mai fost niciodată răscumpărată. Germanii au considerat că din cauza noastră a fost încercuit Stalingradul, noi nu aveam mijloace proprii de a ne retrage de-acolo. Încetul cu încetul, devenise clar că Germania pierdea lupta și că noi trebuia să ieșim din război.

Oamenii politici clarvăzători au înțeles cu toții că Germania nu mai putea câștiga războiul. Cei mai lucizi înțeleseseră aceasta chiar cu un an înainte, din momentul când Statele Unite, provocate de Japonia, intraseră în război. Intrarea în joc alături de Marea Britanie și de URSS a primei puteri industriale din lume însemna în mod fatal *începutul sfârșitului* pentru ambițiile lui Hitler. Dar dictatorii sunt, prin esență, orbi. Formidabilul potențial industrial american, transformat peste noapte în formidabil potențial militar, a hotărât soarta războiului. Miile de camioane care au transportat armata sovietică la Stalingrad erau americane. Zecile de mii de avioane care au prefăcut orașele germane în maldăre de ruine au fost americane. (Țin minte că eu însumi, când am auzit, pe la începutul intervenției americane, că președintele Roosevelt se lăuda că vor fabrica 1 000 de avioane pe săptămână, am crezut că era pură lăudăroșenie. După un an, Statele Unite produceau 52 000 de avioane pe an, și câte un vapor de transport — *Liberty Ship* — la fiecare zece zile!)

După căderea Stalingradului (februarie 1943) au început tatonări, mai întâi pe lângă Aliați, apoi și pe lângă sovietici, atât din partea guvernului Antonescu, cât și din partea opoziției conduse de Iuliu Maniu și sprijinite în secret de regele Mihai. Prin aprilie-mai 1944, ne aflam în posesia ultimelor condiții puse de sovietici pentru capitularea noastră. Mareșalul Antonescu nu s-a putut însă hotărî, nici chiar când, Moldova fiind pe jumătate ocupată, frontul româno-german a fost adânc străpuns, la 20 august 1944. Pe de o parte, nu voia să-și calce cuvântul de militar dat lui Hitler, pe de alta, tot spera într-un moment strategic mai favorabil pentru a face pasul. Opoziția, dimpotrivă, se temea că orice nouă păsuire ne anula și ultimele șanse ca Aliații și Uniunea Sovietică să ne restituie Transilvania de nord la încheierea păcii.

23 august 1944 — arestarea lui Antonescu și „răsturnarea alianțelor"

Regele Mihai, sprijinindu-se pe un Bloc Național Democratic de curând constituit (național-țărăniștii reprezentați de Maniu, liberalii de Dinu Brătianu, social-democrații de Titel Petrescu și comuniștii de Lucrețiu Pătrășcanu), procedează, în după-amiaza lui 23 august 1944, la un fel de lovitură de palat. Antonescu refuzând să încheie imediat un armistițiu cu sovieticii, regele l-a demis din funcția de prim-ministru și l-a arestat, a ordonat armatei să înceteze lupta împotriva rușilor și a cerut germanilor să părăsească țara. Germanii neacceptând să plece și atacând Capitala cu unitățile antiaeriene de la Ploiești, a trebuit să întoarcem armele împotriva foștilor noștri aliați. Lucru dureros pentru armată, dar, la ordinul regelui, executat fără ezitare. Și de-acum a început un război către apus, în care am pierdut alte câteva sute de mii de oameni, dar am recucerit Transilvania. Am intrat în Ungaria, am ajuns până în Cehoslovacia. Am fost deci aliații sovieticilor și ai occidentalilor, fără să ni se recunoască însă statutul de cobeligeranți, ceea ce ne-ar fi dat anumite drepturi în faza negocierilor de pace. În același timp, eram ocupați de imensa armată sovietică, care a crezut că poate face la noi ce voia. A început o nouă eră a istoriei noastre: prin faptul că am pierdut războiul în fața sovieticilor, eram de-acum siliți — cu toate promisiunile aliaților că ne vor apăra — să adoptăm un regim impus de Moscova.

Situația internațională după 1945. Acordul de la Ialta (februarie 1945)

Ca să înțelegem ce s-a întâmplat în ultimii cincizeci de ani la noi în țară, trebuie să aruncăm din nou o privire asupra situației internaționale. Războiul se sfârșește în august 1945, o dată cu lansarea bombei atomice la Hiroshima și Nagasaki. În 1945, Germania, cumplit distrusă după trei ani de bombardamente ale aviației aliate, este ocupată acum în jumătatea de Răsărit de ruși, iar în jumătatea de Apus de aliații americani, englezi și francezi. Dar, o dată cu Germania de Răsărit, e ocupată de ruși și toată Europa de Est, adică Polonia, Ungaria, România și Bulgaria. Înțelegerea semnată în februarie 1945 la Ialta, în Crimeea, de către cei trei mari, Roosevelt, Churchill și Stalin, prevedea că se vor organiza alegeri libere în țările eliberate de hegemonia germană. Cum au înțeles sovieticii aceste alegeri libere e cunoscut. Încetul cu încetul, au creat mișcări politice artificiale. La noi, în momentul când au sosit rușii, partidul comunist n-avea decât 900 de membri. Se poate obiecta că erau 900 de membri pentru că partidul se afla în ilegalitate. Dar fusese interzis fiindcă era în solda unei puteri străine care voia să ne răpească Basarabia, părea deci logic ca guvernele interbelice să nu permită existența unui partid care depinde de o mare țară vecină și care vrea să alieneze o provincie a țării. Asta explică de ce, fiind în clandestinitate, numărul membrilor partidului era atât de mic. Dar de îndată ce s-a instalat puterea sovietică la noi în țară, au ieșit ca din pământ mii și mii de comuniști. Poate că erau simpatizanți dinainte, dar în mare parte au devenit comuniști numai pentru a fi de partea învingătorului, de partea celui care deține puterea. S-au inventat mișcări populare, s-a ieșit în stradă, s-a cerut demisia guvernului — și astfel, doar pentru foarte puțin timp după 23 august '44, am crezut că putem relua o viață parlamentară normală. La 6 martie 1945, regele Mihai a fost silit să schimbe guvernul. Prim-ministru era un general antiantonescian, generalul Rădescu. A venit ministrul adjunct de externe sovietic, Andrei Vâșinski (de origine poloneză!), a izbit cu pumnul în masă, a înconjurat palatul cu tancuri, iar regele a fost silit să accepte ca prim-ministru pe cel pe care rușii îl desemnaseră: Petru Groza. Groza era un burghez, un bancher transilvan, simpatizant al comuniștilor, aparent om cumsecade, de fapt, iertați-mi cuvântul, un prost care a fost manipulat de comuniști. El este cel care i-a ajutat pe comuniști să preia puterea între martie '45 și sfârșitul anului '47. În acești aproape trei ani, în zadar a încercat regele, cu ajutorul teoretic al anglo-americanilor, să reziste presiunilor sovietice. Guvernul se afla din ce în ce mai mult în mâna comuniștilor, prin hotărâri unilaterale, confiscarea pământurilor, declanșarea procesului de cooperativizare forțată, după model sovietic, a agriculturii, confiscarea industriilor etc.

Îmi veți spune: „ne-au vândut anglo-americanii la Ialta", de ce nu ne-au apărat? Aici trebuie să vă prezint un punct de vedere oarecum deosebit de ceea ce se vehiculează în presă și în literatura politică, de ani de zile: să nu uităm că, în democrațiile mari din Apus, cum sunt SUA, Marea Britanie, Franța, nu conduce un dictator, nici chiar un guvern cu putere absolută. Există parlament, există opinie publică. În 1945, ideea de a începe un război împotriva fostului tău aliat, chiar dacă acesta comite abuzuri în Europa, nici nu putea să treacă prin gând unui englez sau unui american, după cinci ani de război în Europa, Africa și Extremul Orient. Pe de altă parte, occidentalii credeau că semnaseră la Ialta un acord pentru organizarea de alegeri libere. Chiar dacă aceste alegeri, care au avut loc la noi în 1946, au fost falsificate, ei nu puteau găsi aici un motiv pentru declanșarea războiului.

Oamenii noștri politici de atunci, în frunte cu Iuliu Maniu, și de asemeni regele au fost mai întâi surprinși, apoi consternați de slăbiciunea reacțiilor Aliaților față de încălcările din ce în ce mai grave din partea rușilor ale înțelegerilor convenite între aliați și ale angajamentelor internaționale.

S-au comportat în România — pe când ostașii noștri luptau alături de ei pe frontul de Vest — ca într-o țară definitiv cucerită. Au deportat zeci de mii de români din Basarabia și Bucovina, au deportat zeci de mii de sași și șvabi din Transilvania și Banat, au exploatat minele noastre până la secătuire (în special uraniul necesar fabricării bombei atomice), au condus din umbră, ani de-a rândul, guvernul comunist român prin consilierii lor instalați în toate centrele vitale de conducere. Învinovățirea cea mai evidentă pe care o putem aduce anglo-americanilor e că n-au avut măcar curajul să-l prevină atunci cinstit pe Maniu și opoziția română de neputința lor și de hotărârea calculată, categorică, de a nu interveni, ținând cont de riscuri, în acea fază. Poate că am fi evitat în acest caz sacrificii zadarnice.

Convinși că marea putere americană, ajutată de ceilalți occidentali, se va dovedi superioară Rusiei, speram că salvarea noastră va veni în patru-cinci ani. Și a venit după patruzeci și cinci de ani! Așa este istoria. Lucrează în lungă durată, iar destinele individuale sunt strivite fără milă. URSS s-a prăbușit din interior, din cauza imposibilității comunismului de a construi o economie viabilă.

Instalarea forțată a sistemului comunist

Perioada care începe cu ocupația sovietică a răsturnat toate valorile societății românești. Mare parte din elita noastră intelectuală și politică a fost fie suprimată în închisori sau la canalul Dunăre–Marea Neagră, fie obligată să se exileze. S-a instaurat o teroare pe care cei ce n-au trăit-o nu sunt în stare să și-o închipuie. Lumea gândea un lucru, dar spunea altceva. A existat un fel de schizofrenie, ca să ne exprimăm în termeni psihiatrici, iar aceasta a durat vreme de patruzeci și cinci de ani.

Regimul, desigur, a avut realizările lui : a redus conside-
rabil analfabetismul ; dar când pui învățământul în slujba ex-
clusivă a unei ideologii străine și mincinoase și suprimi cu
sălbatică brutalitate orice libertate de gândire, nu anulezi
oare tot câștigul alfabetizării ?

S-a întins rețeaua șoselelor asfaltate (de calitate subme-
diocră), s-au dublat liniile de cale ferată, mai cu seamă s-au
construit multe uzine, accelerând forțat industrializarea țării,
ceea ce a dus în mod fatal la o urbanizare precipitată și de
calitatea cea mai proastă. Într-un cuvânt, totul s-a făcut prost.
Afirmația că realizările din această perioadă n-ar fi fost po-
sibile fără regimul comunist e ridicolă. De pildă, pentru re-
construcția Europei de Vest după cumplitele distrugeri ale
războiului, americanii au promovat faimosul „Plan Mar-
shall" (după numele generalului, fost șef de stat-major, apoi
secretar de stat — adică ministru de externe). Acest plan
de ajutorare economică, eșalonat pe mai mulți ani, a permis
revenirea la normalitate a jumătății apusene a Europei. Când
unele state din zona comunistă, de pildă Cehoslovacia, au
vrut și ele să beneficieze de acest program, Uniunea Sovie-
tică s-a opus categoric. Închipuiți-vă ce ar fi devenit țara
noastră dacă ar fi putut profita și ea de această mână ce-
rească ! În schimb, sovieticii ne-au stors cât au putut cu ce-
lebrele lor SOVROM-uri și ne-au silit să avem o economie
de tip sovietic, cu o industrie nesănătoasă.

Culmea aberațiilor economice a fost atinsă sub Ceau-
șescu, succesorul lui Gheorghiu-Dej la conducerea partidu-
lui și a țării. La început mai puțin brutal decât predecesorul
său — căci în vremea lui Gheorghiu-Dej a avut loc distru-
gerea sistematică, conform tezelor lui Lenin, a tuturor pă-
turilor sociale mai răsărite, nu numai la nivelul straturilor
sociale mai înalte, ci și la sate, morți cu miile, cu zecile de
mii, în închisori, la canalul Dunăre–Marea Neagră, în de-
portări etc., cu vremea însă, Ceaușescu și-a pierdut orice

simț al măsurii. Incult, dar șiret și ambițios, a avut o reală dibăcie politică, nu numai pe plan intern spre a-și consolida puterea dictatorială, ci și pe plan extern pentru a da unor mari oameni politici din Occident, ca generalul de Gaulle sau președintele Nixon, impresia că el încerca să desprindă România din cleștele sovietic. În aceste încercări n-a mers însă niciodată atât de departe încât să-i îngrijoreze pe stăpânii Kremlinului. Ba probabil că, având asentimentul lor, România a fost veriga din lanțul de state satelite ale Uniunii Sovietice care păstra legătura cu țări devenite inamice, ca Israelul, Albania sau China. În același timp, la adăpostul reputației de pretinsă independență, Ceaușescu lăsa serviciile sale „speciale" să dea în Occident lovituri spectaculoase care, vădit, nu puteau folosi decât serviciilor secrete ale URSS. Ceaușescu a fost însoțit și încurajat de oportuniști nepregătiți și fără scrupule, care i-au inspirat planuri de dezvoltare cu totul absurde — de pildă, hotărârea creării unor uriașe oțelării într-o țară lipsită de cele două materii prime necesare, fier și cărbune, precum și de suficientă energie, iar aceasta tocmai în conjunctura în care cererea de oțel pe piața mondială era în descreștere din cauza unei adevărate revoluții tehnologice. Și, pe lângă o seamă de alte erori majore în planificarea economică, a început lucrări faraonice în Capitala țării, după modelul altor demenți ai lumii comuniste, ca Mao Tse Dun sau Kim Ir Sen. Câte școli, spitale, șosele s-ar fi putut clădi cu miliardele cheltuite pentru dărâmarea (cu o nemaipomenită lipsă de omenie) a unui întreg cartier al Bucureștilor și ridicarea acelei monstruoase clădiri numite „Casa Poporului", precum și a acelui bulevard luxos, mai lung și mai larg decât Champs-Élysées de la Paris! Propaganda comunistă a făcut caz de toate aceste „realizări", însă o creștere economică sănătoasă, cum a fost cea din anii interbelici, ne-ar fi adus azi mai departe.

În ochii mei însă, aceste erori majore în opțiunile econo-
mice, care sunt la originea crizei dramatice prin care trecem
acum, nu sunt moștenirea cea mai tragică a regimului comu-
nist. Moștenirea cea mai tragică constă în faptul că acea
jumătate de secol ne-a stricat sufletul.

Un regim în care minciuna a fost ridicată la rangul de
metodă de guvernare, în care teroarea a dezvoltat lașitatea
la cei mai mulți și eroismul imprudent la câțiva, în care de-
lațiunea a fost considerată virtute, în care furtul, nu numai
din bunul statului dar și din cel al vecinului, a sfârșit prin a
apărea legitim din cauza privațiunilor permanente și a exem-
plului de înșelăciune venit de sus, un asemenea regim nu
putea să nu lase urme profunde în mentalități și comporta-
mente. Ele sunt astăzi piedica majoră în integrarea noastră
într-o lume nouă. Răul mi se pare atât de adânc și de gene-
ralizat încât nu știu dacă generația celor care acum sunt ti-
neri îl va mai putea stârpi. Moralitatea batjocorită se repară
mai greu decât uzinele învechite. Poate doar generațiile ur-
mătoare să reușească a regăsi echilibrul, dacă ar ști, cu hotă-
râre, să impună cultul cinstei, al respectului pentru cuvântul
dat și pentru semeni.

Pe plan politic, îmi pun nădejdea în dezvoltarea unui re-
gim parlamentar civilizat. Mi se va răspunde că au presă
proastă Parlamentul, „politicienii" etc. Vă amintesc butada
lui Winston Churchill: sistemul parlamentar e detestabil...
dar e cel mai puțin rău din câte cunoaștem.

Apoi îmi pun nădejdea în integrarea noastră în marea
comunitate europeană, în marea familie a Europei unite, în
care țările care au aderat acum cincisprezece-douăzeci de
ani au făcut un salt înainte fenomenal. Am văzut cu ochii
mei: Grecia de azi față de Grecia de acum douăzeci de ani
e de nerecunoscut. Până și țări mari și bogate ca Franța au
fost transfigurate din punct de vedere economic de când au

inițiat (cu multe reticențe interne) această Uniune acum cincizeci de ani. Acolo e și viitorul țării noastre.

Nu înseamnă să idealizăm naiv Occidentul. Dar geniul fiecărui popor stă în a ști să adapteze propriei sale moșteniri integrarea într-un ansamblu mai larg. Eu cred că abilitatea noastră politică ne va ajuta nu numai să intrăm în acest mare ansamblu continental, dar și să jucăm în sânul lui un rol de frunte. Este crezul meu. Rămâne ca generațiile viitoare să-l împlinească!

Redactor
S. SKULTÉTY

Tehnoredactor
LUMINIȚA SIMIONESCU

Corector
IOANA CUCU

Apărut 2005
BUCUREȘTI–ROMÂNIA

Tiparul executat la ARTPRESS – Timișoara